LOUISE ET JULIETTE

www. editions-jclattes. fr

Catherine Servan-Schreiber

LOUISE ET JULIETTE

Roman

JC Lattès
17, rue Jacob 75006 Paris

ISBN : 978-2-7096-2932-4

Première édition février 2009.

À mes fils, Louis et Guy Augarde, et à leurs cousines et cousins, qui devront par tradition familiale se référer au poème de Rudyard Kipling : « Tu seras un homme, mon fils »...

Louise prit son temps pour mourir.

Elle fit une attaque cardiaque sévère un froid, très froid, dimanche de février, au retour de la messe, juste avant de se mettre à table avec Juliettc. Elles avaient prévu un déjeuner dominical avec des gourmandises de vieilles dames, comme elles en avaient partagé des centaines depuis la mort de leurs maris. Elles se tenaient repliées l'une contre l'autre, dans la solitude des dimanches d'hiver, sans enfant. Pour aller prier, Louise avait tenu à mettre son vieux manteau noir en fausse fourrure. Si confortable, une plume, mais qui laissait passer les courants d'air. Alors à l'église, vous pensez bien ! Elle avait les doigts blancs. Le froid avait sucé leur sang : ces gants en cuir, c'était juste pour faire joli… Au moment de partir, Louise avait eu du mal à retrouver la voiture. Sa mémoire, bon sang, lui jouait de mauvais tours. Mais le plus grave, c'était ses jambes douloureuses et capricieuses... Pourtant, il fallait tenir, avancer, ne pas se laisser vaincre par cette immense fatigue qui la submergeait depuis quelques jours. Elle s'était bien gardée de se plaindre, d'en parler à qui que ce soit et surtout pas à Juliette. Avec elle, les plaintes se transformaient en drame. Elle avait bien fait. La preuve, elle avait tenu toute la messe. Elle n'était pas si vieille après tout…

C'est Juliette qui appela les pompiers.

— Je l'avais prévenue. Elle est frileuse, surtout depuis la guerre, elle a eu si froid… Ma pauvre chérie, soupirait Juliette.

Elle serrait son châle sur ses épaules, un cadeau de Louise à Noël. Pour calmer sa peur, pendant que les médecins réanimaient sa sœur, Juliette s'agitait, faisait les cent pas, parlait toute seule, racontait n'importe quoi, allait aux toilettes pour rien, se lavait les mains à l'eau de Cologne, voulait téléphoner aux enfants, à Léonard surtout, mais ne savait pas quoi dire…

— Vous êtes de la famille ?

Les taches de sang sur la blouse blanche du gros bras lui firent perdre ses moyens.

Juliette hésita.

— Heu… Oui, souffla-t-elle, en serrant un peu plus son châle et en baissant la tête.

Était-elle de la famille ? De la famille vraiment proche, assez proche pour être la seule à voir Louise mourir ? Quel doute idiot ! Les séparations douloureuses des années noires resurgissaient brutalement sans qu'elle puisse l'empêcher.

— Oui ou non. Vous n'avez pas l'air sûr ?

— Oui…

— C'est une alerte sérieuse. Ça va aller. Mais pas pour longtemps. Quelques jours seulement…

— Quel malheur !

— On l'emmène à l'hôpital. Vous venez avec nous.

— À l'Hôpital Américain, précisa Juliette, d'un ton autoritaire.

L'hôpital pour riches devait être plus efficace que les autres, ça la rassurait. Lors de son dernier voyage et du premier malaise cardiaque de Louise, Léonard, son fils aîné, avait fait les choses en grand : « Crédit ouvert pour Maman, avec acompte en dollars. Alors tu n'écoutes personne, tu fonces à l'Américain. »

— À vous de voir. Il faut leur téléphoner pour les prévenir.

Vite, vite, répondit le gros bras qui commençait déjà à détailler l'appartement. L'immense salon en angle, les meubles anciens et tous ces objets...

On appela le médecin. Il était sur place et les attendait. On pouvait aussi avoir de la chance face à la mort ! Dans l'ambulance, Juliette caressait la main de sa sœur, d'un geste mécanique, un peu brutal même. La tristesse l'empêchait d'être tendre. Et puis ce hurlement douloureux de la sirène qui résonnait dans l'habitacle lui glaçait le sang. C'était donc grave s'il fallait remonter à toute vitesse les Champs-Élysées dans ce boucan insupportable.

Juliette était secouée, chamboulée, dépassée par les événements. Elle n'acceptait pas que l'ordre des choses soit bousculé. Ce n'était pas à Louise, plus jeune de cinq ans, de mourir la première. Elle avait une belle vie. Elle avait connu de grands bonheurs. Mais, il y a deux ans, son fils adoré était parti aux États-Unis et l'éloignement avait été un crève-cœur ! Peut-être Louise s'était-elle trop donnée ? Jamais au repos, courant à droite à gauche jusqu'au bout de ses quatre-vingt-six ans. Juliette considérait qu'elle avait eu des malheurs bien plus grands, mais qu'elle avait su prendre le temps de vivre, d'être heureuse avec des petites joies, sans arrière-pensée. Sa sœur, elle, avait été trop exigeante, trop gourmande, trop ambitieuse, cherchant pour tous ses proches la réussite. Elle avait eu son chapelet de déceptions.

Louise entrouvrit les yeux et ses lèvres craquelées remuèrent péniblement.

— Qu'ils me laissent mourir...

Juliette était sans voix. Elle caressa le visage de sa sœur, son nid de rides creusé par la douleur. Mon Dieu, qu'elle avait été belle, rayonnante ! Que c'était malheureux...

— Tu vas leur dire... souffla Louise qui avait refermé les yeux. À voir la tête d'épagneul de sa sœur, elle doutait d'être bien entendue. Juliette serait bien seule face au corps médical, face à ses enfants et à leurs émotions et face aux convenances... Juliette et les convenances, une vie entière de connivence…

— Oui, ne t'inquiète pas… parvint à articuler Juliette nouée.

Chaque parcelle de son corps lui faisait mal. Sa douleur était au-delà des larmes.

— Léonard ?

— On va lui téléphoner de l'hôpital.

— Il ne faudra pas l'inquiéter… Tu lui diras…

— Oui, je l'appellerai moi-même…

Louise ne dit plus rien.

À quoi bon, puisqu'elle n'était pas morte, elle attendrait son fils. Au médecin de l'Hôpital Américain qui lui téléphona, Léonard répondit avec l'assurance des gens en bonne santé : « Gardez-la en vie jusqu'à ce que j'arrive. »

Le lendemain, à peine descendu de l'avion, avec sa barbe de deux jours, ses cernes, son col roulé en cashmere blanc et son blouson d'aviateur, il se présenta à l'hôpital, à l'heure où l'équipe de nuit passait le relais, dans une agitation maîtrisée.

Tout juste sortie de réanimation, Louise était encore affaiblie. Elle reconnut cependant sa démarche dans le couloir, au milieu des bruits sourds du service. Cette façon bien à lui de saccader son pas. Elle tourna la tête vers la porte, guettant son entrée, les yeux grands ouverts.

Louise attendait Léonard, comme chaque jour, chaque instant, depuis soixante-trois ans.

Ses longs cheveux gris reposaient sur l'oreiller blanc. Pour la première fois de sa vie, elle ne supportait plus les épingles à chignon. La fatigue était si grande.

Léonard s'arrêta sur le seuil de la chambre, hésitant. L'odeur de l'éther l'avait saisi à la gorge. Il était inquiet et pâle, ce qui donnait une intensité particulière à son regard bleu.

Il redoutait ce moment. Ne sachant plus comment se

comporter maintenant que la peur de la mort s'était installée en lui.

Il fut surpris d'apercevoir un sourire sur le visage cireux de sa mère. Un mince sourire, comme une ombre chinoise posée sur le masque de la mort. De sa main, en bougeant avec difficulté ses doigts, imperceptiblement, elle lui fit signe d'approcher. Plus près, tout près pour qu'elle s'enivre de son parfum si réconfortant. Il s'agenouilla sur le sol et posa sa tête contre la sienne sur le bord du lit. Les yeux fermés, souriante, Louise s'abandonna à ce moment, qu'elle savoura encore et encore.

Léonard ne se rappelait pas avoir vu sa mère en cheveux. Ni petit quand elle calmait ses insomnies, ni même quand il débarquait à la première heure dans le lit de ses parents pour se faire raconter une histoire par son père. Ces fameuses histoires pour enfants, une différente chaque jour des vacances, que son père inventait en fonction de l'actualité, en fonction des bruits du monde. Il se glissait au milieu de ses parents, se collait contre le corps chaud de sa mère et réveillait en douceur son père : « Alors Papa raconte ! » Ses trois sœurs arrivaient pendant le récit, toutes endormies, n'écoutant que d'une oreille. Elles n'étaient pas fichues de se réveiller à l'heure. Alors Léonard, assumant avec fierté son rôle d'aîné, résumait le début pour les petites. Parfois, il changeait un peu les choses, mais son père complice ne disait rien et continuait sur sa lancée. Bien plus tard, Louise irait chercher le petit frère – il avait quatorze ans de différence avec Léonard – pour qu'il s'imprègne lui aussi des histoires de son père. Mais quand Laurent fut en âge d'écouter, Léonard avait passé son tour.

Léonard ramena Louise chez elle, contre l'avis de tous, en signant des décharges sur un coin de table, de son paraphe célèbre. Mourir à la maison était le dernier cadeau qu'il offrait à sa mère. Mourir comme elle avait vécu dans son grand, bien trop grand appartement qu'elle habitait depuis quarante ans et qu'elle n'avait pas voulu quitter à la mort de Charles. Il y avait trop de souvenirs, trop d'habitudes, et pas assez de force pour remuer tout ça. Elle se contenta de vivre repliée dans trois pièces.

Des infirmières se relayaient à son chevet tandis que la maison se remplissait de roses rouges, les plus belles, les plus odorantes, des Baccarat. Léonard aimait offrir des fleurs, en abondance. Il en voulait partout, des grands bouquets généreux, remplacés au moindre flétrissement. Une vraie folie ! Sa mère les admirait pendant de longues heures, avec un petit sourire de contentement et d'attendrissement.

Les jours passaient et l'état de Louise était stationnaire. Les paliers vers la mort se franchissent plus ou moins vite. Celui-ci se prolongeait. Louise était heureuse d'avoir son fils pour elle seule, un long moment chaque jour, même s'il parlait encore moins qu'à son habitude. C'était sûrement un conseil idiot des médecins. Elle préférait se fatiguer et l'écouter, plutôt que ces silences…

Pourquoi fallait-il s'économiser alors que l'issue était irrémédiable ? Pourtant elle ne se plaignait pas. Elle ne voulait pas ressembler à ces vieux malades qui deviennent impossibles pour leur entourage. Surtout ne pas peser ou alors le moins possible.

Léonard s'impatientait. Attendre la mort lui paraissait insupportable ! C'était long et inutile. Il voulait retourner en Amérique, revenir à la vie, à l'action. Louise devina son impatience dans ses attitudes, dans ses gestes, dans la façon plus sèche qu'il avait de lui commenter les journaux ou de l'embrasser.

Comme Dieu ne se décidait pas à accélérer sa mort, elle lui força la main. Après le départ de son fils, elle pourrait se laisser mourir. Sa présence lui donnait une force de vie qui n'allait pas dans le sens de l'histoire. Il était temps de faire demi-tour.

Elle avait prémédité son coup en se faisant belle... Une couche de crème Jolie, un chignon impeccable, une robe de chambre rouge. Ça avait marché puisque Léonard, ce jour-là, s'était réjoui de sa « bonne mine ».

Comme il lisait près d'elle, suçant les bonbons préférés de son père, les petites boules blanches à l'anis de Flavigny, les jambes étendues sur le lit et un feutre rouge à la main pour souligner les découvertes de sa lecture, elle provoqua la séparation.

— Je ne souhaite pas que tu me voies plus diminuée. Prends ton avion, mon amour. Tu sais que je t'aime au-delà de la vie et que de là-haut je veillerai sur toi, plus sûrement que de mon lit d'impotente ! Je suis heureuse de retrouver ton père. J'ai eu une belle vie, surtout après ta naissance. Merci, mon amour.

— Et Émilie ? Tu retrouveras aussi ta fille.

— Oui je sais à quel point tu aimais ta sœur... regretta Louise.

Léonard pleurait. Des petites larmes uniformes, comme de la rosée, sur son beau visage buriné d'homme. Pour la première fois de sa vie, il pleurait ses morts tous ensemble.

Ils se regardèrent un long moment en silence. Il y avait tant et si peu de choses à dire. Elle lui caressait la nuque tout doucement, comme quand petit garçon, il venait faire consoler ses peines d'enfant solitaire, trop doué et incompris.

La nuit tombée, il disparut comme un voleur, dévalant l'escalier dont il n'avait pas allumé la minuterie. Une bouffée d'angoisse lui déformait le visage. Il luttait pour résister aux sanglots, aux bruits rauques qui dans sa gorge résonnaient comme un orage. Il ne reconnut pas son frère qui montait en sens inverse. Il quittait la femme de sa vie, emportant dans sa poche la boîte presque vide des bonbons de Flavigny qui à chaque mouvement se cognaient les uns aux autres, rythmant ses pas de petits bruits d'enfance. Louise avait insisté pour qu'il emporte les Flavigny pour le voyage.

Le lendemain, il s'envola pour Boston. Sa mère fut soulagée de le savoir loin. Une fois encore, elle le protégeait des misères de la vie et des misères de la mort.

Maintenant, elle pouvait se laisser partir en paix malgré un autre événement de la vie familiale qui la préoccupait. Son second fils, Laurent, se remariait et elle ne voulait pas que sa mort gâche la fête. Pourtant, sa chambre était déjà une tombe. La course de vitesse avait commencé et Louise sentait qu'elle se laissait distancer. Juliette aussi l'avait compris et elle ne quittait plus sa sœur.

Ensemble, dans une douce complicité, elles vérifièrent que tout était prêt. La chemise de nuit en soie beige, achetée après la mort de son mari, chez Franck et fils à Passy, serait parfaite, chic et sobre à souhait. Quant à la parure brodée de lit, Juliette l'avait repassée et amidonnée comme il fallait. Louise pouvait être tranquille. Sa sœur y avait passé des heures avec le même soin que celui apporté par leur mère pour la naissance de Léonard. Pour le reste, les enfants feraient bien comme ils voudraient. De toute façon, Louise avait toujours pensé que les enterrements ressemblent plus aux vivants qui les organisent qu'aux morts en souvenir desquels ils sont célébrés. Ne pas échapper à la règle lui était bien égal.

Le matin du mariage de Laurent, Louise fit appeler son curé et demanda une part de gâteau au chocolat, celui des petits déjeuners d'anniversaire, à peine cuit à l'intérieur. Juliette mit tout en branle pour exaucer ce qu'elle avait compris être le dernier caprice de sa sœur. Quand le curé se présenta avec sa tête de circonstance, l'appartement embaumait le chocolat chaud. Il ne résista pas à l'assiette que lui tendit Juliette. Quel délice inhabituel pour une extrême onction. Après un long entretien avec le prêtre, Louise fit promettre à Juliette de ne pas prévenir les enfants. À quoi bon ? Tout était en place. Son agonie commença.

La mort s'était installée dans l'appartement comme une présence familière. On pouvait presque lui dire bonjour ! Elle était arrivée par les fenêtres entrebâillées sur cette douce journée de printemps, et se sentait chez elle, envahissante et dominatrice, ne laissant aucune place aux petites choses de la vie. Elle projetait sur son passage un éclairage blafard qui dénaturait les visages, les expressions, les conversations, les meubles, les pièces, les objets familiers, les habitudes du quotidien.

Depuis deux jours, le mariage de Laurent était dans toutes les conversations. Il devait être grandiose. Les futurs mariés, à tour de rôle, avaient raconté à Louise les moindres détails de la cérémonie et de la soirée. Le lieu, le menu, l'orchestre, les fleurs et l'interminable liste d'invités. Louise avait écouté, sans entendre. Elle désapprouvait cette fête ostentatoire. À leurs âges, tout de même !

Elle n'en dit rien, se contentant de sourire à contre-courant. Le plus souvent, elle faisait semblant de dormir pour écourter les évocations ou le défilé des conspirateurs. C'était facile. Elle n'avait plus de force et aspirait à être enfin seule, au calme. Au lieu de quoi, jusqu'au dernier moment, les dames de la famille vinrent se montrer, en tenue de soirée, avec leurs bras nus et leurs décolletés plongeants. Louise avait l'impression d'être une glace devant laquelle on vient faire une dernière ronde avant d'entrer en scène.

À l'heure du dîner, Juliette aussi s'en alla à la fête, le cœur gros. Elle s'était habillée d'une vieille robe noire qu'elle n'avait jamais aimée, à la dentelle déchirée dans le dos. Ce dîner lui pesait. Elle savait que sa place aurait été près de sa sœur. Mais comme Laurent épousait une juive, elle ne voulait pas qu'on la soupçonne d'antisémitisme. C'était si vite fait de lire le présent à l'aune d'un honteux passé. Et puis Louise l'avait encouragée à sortir pour se changer les idées. Peut-être aussi pour la protéger des interprétations tendancieuses puisque demain elle ne serait plus là pour la défendre et imposer le silence.

Vers 23 h 30, Louise mourut seule.

Alors qu'elle somnolait sur une bergère, l'infirmière de nuit entendit un dernier râle profond et bref. À la fête, la pièce montée venait d'être servie.

Parfois, dans les familles, des secrets durent longtemps. On croit savoir mais on ne sait jamais tout. L'infirmière ne raconta pas le dernier instant de vie consciente de sa malade. Les confidences se regrettent souvent.

Louise, avant de perdre connaissance, trouva la force de se lever comme une somnambule. Au fond du placard de sa chambre, elle sortit un vieux pull rangé en boule. Elle le déplia avec soin et en sortit une enveloppe jaunie. « Ce sont les lettres de ma sœur pendant la guerre. Vous les lui donnerez quand elle rentrera du mariage. Ne les laissez pas traîner… Il ne faut pas remuer le malheur », avait-elle demandé à la jeune femme, un peu interloquée d'être investie d'une mission d'adieu. « Je vais dormir maintenant, laissez moi… »

Sans y attacher d'importance, l'infirmière glissa le pull en boule sous un coussin du canapé vert du bureau transformé en chambre d'appoint depuis le retour de Louise à la maison. Elle fut attirée par la collection de cadres en argent contenant des photos de maisons, d'enfants, de skieurs, de bateau, de voitures, de chiens, de soirées, de déjeuners sur l'herbe… Toute une vie. Il y en avait des dizaines, en noir et blanc pour la plupart, avec les bords dentelées. En regardant ces photos du bonheur de cette femme qu'elle soignait depuis deux semaines, elle en oublia les lettres. Et on ne sut jamais qui les trouva…

L'enterrement de Louise fut ce qu'il convenait d'appeler un enterrement de soulagement. Sauf pour Juliette qui elle perdait tout. Pour tenir le coup et donner le change, elle se disait que son tour approchait. À elle maintenant de tirer sa révérence. Elle était la seule survivante de sa génération. Ce n'était pas un cadeau de vivre si vieille au milieu de ses souvenirs, ou plutôt de ses remords, ces foutus remords qui venaient la nuit l'empêcher de dormir. Avec Louise, disparaissait la seule personne qui lui avait toujours tout pardonné. En bloc.

Le muguet commandé en grande quantité – on avait avancé le mois de mai en avril pour honorer la fleur préférée de Louise – donnait à la cérémonie un air de légèreté, de printemps précoce. Même le drapeau bleu, blanc, rouge recouvrant le cercueil n'avait pas de gravité douloureuse. Chacun avait eu le temps de s'habituer, c'était dans l'ordre des choses… Le quotidien, impitoyable, reprenait le dessus.

Louise menait grand train et il était temps de faire les comptes.

Léonard n'était pas présent.

1.

5 septembre 1939

Charles s'agaça de ne pas trouver à sa place, dans son tiroir, son nœud papillon préféré. Il était déjà en retard. Il imaginait les visages crispés de ses deux grands frères, Roland, l'aîné, et Gilbert, le médecin, qui mettaient un point d'honneur à ne jamais faire attendre. On lui reprocherait encore sa désinvolture, lui l'intello de la fratrie qui se croyait tout permis, l'éternel petit dernier, protégé des soucis par ses grands frères et par sa mère.

— Quelle drôle d'idée un rendez-vous chez le notaire aujourd'hui, râla Louise.

— À peine dix minutes… Tu parles d'un événement !

— C'est une question de principe, le jour des seize ans de Léonard, et en plus, de son baptême.

— Aussi vite fait, aussi vite oublié… Je suis déjà en retard…

Charles avait prévu ces reproches. Louise ne pouvait pas considérer ce rendez-vous comme anodin, le jour de l'anniversaire de son fils. Voyons, quelle idée !

— Ne crains-tu pas les signes du destin ? poursuivit-elle.

Il contempla le visage crispé de sa femme. Même en colère, elle était rayonnante, belle, presque irréelle. Charles la regardait comme on détaille une œuvre d'art, en percevant la richesse en fonction des lumières, des humeurs. Ces petites contrariétés qu'elle prenait trop à cœur lui donnaient une gravité qui soulignait la finesse et la régularité de ses traits.

Le jour de l'anniversaire de son fils, comment pouvait-on signer entre les trois frères l'acte de partage du caveau n° 1253 au cimetière de l'Est parisien ? C'était juste inconcevable.

— Roland pensait bien faire, puisque nous sommes réunis pour le baptême des enfants. Tu sais l'importance qu'il attache à son rôle d'aîné. Les aînés des fratries, une race à part ! On ne comprend pas toujours leur motivation.

— Sur l'acte figurera le 5 septembre 1939, jour des seize ans de Léonard… et de son baptême, répétait Louise.

— Quelle importance ? demanda Charles avec une sincérité désarmante. En plus, tu sais bien que je veux être enterré à Veulettes, chez nous.

Les signes du destin, la symbolique des dates, de quoi parlait sa femme ? On était en guerre, Hitler menaçait l'Europe. Louise pouvait-elle encore croire en un affrontement sans malheur, sans caveau ? Non, ce n'était pas raisonnable. Le calme de ce début de guerre sans bataille, sans bombardement, n'allait pas durer. Avoir un caveau pouvait servir et puis ça n'avait jamais tué personne. Roland voulait partager avec ses deux frères la concession acquise à la va-vite à la mort de leur père, Samuel, en 1903. Elle offrait vingt places, moins celle occupée par le patriarche. C'était une façon de mettre les papiers en ordre, un acte de fraternité, dans une période où les symboles changeaient de nature. Pas de quoi en faire une montagne. Pour toute réponse, Louise foudroya Charles de son regard noir, plus dur pour l'occasion, amer même.

— Un acte de notaire, c'est un bout de papier que personne ne voit jamais. L'acte sera enfermé dans un dossier, lui-même placé dans une boîte d'archive, elle-même rangée sur une étagère d'un placard d'une cave de notaire... Quel est le problème ? poursuivit Charles qui regardait nerveusement la pendule au-dessus de la cheminée.

Charles n'aimait pas les mutismes désapprobateurs de sa femme. Cette façon de ne pas entrer dans la discussion pour ne céder sur rien.

Aujourd'hui, il était pressé et pas d'humeur à supporter les enfantillages de l'amour excessif de Louise pour son fils. Il avait trop de choses en tête. Pourtant une idée de conciliation lui vint naturellement à l'esprit.

— Je dirai au notaire d'antidater l'acte... N'en parlons plus...

C'était simple comme solution et Louise s'en contenta. Les traits de son beau visage se détendirent. Alors, il guetta le sourire d'après dispute, le sourire de remerciements, le plus beau sourire de Louise, celui d'une petite fille. Un sourire qu'elle ne décrochait que dans certaines circonstances... Il aimait ce sourire, tout comme cette façon qu'elle avait de venir, sans un mot, se blottir dans ses bras et lui enlever toute capacité de réaction ou de réflexion. Douces minutes... Ce câlin n'avait pas de prix. Il ne connaissait rien de meilleur.

Dix-sept ans étaient passés depuis le jour de son coup de foudre ! Comme le temps filait... Ne bouge pas, mon amour, ne bouge pas. Le baptême des enfants peut bien attendre !

Pourtant il lui semblait que c'était hier le jour de leur rencontre ! Une rencontre qu'il qualifiait de définitive. Il se souvenait sans faille du décor : rue Saint-Guillaume à Paris, dans le superbe appartement haussmannien de la présidente de la Bonne Étoile Rose Weill, une pièce de réception de 100 m^2 avec un parquet de style Versailles. Elle donnait là son grand classique : un bal populaire et chic à la fois, où les cendrillons espéraient séduire les princes charmants.

Les cendrillons, c'étaient les infirmières de la Bonne Étoile et les princes charmants, les riches donateurs qui permettaient à l'Institution de prendre en charge, partout en France, les orphelins et les enfants malheureux ou malades, avec plus d'humanité que l'Assistance publique. À la fin de la Grande Guerre, l'Assistance avait été débordée par le poids des malheurs. La Bonne Étoile était devenue une institution. Son activité recueillait toutes les bonnes volontés. Louise y consacra ses journées et toutes les forces de sa généreuse jeunesse. Elle y apprit le métier d'infirmière qu'elle aimait, parce qu'il lui semblait que c'était presque celui de médecin... comme son père.

Le bal des infirmières était la tradition annuelle de la Bonne Étoile. C'était la première fois que Louise y venait. Elle ne croyait pas au conte de fées... Surtout, elle ne voulait pas amputer son petit salaire du prix d'une robe du soir. Cela aurait été une folie, reprochée ensuite par sa mère, pendant des mois.

Mais cette année-là, Rose lui avait prêté une robe. Elle voulait que la plus belle de ses infirmières vienne danser. C'était une coquine la Présidente. Elle trouvait que Louise, à trop se dévouer à la cause, allait se tuer à la tâche et passer à côté du bonheur.

Rose avait aimé Louise au premier regard. Son amant de l'époque, Jules le moustachu, était le père de Louise. Un amant formidable et un chirurgien de grand talent mais un père et un mari pitoyable... La seule vraie bonne chose qu'il fit pour Louise, sa fille préférée, fut de la présenter à Rose, quelques jours avant la déclaration de guerre de l'été 1914, juste avant d'abandonner son foyer.

Louise s'ennuyait dans son institution catholique et elle voulait devenir infirmière. Jules accéda à sa demande farfelue. C'était un original, au contraire de la mère de Louise qui fut offusquée. Mais elle n'avait pas son mot à dire ou plutôt Louise s'en moquait comme d'une guigne ! Elle voulait travailler, comme les hommes, ne pas rester à la maison à goûter des confitures et autres sucreries... Le destin de la jeune fille était scellé.

La soirée était avancée quand Charles arriva au bal. Il avait été retenu par le bouclage du journal, *La Gazette des Entrepreneurs*. Une réclame commandée le matin même par les Verreries de Saint-Gobain bousculait la composition du cahier central et il avait fallu rééquilibrer les pages et les articles. En sortant de l'imprimerie, il ordonna au chauffeur de rentrer à la maison. Mais le chauffeur fit semblant de ne pas avoir entendu et l'emmena rue Saint-Guillaume. Il fallait bien que monsieur sorte un peu tout de même... La tête encore dans ses pages et dans sa Une, Charles ne s'aperçut de rien. Une fois sur place, il rouspéta puis décida de se laisser prendre au jeu. La faim le tiraillait et chez lui aucun souper n'avait été préparé !

Il remarqua Louise, alors qu'il s'approchait du buffet et il s'arrêta net. Il fut d'abord frappé par le lourd chignon brun dans sa nuque qui soulignait l'ovale parfait de son visage. Il l'observa en silence un long moment, en oubliant les bruits de la fête qui lui arrivaient feutrés.

Tout d'un coup intimidé, il demanda de l'aide à la maîtresse de maison. C'était comme une impression de noyade, le monde tournoyait avec des bruits assourdis. Il voulait tout savoir d'elle, pour se raccrocher à quelque chose, alors qu'il venait de perdre pied. C'était le coup de foudre.

Elle accepta de danser, sans avoir bien regardé son cavalier. Il était tard, il n'était pas le premier à l'inviter avec des mots convenus, des compliments déjà entendus. Il semblait juste un peu plus vieux que les autres ou plus réservé.

Il n'était pas un séducteur et il le savait. Trop intellectuel, il avait besoin de temps pour se faire aimer. Et puis, il ne savait pas danser, n'avait jamais appris et se sentait gauche.

Plutôt petit, il était rond comme les ministres de la IIIe République. Il avait un beau regard bleu foncé, un nez long et pointu et les cheveux blonds gominés, coiffés vers l'arrière. On remarquait aussi au premier regard son large front bombé et ses grandes oreilles. Une petite moustache faisait ressortir une large bouche gourmande. Il aimait la vie et dégageait une maturité sereine. À une autre époque, on aurait parlé de force tranquille.

Louise se laissa séduire. Au début, elle aima être l'élue. Elle se sentait choisie, désirée. Puis, elle se mit à aimer Charles, sa prévenance, ses cadeaux et son charme serein. Ils se marièrent en quatre mois. Il n'avait plus de temps à perdre. Louise était montée en graine et Charles déjà vieux garçon.

Le baptême ! L'heure tournait et on allait encore être en retard. Cette foutue manie de ne jamais arriver à l'heure, quand toute la famille, les cinq enfants et les deux parents devaient se déplacer. Un vrai remue-ménage. Il y en avait toujours un qui traînait, qui boudait, qui refusait de s'habiller, qui pensait à autre chose, qui avait faim, qui avait oublié une pacotille... Les filles surtout faisaient preuve de mauvaise volonté pour choisir leurs habits et pour bien se coiffer comme Maman aimait. Ça prenait un temps incroyable.

— Les enfants, venez vous habiller dans le salon, nous écoutons la TSF... Hitler a franchi toutes les frontières polonaises. Il s'approche de Varsovie... cria Louise dans le couloir pour ne pas s'éloigner du poste, où étaient rassemblés les trois frères Schirrer, la mine déconfite.

Laurent arriva en suçant son pouce et en traînant par terre sa chemise blanche qu'Agathe avait soigneusement amidonnée. Il s'assit sur le canapé en s'amusant d'être presque nu au milieu des adultes qui visiblement avaient l'esprit ailleurs. Les filles se débrouillèrent seules, pendant que Léonard rédigeait son discours dans sa chambre.

— C'est un bon jour pour baptiser vos enfants. Un clin d'œil de la vie... commenta Roland. À croire que vous étiez au courant de l'offensive allemande...

— Chut, on écoute ! le coupa Charles.

— Tu ne m'as pas dit si notre nouveau nom, Somer, est passé au *Journal Officiel*, demanda Roland.

— Non, pas encore… chut… s'agaçait Charles.

— Ça devient urgent d'avoir un nom plus français… insistait Roland. Somer c'est vraiment terroir. Somer-Schirrer, ça fait illusion quand même…

On eut du mal à éloigner ces messieurs du poste. Pourtant, il fallait rejoindre l'église Saint-Eustache et ne pas se faire piquer sa place. Le curé préféré de Louise les attendait. Il avait un planning de ministre et un nom prédestiné : Marie-André Dieux. Toutes les missions religieuses de la famille lui étaient confiées. Le baptême collectif était un événement. Les quatre enfants étaient habillés pareil. À leur cou pendait une fine chaîne en or avec une croix sur laquelle était gravée la date. C'était un cadeau de Juliette, désignée marraine des garçons. Seul Léonard avait refusé l'uniforme. Pas de culotte courte, il avait passé l'âge. Il n'allait tout de même pas s'habiller comme son petit frère… Il avait préféré choisir seul sa tenue : un chemisier blanc et une lavallière noire, une veste bleu marine, un gros nœud blanc de « fille » enfilé au-dessus du coude. Chacun avait préparé un petit discours, des vœux comme disait le curé. Charles n'avait pas voulu intervenir dans la composition des textes. J'aime les surprises, répétait-il pour encourager les vocations de ses enfants. Laurent, cinq ans devait improviser trois phrases, ne sachant lire et écrire que son prénom.

— Penchez plus vos têtes vers l'avant. Je dois vous mouiller le front, commanda le curé qui s'impatientait de l'indiscipline de ces grands enfants.

Avec les nourrissons, c'était plus simple.

On écouta d'une oreille les vœux des filles. On oublia de passer la parole à Laurent, puis vint le tour de Léonard. Louise souffla sur son index des chut, chut bruyants pour réclamer à la famille un silence parfait…

Il se leva, content d'attirer l'attention. Sa voix mal posée de jeune homme se perdit dans l'immensité de la nef. « Plus fort », réclama Charles.

— J'ai réfléchi ce matin à l'acte que j'allais accomplir devant vous aujourd'hui et j'ai essayé de me rendre compte de ce que m'apportera la religion catholique. C'est à cette doctrine que j'adhère parce qu'elle est noble et élevée et qu'elle me procure un idéal magnifique.

Il regarda le curé qui opinait de la tête, les yeux presque clos, et aperçut sa mère qui se tamponnait délicatement les joues pour éviter que ses larmes ne laissent des traces sur la poudre.

— Cependant en y pensant, j'ai compris que cet idéal chrétien de l'amour des autres, de la bonté, de la charité et de la franchise, n'était pas nouveau pour moi ; c'est celui que vous m'avez toujours inculqué, mes chers et tendres parents. J'ai profondément ressenti que mon Christ, c'était vous, que toutes ses vertus vous les avez et que son auréole vous la méritez. En devenant catholique je me range sous la bannière du Christ et j'ai conscience d'y être à vos côtés. Un merci particulier à Maman, à sa foi qui nous protège en ces temps troublés. Je vous embrasse de tout mon cœur qui vous admire et qui vous aime.

Le curé fit les gros yeux face aux applaudissements nourris et aux bravos. Dans une église tout de même !

Puis on rentra déjeuner, rue Saint-Didier. Sans Louise qui patientait dans la sacristie, pour être sûre d'avoir en main les certificats de baptême des enfants. Cela valait bien un peu de retard. Avec ces documents, malgré leur nom étranger, les enfants devenaient de bons petits catholiques !

***

Les rires des enfants dans l'escalier donnèrent aux domestiques le signal de l'arrivée des convives. Louise avait fait les choses en grand. Charles avait d'abord protesté, c'était inconvenant dans un pays en guerre, puis avait cédé devant l'insistance de sa femme. Il fallait gommer l'ascendant juif de leur pedigree et le faire savoir. À Veulettes, Louise et Juliette étaient allées chercher du ravitaillement pour un régiment. Des volailles bien grasses, des fromages qui sentaient bon l'été, toutes sortes de salades croquantes, des légumes et des fruits introuvables à Paris. Avec la bonne crème du pays, Juliette prépara ses flans à la saveur incomparable dont elle gardait jalousement la recette. C'étaient les flans de Veulettes, célèbres dans toute la famille et qu'on s'arrachait dès qu'ils sortaient du four. On avait dressé dix tables dans le salon et la salle à manger, avec des nappes blanches en organdi, des chandeliers en argent et les hortensias roses de Normandie.

Charles accueillait ses invités avec une gaieté forcée et un sourire crispé. Hitler à cinquante kilomètres de Varsovie. Sa progression conquérante lui faisait peur. Il allait s'activer pour faire passer leur nouveau nom au *Journal Officiel*.

À table, on se régala avec un plaisir décuplé par la conviction que la guerre ne permettrait pas de sitôt un repas aussi abondant. On parla uniquement de politique. Louise avait pris la précaution d'éloigner Paul, le mari de Juliette, des frères Schirrer. On pouvait discuter, c'était inutile de s'insulter. Paul d'ailleurs, contrairement à son habitude, ne développa aucune théorie fumeuse sur la grandeur de l'Allemagne nazie ou de Maurras. Il semblait préoccupé lui aussi et se contenta de conversations anodines, sans faire appel à Drieu La Rochelle. Louise pensa que sa sœur avait dû négocier de haute lutte pour obtenir ce silence poli... Cette pensée la bouleversa et elle chercha Juliette partout. Elle était dans la cuisine en train de donner ses instructions. Tendre Juliette qui n'était jamais au repos quand il s'agissait de la tenue de la maison de sa sœur. Pour Louise, elle voulait toujours en faire plus. Elle était une maîtresse de maison de substitution, se préoccupant de tout. Louise la prit dans ses bras dans un élan de tendresse incontrôlable, et lui murmura à l'oreille : « Merci, je t'aime tant ! »

2.

12 mai 1940

— D'accord, d'accord, je ne négocie pas le prix... mais tu avoueras...

La conversation entre Roland et le transporteur avait été animée. Puis Roland avait cédé aux remontrances de Charles qui trouvait que l'heure n'était pas propice aux discussions de petits sous. Les camionnettes arriveraient en début d'après-midi. On chargerait et elles prendraient aussitôt la route, direction Toulouse.

Les Allemands étaient sur la Meuse, à Dinant, à Monthermé et à Sedan. Charles considérait que la situation était bien plus grave qu'en 14 et que Paris était menacé. Il y avait urgence à mettre l'outil de travail à l'abri.

L'heure du déjeuner approchait et ils attendaient leur mère, Éva. Comme tous les vendredis, elle venait partager avec eux un plat chaud, croqué sur le pouce, dans la salle à manger. Ça durait depuis vingt-et-un ans. À 12 h 30 précises, elle s'installait, une serviette blanche bien dépliée sur ses genoux. Puis elle tapotait d'impatience sur la table : comment ses fils osaient-ils la faire attendre ?

Ils arrivèrent en râlant, l'embrassant à peine avec leur sourire crispé des mauvais jours.

— La chasse n'a pas été bonne ? questionna Éva.

C'était une tradition familiale de qualifier les recettes publicitaires au figuré. Plus l'animal était gros, plus le contrat était important. On débattait souvent sur la taille respective de l'hippopotame et de l'éléphant...

— Maman, les loups sont aux portes de Paris...

— Vous exagérez, l'interrompit Éva, en mordant dans un saucisson chaud aux pistaches.

— On fuit. On déménage le journal à Toulouse pour essayer de reparaître au plus vite. *La Dépêche* accueille *La Gazette des Entrepreneurs* dans son imprimerie. Les biens juifs vont être mis sous séquestre comme en Allemagne. Il y a urgence !

Roland avait presque crié.

Éva s'arrêta net de déguster son plat favori. Ses fils avaient pris une des décisions les plus importantes de leur vie, sans même la consulter. Elle était mise devant le fait accompli ! On rêvait... Cette guerre bousculait l'ordre des choses...

— On est en France quand même... Avec un nom allemand, certes...

— Quand Somer sera ajouté cela masquera le nom trop allemand et trop juif... trop ce que nous ne sommes plus, l'interrompit Charles.

— C'est le nom de votre père. Vous ne pouvez pas y toucher ! s'énerva Éva.

— Calme-toi, temporisa Roland. – Comme grand frère, il avait toujours le dernier mot. – Somer, c'est doux et cela protégera notre descendance... Et on ne touche pas au second nom.

Éva déclara forfait. Elle râlait pour le principe, mais savait qu'ils avaient raison. On changea de sujet. On parla argent. Qui avait quoi pour vivre ? Et combien de temps pouvait-on tenir avec l'entreprise familiale fermée ? Éva sortit rassurée du déjeuner, bien qu'ayant un doute sur les chiffres annoncés.

Quand ses fils parlaient argent, ils se vantaient toujours ! Ils n'avaient pas grandi ses garçons !

Pour l'heure, dans leur grand bureau au dernier étage de l'immeuble de leur journal, les deux frères étaient silencieux. Ils voulaient gagner du temps, savourer leur dernier moment dans ce bureau rempli de souvenirs, repousser la séparation. Charles sentait confusément qu'ils avaient pris la bonne décision, mais que ce déménagement les propulsait dans une autre époque. Il n'y avait plus d'ajournement possible : la guerre s'installait dans leur vie avec une percée digne des Panzerdivisioner.

Roland était soucieux. Il n'arrivait pas à se concentrer sur les tâches rendues urgentes par le déménagement précipité. Autour de sa bouche, les plis creusés par son sourire forcé ne s'effaçaient plus. Savoir son fils Jean, au front, avec le 4e régiment de cuirassiers l'obsédait. Il tournait en rond. Moins inquiet la veille, il avait regardé les comptes. Les chiffres étaient têtus, inflexibles comme les armes en acier. Ils pourraient tenir deux, trois mois mais la poule aux œufs d'or ne survivrait pas à une victoire allemande !

Pourtant, leur journal était en plein essor, c'était le début de la réclame.

Roland et Charles s'étaient réparti les rôles : Roland, le gestionnaire commercial et Charles, l'intellectuel visionnaire. L'un n'était rien sans l'autre.

— L'important, c'est de reparaître lundi. Que notre journal soit envoyé aux abonnés de Toulouse ou de Paris ne change rien… Un petit délai supplémentaire c'est tout…

Charles venait de rompre le silence. Dans ce bureau qu'ils occupaient face à face depuis leur retour de la Grande Guerre, chacun avec leur médaille, c'était la première fois que leur silence était aussi pesant à force de taire leurs inquiétudes et d'embellir l'un pour l'autre la réalité.

— Tu plaisantes… Paraître à nouveau, c'est un rêve de gosse. Je n'y crois pas une minute.

Charles posa son stylo à pompe Waterman. Fallait-il écrire ou préparer le déménagement ? Quelle urgence y avait-il à rédiger son éditorial ? L'outil de production du journal était en pièces détachées, prêt à traverser la France. Le fichier Abonnés, trente mille fiches écrites à la main et rangées dans des boîtes à chaussures, serait bientôt chargé dans le camion.

À quoi servirait la chronique de Charles sur le discours de Churchill prononcé la veille : « Je n'ai à offrir que du sang, de la peine, des larmes et de la sueur. » Cette phrase était presque la même que celle qu'Einstein avait écrite, sept ans plus tôt, dans leur journal. Cette fois encore, Charles voulait trouver les mots pour supplier le gouvernement français de ne pas reculer devant le Reich. Ne pas reculer, ne pas reculer…

Charles soudain fut parcouru d'un frisson douloureux. La gravité du moment lui sauta à la figure, comme un chien enragé. Et eux là, qu'étaient-ils en train de faire ? Fuir devant le Reich, non ? À quoi aurait servi cet éditorial ? On était au-delà des mots !

La « Boulangerie » – le surnom donné par Éva au journal – ne pesait plus rien face aux divisions allemandes. Balayé les grandes idées, les titres en lettres noires de Une pour empêcher la progression d'Hitler. Balayée leur réussite éclatante, depuis qu'ils ne vendaient plus, dans une arrière-cour de la rue des Petites Écuries, des gants et des éventails importés de Prusse. Balayée l'entreprise familiale qui faisait vivre, très confortablement, Roland, Charles et leurs familles.

Il se cala au fond de son fauteuil de vieux cuir anglais et regarda autour de lui. Roland était ratatiné, replié derrière ses piles. Il paraissait fragile, vulnérable, méconnaissable tout d'un coup, lui une force de la nature. Charles caressa la marqueterie de sa table de travail. La douceur du bois, l'onctuosité du vernis lui fit du bien. Il aimait particulièrement ces tables jumelles. Elles attestaient de leur ascension sociale, de leur travail, de leurs réussites, face à face, complices et rivales. Comme leurs propriétaires, complices et rivaux dans leur vie, dans leur autorité, dans leurs décisions pour la « Boulangerie ».

Quitter sa table de travail lui était difficile. On ne quitte pas sa vie, se disait Charles, sans bouger. Il caressait le bois, le regard perdu, l'esprit vide, les jambes molles. Le chien repu dormait, couché à ses pieds. À cause des mauvaises nouvelles qui lui avaient coupé l'appétit, Éva lui avait donné tout son déjeuner !

Les deux tables avaient une présence presque humaine… Quel beau travail signé par Jacques-Émile Ruhlmann, payé un prix exorbitant par la femme de Roland, chez un antiquaire du Faubourg Saint-Honoré. Ces meubles, il fallait les mettre dans les camions pour Toulouse. On pourrait toujours les vendre, pour continuer à payer les salaires. Comme on pensait déjà à vendre les bijoux de famille, on changeait d'époque ! Cette pensée le fit sourire.

— Qu'est-ce qui t'amuse ? demanda Roland.

— Je n'ose pas te dire… Tu ne trouveras pas ça drôle…

Pour passer le temps, Charles fouilla dans l'unique tiroir de la table. Il n'avait pas dû l'ouvrir depuis des lustres.

— « La postérité oublie les hommes qui n'ont recherché que leurs propres intérêts et vante les héros qui ont renoncé à leur bonheur particulier. »

— Rien d'autre... s'agaça Roland.

— En français ou en allemand ?

— En rien, si tu pouvais juste te taire… insista Roland.

— « Le Juif forme le contraste le plus marquant avec l'Aryen. Il n'y a peut-être pas de peuple au monde chez lequel l'instinct de conservation ait été plus développé que chez celui qu'on appelle le peuple élu… »

— Charles, arrête ! supplia Roland.

— Je te lis *Mein Kampf*, c'est d'actualité, non ? Une version allemande traînait dans mon tiroir.

— Bon et après ?

— Tiens, ça c'est drôle !

— Quoi encore ?

— Je viens de retrouver le flacon de « Sous le vent ». Je l'avais offert à Maman avec le livre pour qu'elle m'en traduise certaines pages. Elle n'aimait pas ce parfum créé par Guerlain en 1933.

— Prémonitoire.

— C'est incroyable. J'en fais le titre de mon édito demain, s'enthousiasma Charles

— Tu n'as plus de journal…

Soupirs, jurons, excitation, abattement.

***

Le soir, Charles proposa à Louise un dîner en amoureux. Tous les deux, seuls, « Au Train Bleu », pour rêver à de nouveaux départs vers le soleil. Louise adorait cette brasserie, née la même année qu'elle. L'ambiance des salles immenses avec leurs plafonds peints et chargés de sculptures, l'agitation du service, le bruit aigu des conversations et des couverts, tout la mettait en joie. Et surtout, le baba au rhum « tradition Train Bleu » était le plus goûteux de Paris ! Une merveille… Louise mangea comme quinze. Elle dévorait tout ce qu'on lui présentait. Elle redemanda du pain, du beurre salé, et un deuxième dessert. Charles s'amusa du coup de fourchette inhabituel de sa femme.

— Au diable, le régime, c'est la guerre. J'ai envie de vivre…

Était-ce le champagne, les huîtres ou le baba au rhum ? Louise avait la gaieté et l'insouciance d'un temps de paix. Elle cachait bien son jeu ! Ce que Charles prit, avec soulagement, pour de l'inconscience, était une angoisse profonde qui remontait à la surface, comme l'huile dans une flaque d'eau. Son père l'avait abandonnée pendant la précédente guerre et Charles la quittait au début de celle-ci pour s'occuper de la « Boulangerie », la laissant seule avec les enfants, les grand-mères et le chien. Elle détestait les séparations.

3.

2 juin 1940

C'était une belle journée de juin, lumineuse, chaude et réconfortante. Même après le dîner, on avait envie d'en profiter encore. La nuit était loin, comme une mer à marée basse. Il faisait si chaud, que pour un peu on en oubliait la guerre. Louise s'occupait de mille détails ménagers, pour tuer le temps, pour signifier à son entourage qu'elle n'était pas prête à quitter Paris. Chaque jour, depuis bientôt une semaine, elle repoussait le départ. On attendait les résultats du bac de Léonard.

Aujourd'hui encore, rien. Demain sûrement. On verrait.

Louise n'était pas pressée. Elle n'écoutait pas les rumeurs qui annonçaient les premiers bombardements sur Paris. Depuis une semaine, on ne parlait que de ça. Plus les Allemands avançaient, plus les bombardements approchaient. Pour faire taire tous ceux qui la poussaient à prendre la route, Louise avait décidé de n'éprouver aucune peur.

Pourtant, cette nuit-là, elle faisait moins la fière, sur son balcon, en entendant le bruit des avions ennemis, le sifflement des bombes et les explosions sourdes. Attentive aux bruits de l'appartement, prête à bondir pour rassurer ses enfants, elle se tenait à la balustrade de fer forgé, les jambes coupées, les mains moites. La guerre et ses affreux bruits métalliques lui glaçaient le sang !

Elle n'avait réveillé personne. Descendre à la cave lui semblait une précaution inutile. La petite musique de son intuition lui murmurait que l'heure n'avait pas sonné ! Il n'était pas encore temps de se précipiter dans l'escalier, avec des lampes torches, au milieu des cris des enfants et des chuchotements angoissés des adultes.

Peut-être avait-elle eu tort ? Maintenant, elle était plantée là, à la fenêtre de sa chambre, pétrifiée, sans pouvoir réfléchir, ses certitudes envolées et une peur bleue chevillée au corps. La nuit prochaine, tous aux abris : fini l'héroïsme inutile !

Elle imaginait Charles seul à Toulouse dans son grand lit froid. Sans se l'avouer, son absence lui pesait à chaque instant. Tout lui manquait, la voix chaude de son mari, son rire, ses épaules et ses rondeurs contre lesquelles elle aimait se blottir pour oublier les bruits du monde. Mais, orgueilleuse, elle n'allait pas se plaindre, jouer les enfants gâtés. Sa force de caractère était mise à contribution pour tenir le coup et faire ce qu'il y avait à faire.

À l'aube, Charles téléphona anxieux. Vu de Toulouse, les premiers bombardements sur Paris avaient détruit la ville et en particulier la rue Saint-Didier !

— Tout va bien ! On saura par la TSF et les commerçants où sont tombées les bombes…

— Il faut quitter Paris. Va voir le proviseur. Il te donnera les résultats.

— Tu es sûr que Léonard peut conduire sans permis ?

— Tes contradictions m'amusent… Tu ne descends pas dans les abris sous un bombardement, mais pour laisser conduire ton fils, tu trembles. Depuis qu'il touche les pédales, il s'entraîne à Veulettes, sans te mettre dans la confidence.

Elle soupira.

— D'accord, nous partirons demain avec ou sans les résultats, mentit Louise, bien décidée à attendre.

Maintenant que le vacarme avait pris fin et qu'avec le jour la ville semblait intacte, somptueuse et résistante, elle se sentait à nouveau invulnérable. On pouvait bien donner un petit délai à ce foutu bac...

C'était trop long d'expliquer à Charles que ce n'était pas le proviseur, mais le recteur. Qu'il n'y avait aucun passe-droit possible et que leur impatience à déserter la capitale, alors que la défaite n'était pas certaine, pouvait se retourner contre Léonard ! L'important, c'était d'attendre, sans trop s'agiter.

Éva, sa belle-mère qui partageait avec Louise cette ambition dévorante pour les siens, approuvait ce choix. Toutes les deux se félicitaient de leur inconscience sans se rendre compte de leur incapacité à analyser la situation. Durant toute la guerre, avec une sincérité de première communiante, Louise brandit sa foi chrétienne, comme bouclier contre les nazis. Ils ne pouvaient pas empêcher le fils d'une bonne chrétienne de passer ses examens ! Tel était son cœur de mère ambitieuse et de catholique croyante !

— Les Allemands seront à Paris avant le 15 juin. À cause du bac, tu mets toute la famille en danger, insistait Charles.

Il perçut dans le téléphone le sourire muet de sa femme et n'obtint pour toute réponse que le tapotis impatient de sa bague de fiançailles contre le combiné, cette fameuse bague de fiançailles qu'il lui avait offerte deux fois. C'était un gros saphir serti clos, dans une monture travaillée en vague. Une bague plantureuse et incontournable, un porte-bonheur, comme Louise. Charles l'avait payé un prix fou, car en la voyant dans la vitrine de Fabergé, il avait eu le même coup de foudre que pour sa femme. Puis sa future belle-mère l'avait monnayée au Mont-de-Piété et il avait dû l'acheter une seconde fois. C'était un épisode douloureux des relations entre Louise et sa mère qui manquait cruellement d'argent à l'époque.

— ...À Toulouse, tout se passe comme tu veux ?

— Louise, tu dois cesser tes enfantillages et partir, tu m'entends ! C'est un ordre !

Il avait presque crié avant de raccrocher brutalement. Charles ne lui avait jamais parlé comme ça. Il ne lui donnait jamais d'ordre.

Un long frisson, presque douloureux, lui parcourut la colonne vertébrale et, d'un coup, Louise ressentit le poids des heures sans sommeil. Peut-être Charles savait-il des choses qu'il taisait ? Comment ne pas céder à la panique ? Entre rumeurs et réalités, c'était difficile de se faire une opinion, les informations étaient si contradictoires.

Depuis leur mariage, elle se laissait guider par Charles. Il décidait des grandes orientations, elle suivait, s'occupant de la mise en musique. De petite infirmière besogneuse, elle était devenue la riche et courtisée madame Charles. Un changement de vie, un conte de fées. Quelle histoire ce mariage dont elle se rappelait les moindres détails, même dix-sept ans après !

À la mairie du VIIIe arrondissement de Paris, les trois frères étaient arrivés dans la même voiture, serrés comme des radis sur la banquette arrière. Louise attendait sur le perron, amusée de leur retard. Roland, Gilbert et Charles étaient habillés pareil, dans les moindres détails : le traditionnel habit noir de cérémonie, un nœud papillon blanc, une chemise blanche et un petit gilet en piqué de coton blanc. Même les chaussures provenaient de la même maison. En les voyant, on hésitait : les garçons d'honneur avaient-ils pris de l'âge ? Les trois frères se mariaient-ils en même temps ? Avaient-ils bénéficié d'un prix de gros pour les trois tenues achetées par leur mère, preuve de son influence inchangée, malgré les années ?

Louise avait accepté, à contrecœur, un mariage civil sans cérémonie religieuse. Dans sa famille, on reconnaissait que c'était fâcheux. Mais, il fallait raison garder : on ne pouvait pas faire les difficiles ! Charles représentait un bon parti. C'était l'un des célibataires les mieux lotis de Paris. Alors, un mariage civil ferait l'affaire…

Mais Louise ne l'entendait pas de cette oreille. La veille de leur mariage, elle avait traîné Charles à l'église Saint-Pierre de Chaillot. C'était la première fois qu'il pénétrait dans une église. Devant son hésitation, elle lui donna la main pour le guider par une porte sur le côté, en catimini. Elle portait des gants d'agneau beige, il n'avait pas effleuré sa peau. C'était du sérieux !

La promise s'était habillée d'une jupe de dentelle de Calais commandée pour l'occasion, et d'un chapeau à voilette qui lui couvrait le haut du visage jusqu'à la commissure des lèvres. Sa bouche était soigneusement dessinée. Son rouge à lèvres, qu'elle avait toujours à portée de main, était son seul artifice. Toute sa vie, elle porta la même couleur, n° 3 de Bourgeois. Auprès du curé, Louise avait déployé tout son charme, pour qu'il accepte de bénir un juif. « Si peu juif », avait-elle argumenté. L'homme d'Église avait promis de prononcer « Un notre père », agrémenté de deux signes de croix solennels. La cérémonie devait se passer dans la sacristie, au milieu d'un trésor insoupçonnable, dons des vieilles bigotes du quartier et à l'abri des regards indiscrets, mais sous l'œil vigilant d'un immense Christ en bois doré, beaucoup trop imposant pour la taille de la pièce.

Le curé y mit du cœur pendant dix minutes. Le débit lent de sa voix caverneuse donnait l'impression d'entendre le Seigneur en personne ! Émue, heureuse, Louise était superbe, touchée par la grâce, versant des larmes de première communiante, tout d'un coup trop gâtée par la vie. Charles était ressorti transi d'amour. Il ne savait pas qu'une telle émotion pouvait être ressentie dans un acte religieux. Son « grand amour » croyait avec une sincérité désarmante.

La robe de la mariée était une Chanel de couleur crème d'une grande audace pour l'époque. C'était un cadeau de Rose Weiss qui avait obtenu de son amie Gabrielle Chanel qui venait de s'installer au 21, rue Cambon, qu'elle dessine un modèle unique dans « l'air du temps ». Avec des camélias en tissu qui retenaient ses cheveux, c'était juste chic.

Même Geneviève, sa nouvelle belle-sœur qui répétait à la cantonade qu'elle allait « guider » la petite dans le monde, dut se résoudre à complimenter Louise pour son élégance. Du bout des lèvres, mais quand même…

***

— Y viennent avec leurs enfants les soldats allemands ? demanda Laurent avec gravité. Les enfants, ça touche à tout, surtout aux jouets. Maman, y connaissent pas les jouets français… Y seront contents !

— Les enfants ne viennent pas ! Ils sont à l'école dans leur pays. Ceux qui arrivent, ce sont leurs papas, des soldats, des hommes en costume de guerre. Ils ne toucheront pas à tes jouets. Ils prendront ceux des grands…

— Alors ils ne resteront pas longtemps… Paris sans enfants, c'est triste… Trop de silence ! Le manège au Ranelagh, il fermera alors ?

Louise se pinça la cuisse pour ne pas rire. Quand Laurent prenait son air sérieux, il fallait éviter de se moquer ou c'était la soupe à la grimace garantie.

— Oui, les manèges vont s'arrêter. Beaucoup de choses vont changer… En attendant, il faut préparer notre escapade. En plus des habits, tu choisis deux jouets, un pour chaque main. Pas plus. Sinon les deux voitures n'y suffiront pas.

— Quand on aime tout, on fait comment ? s'inquiéta l'enfant.

— On choisit quand même, parce que c'est un cas de force majeure…

— C'est compliqué ce que tu dis, Maman…

C'était vrai. Autant passer aux travaux pratiques. Elle attrapa le saint-bernard sans nez qu'elle savait être la peluche préférée de Laurent, et un ours en peluche habillé en folklore autrichien qu'ils avaient acheté en Allemagne, quatre ans auparavant, lors de leur voyage à Berlin.

— Lequel de ces deux-là ?

Le petit garçon se précipita sur le chien.

— Alors tu vois que tu sais, rigola Louise en ne lâchant pas l'animal.

— Avec toi, j'arrive mieux à choisir…

— C'est facile, tu te poses la question pour chacun, expliqua Louise en se dirigeant vers la porte. Tu es grand, tu vas savoir faire ! C'est ton choix qui compte, je ne dois pas t'influencer. Comme cela, tu n'auras aucun regret.

— Maman…

Louise avait senti un tremblement dans la voix de son garçon. Elle s'agenouilla en lui ouvrant les bras.

— Maman, c'est toi ma peluche préférée… murmura l'enfant les yeux baissés, gêné de sa pensée.

Ses peluches parlaient – Louise était ventriloque – et il craignait qu'elles entendent son aveu. Pour plus de précaution, il colla sa main sur ses lèvres pour murmurer au creux de l'oreille de sa mère :

— Du moment que je pars avec toi, je n'ai pas besoin des autres…

Au beau milieu de ce capharnaüm, Louise se laissa attendrir. Le câlin se prolongea. Tout était tellement compliqué avec cette guerre, ces Allemands, son mari déjà sur la liste noire, ses enfants insouciants et trop gâtés, ces bombes sur Paris et cette difficulté à se mettre en route à cause de ce fichu bac !

Du haut de ses cinq ans, Laurent « le portrait de sa mère », disait-on, avec les mêmes grands yeux noirs en amande, au regard dur, déployait des trésors de tendresse pour se faire aimer d'elle. Elle l'aimait, oui, plus que ses sœurs, c'était un garçon. Mais moins que son frère aîné…

Pour faire diversion, Louise fit parler le chien en peluche. Comme toujours, Laurent se laissa prendre au jeu.

— Alors ? Tu me prends ou je garde l'appartement ? demanda le saint-bernard, de sa voix grave.

— Je t'emmène, tu ne sais pas te battre ! À peine si tu sais mordre, tu parles d'un chien… répondit Laurent en imitant le ton sévère de sa gouvernante anglaise.

— Mon oreille est fine… Je pourrai prévenir quand l'ennemi arrivera. C'est pour ça que le vrai chien Dick dort avec moi la nuit… Il est en sécurité. Louise avait parlé du ventre.

— Dick, Dick, appela Laurent.

Le caniche marron de Charles arriva la truffe en l'air, en remuant la queue.

— On l'emmène lui ? demanda Laurent.

Dick attrapa la peluche et ressortit de la pièce en trottinant, suivi de près par l'enfant qui riait aux éclats. Le câlin de sa mère avait démultiplié sa joie de vivre. Dans l'entrée, le chien déposa la peluche sur les valises et aboya le plus fort possible. Laurent était aux anges.

Louise profita de ce répit pour aller écouter les actualités à la TSF. Elle ferma soigneusement la double porte du salon. Elle ne voulait pas que les enfants entendent ou le personnel, ce qui était pire encore. Son résumé succinct leur suffirait largement, pour continuer à ne s'occuper de rien.

Seule Agathe, la cuisinière, s'agitait en prévision du départ. Sa petite silhouette rondouillarde, enveloppée de tabliers superposés, virevoltait dans tous les sens. Elle n'avait pas une minute de répit depuis qu'elle avait reçu, dans le plus grand secret, les instructions de Charles. Elle s'exécutait et personne ne s'apercevait des rangements opérés.

C'était une taiseuse. Elle gardait ses pensées pour la cuisine, seul lieu où elle émettait une opinion ! D'un dévouement extrême, elle aimait Louise plus que sa mère qui ne l'avait protégée de rien, surtout pas des hommes. Louise l'avait recueillie, un après-midi de décembre 1930, à la Bonne Étoile. Depuis, elles ne s'étaient pas quittées.

Par habitude, Louise scruta son profil dans le miroir au-dessus de la cheminée de pierre. Les bombardements, l'incertitude du lendemain, aucun de ses tourments ne pesait sur son allure. Elle avait une façon bien à elle de se tenir droite, plus haute que les autres. Tout chez elle était harmonieux : son ovale parfait, sa peau mate éclatante, sa bouche gourmande et son lourd chignon tombant dans son cou délicat. Des perles fines, offertes par l'empereur du Japon en 1928, ornaient ses oreilles, de jour comme de nuit. Il avait fallu trouer ses lobes et sa mère avait qualifié cette barbarie de « tout à fait vulgaire » !

Louise portait son dernier achat. Un chemisier en crêpe de soie noire, avec un généreux nœud cravate. Elle aimait le contact de cette soie si légère. Depuis la mort de son père, en février, elle portait le deuil avec superbe. Et cela allait se prolonger tant que mon pays serait en guerre ! avait-elle décrété récemment. C'était chic et en plus ça lui allait à ravir ! Du coup, elle avait pris trois chemisiers identiques, résistant fermement à la vendeuse atterrée. Avec ce soleil éclatant, et ce noir de la guerre, comment pouvait-on résister à des coloris d'été, des sorbets aux fruits ?

***

Pare-chocs contre pare-chocs, les deux voitures rejoignirent le bois de Boulogne dans un Paris désert aux volets clos. Les pavés renvoyaient la lumière argentée des premières lueurs du jour. Quand ils traversèrent la Seine, au Pont de Saint-Cloud, le ciel était rouge flamboyant. La première voiture, celle des « Mamies », était conduite par Louise, avec Thérèse, sa mère, Éva, la mère de Charles, Agathe la cuisinière et Laurent. Léonard conduisait la seconde voiture, sous le regard bienveillant de ses trois sœurs, de Dick, le chien de Charles, et des bagages dans tous les sens.

On rigolait plus dans la voiture des enfants que dans celle des « Mamies ».

— J'étouffe…

— Ouvre la fenêtre, et respire un bon coup, répondit Louise à sa mère.

— Arrête-toi mon petit, un besoin urgent… Louise, je t'en supplie… Tu m'as tellement pressée pour partir que j'ai oublié…

— Maman… Fais un effort ! La journée va être longue.

Louise redoutait ce voyage avec ces deux vieilles dames qui ne s'aimaient pas. Avec fermeté, elle leur avait demandé de faire contre mauvaise fortune bon cœur. Éva avait promis. Thérèse avait consenti d'un simple hochement de tête. Mauvaise pioche !

Tout les opposait, sauf leur âge et leur veuvage : la langue, la culture, la religion, les enfants. L'une n'avait eu que des filles, l'autre que des garçons ! Elles ne se comprenaient sur rien et ne voulaient pas faire d'effort, enfermées dans leurs certitudes, orgueilleuses et têtues. Bon voyage !

— Je suis ta mère, tu me parles autrement. La guerre n'excuse pas tout.

Louise farfouilla dans son épais chignon, attrapa une épingle et la replanta avec force, signe chez elle de grande nervosité. Elle soupira et ne répondit pas. De toute façon, elle n'avait pas le choix. Roule, ma fille, roule !

Le silence qui suivit cet échange mémorable permit à Thérèse de s'endormir au grand soulagement des autres passagers. Elle était, comme souvent, épuisée par ses propres caprices.

À deux reprises, au moment du départ, elle avait sangloté pour aller chercher un dernier objet. Comment partir sans son Christ, le « tout moche » accroché au-dessus de son lit ? Un Christ grimacier aux lèvres rouges, dont les enfants avaient peur et sans la protection duquel, elle ne dormait pas. Une lubie qui datait de son divorce.

— Le Christ sera utile si on croise les méchants... commenta Éva d'un ton sarcastique. C'était plus fort qu'elle. Elle aurait aimé ne rien dire mais...

— Je vous rappelle que Jésus était juif ! Alors respect...

Ça n'avait aucun rapport... Décidément, Éva ne comprenait rien à cette femme !

La porte de la voiture avait claqué. Thérèse y avait mis toutes ses forces. Peut-être même plus... Par chance, aucune valise n'était sur le toit ! Laurent et Éva, assis sur la banquette arrière, sursautèrent. Dans le silence de la rue déserte, le claquement résonna. Éva se mordit l'intérieur des joues pour ne pas rire. En se tournant vers Laurent, elle le vit appuyer, sur son front, son petit doigt potelé en le tournant comme un tournevis pour signifier son opinion. Puis, il ramena sa main sur son biberon de lait qu'il suçait tranquillement, avec un bruit de bouche régulier et doux. D'un coup, l'enfant sursauta.

— Grandma... c'est quoi être juif ?

Éva fut cueillie par la question.

— Houps...

— Tu ne sais pas ? insista l'enfant, intrigué par le trouble de la vieille dame.

Bien sûr, elle voulut répondre, mais ne trouva pas les mots. Elle lui caressa les cheveux pour le faire patienter... Mais il s'agitait, voulait savoir, s'amusait de ce mot si mystérieux et avait trouvé un sujet pour tromper l'attente et l'anxiété du départ.

— Agathe, tu sais-toi ? Les juifs, ce sont des gâteaux ?

— Ta grand-mère sait mieux que moi... répondit la cuisinière bien embarrassée.

— Tu es encore petit pour savoir, mon amour. Tu demanderas à Papa à son retour. C'est une histoire d'hommes... dit Éva, avec soudain un accent à couper au couteau.

Éva aurait aimé répondre autre chose, mais elle ne trouvait pas les mots, envahie pas un flot de sentiments contradictoires. Ce qu'elle redoutait depuis la mort de Samuel lui était révélé par cette naïve question d'enfant. À se détourner délibérément de la religion de Moïse, à trop la renier, ils avaient provoqué la malédiction. Oui, les SS, la chasse aux juifs, c'était de leur faute. Si Dieu existait, alors il voulait en découdre avec son peuple élu !

— Tu parles pas pareil ! remarqua Laurent qui n'en loupait pas une... T'es juif toi ? Et maman ? Et moi alors ?

— ...Oui et non, ça dépend...

— Le pain sucré du vendredi soir, les gâteaux au fromage... ils sont juifs eux... ?

— Une pâtisserie n'a pas de religion, murmura Éva. Elle parlait avec difficulté.

— Maman dit que les gâteaux juifs qu'on mange chez toi font plus grossir que les autres !

— Ah bon... Maman dit ça...

Éva se tourna vers la vitre pour cacher son visage. Un sanglot lui grattait la gorge. Pourtant, il fallait masquer son trouble, ne pas le laisser s'exprimer. Laurent n'aurait pas compris ! Elle se moucha bruyamment dans son mouchoir blanc brodé qu'elle sortit de son sac avec des gestes brusques et saccadés. Quelle époque, pensa-t-elle, où les réflexions d'enfant ne font plus rire ! Pour faire bonne figure, elle s'efforça de penser cuisine, quantité, ingrédients.

— Dans le strudel, ce sont les fruits qui apportent le sucre pas comme dans le baba au rhum « avec chantilly » que ta mère adore.

— Il est juif le baba ?

Le disque était rayé, c'était plus prudent de débrancher l'appareil !

En tête à tête avec Louise, arrivées à destination, elles s'ajusteraient sur les dosages de sucre !

— Tu demanderas à Papa... Il saura t'expliquer.

Mais Éva avait un doute. Ses fils n'y connaissaient rien. Avaient-ils eu raison, Samuel et elle, d'élever leurs trois enfants, en dehors de la religion ? L'intégration dans la bourgeoisie française était-elle vraiment à ce prix ? De toute façon, Samuel en avait décidé ainsi. À quoi bon se tourmenter avec toutes ces questions inutiles. C'était trop tard. Elle sourit en repensant au bonheur de son père le jour de son mariage, en pénétrant dans la grande synagogue de Berlin, si content qu'elle tombe amoureuse d'un juif au prénom prédestiné pour être proche de Dieu. Elle tremblait, maintenant. Le manque de sommeil, toutes ces émotions et ces souvenirs.

Au cours de ses insomnies de vieille dame, les prières lui revenaient en mémoire et elle se surprenait à les fredonner. Sa mémoire était intacte. Les prières, les chansons, les textes appris, lorsqu'elle était une petite fille juive allemande, déjouaient la digue édifiée, pierre par pierre, depuis son arrivée à Paris.

La dernière fois qu'elle avait récité le Schéma « Écoute Israël », c'était à l'enterrement de Samuel, son immense amour. Elle se l'était autorisé à cause de lui et de ses théories. Il faisait des théories sur tout. Quand il voyait passer les corbillards, il disait « quand nos morts sont en terre, on n'est plus des émigrés ». Alors au cimetière de Montmartre, au cœur de Paris, dans le carré juif, en cachette de ses fils, son mort en terre, elle avait murmuré le Schéma. Tordue de chagrin, elle s'était autorisé cette audace, comme ultime adieu à son mari.

Quel chemin parcouru par leurs fils depuis la mort de Samuel. De là où il était, il pouvait être fier ! Mais qu'allait-il se passer avec ces Allemands qui arrivaient pour tout détruire ?

Et pourquoi s'éloignait-elle de son Samuel ? N'était-ce pas une folie de s'enfuir sur les routes, en laissant tout derrière elle ? N'était-elle pas un poids mort pour les enfants, avec son rythme de vieille dame ? Quelle idée d'accepter de les suivre ? Elle s'en voulait de n'avoir pas eu plus de lucidité, dans la panique générale, de n'avoir pas résisté à la peur.

— Laurent... Laisse tranquille ta grand-mère, avec tes questions, intervint Agathe pour éviter la noyade. Sur le visage livide de Éva, une ride nouvelle encadrait son drôle de sourire triste.

Sur le siège avant, à côté de Louise, Agathe était installée ou plutôt coincée entre les paniers. Il en avait été décidé ainsi pour ne pas choisir entre les grand-mères. C'était l'idée d'Agathe, et elle en était assez fière.

Un panier d'osier, rempli de victuailles, était posé religieusement sur ses genoux. Elle le serrait de ses deux mains, avec un air mauvais de chien de garde. Elle collait sa jambe contre le panier de Madame, recouvert d'un torchon de lin brodé dont on voyait encore les plis du fer. Il était rempli de bouteilles de lait, de jambon au torchon, de poulet froid, de tomates à la croque au sel, de carottes pelées. Les pommes coupées en tranches fines avec un peu de citron pour éviter qu'elles noircissent et beaucoup de cannelle pour le goût avaient été préparées par Éva. Les pommes, c'était son domaine. Elle avait hésité avec un gâteau, mais la chaleur l'en avait dissuadée et puis elle mesurait l'ironie de fuir les Allemands en emportant des pâtisseries de la tradition « juive allemande ».

Agathe s'était installée dans la voiture, avec un sentiment de mission accomplie. Elle laissait une maison en ordre, après avoir passé la nuit à tout astiquer. Avec l'énergie du désespoir, elle avait caché l'argenterie, ciré et recouvert les meubles, roulé les tapis anciens, décroché les tableaux de valeur en essayant de se rappeler les instructions de Monsieur. Elle partait le cœur léger, l'envahisseur pouvait fouiller jusque dans les moindres recoins, son honneur était sauf !

Thérèse revint, essoufflée, les joues rouges d'excitation, en brandissant son glorieux Christ.

On put démarrer.

— C'n'est pas dommage ! commenta Laurent en se calant bien au fond de la banquette, contre sa grand-mère paternelle, sa préférée, car elle sentait bon la vanille et le sucre.

— Installe-toi bien, mon Yentl ! Contre moi, il ne peut rien t'arriver.

— Promis, je dirai plus que les gâteaux sont juifs, j'ai bien vu que tu pleurais sans larme... dit-il pour être gentil. Et ce n'est pas vrai ce qu'a dit Maman... Et elle est drôle ta nouvelle voix.

— Je t'aime, tu es le dernier de mes petits-fils et le plus gentil de tous.

Laurent était fier de cette déclaration. Mais il n'eut pas la force de bouger pour afficher sa performance. Il profita intensément de cet instant. Plus tard, il comprit qu'il s'agissait du dernier câlin de sa Éva gâteau. Elle peut-être le savait déjà. Éva lui caressa la tête avec une infinie tendresse. Puis elle posa sa joue contre ses cheveux et ne bougea plus, vidée par l'émotion.

Dans la seconde voiture, celle conduite sans permis par Léonard, l'aventure tenait tout le monde en alerte. La grande sœur Émilie, quatorze ans, avait pris la place du copilote. Sur ses genoux, Dick, les oreilles dressées était aux premières loges.

Derrière, on apercevait les têtes figées des deux petites sœurs, Monique, douze ans, en pyjama rose et Sophie, dix ans, en robe à manches ballon. Des carpes en goguette à peine sorties de l'eau. Un duo bouche bée qui respirait à peine, pour ne pas peser sur leur destin. Elles vivaient leur première grande peur, sans Papa ni Maman, juste Léonard qui prenait des airs, réclamant un silence religieux pour se concentrer. Un silence difficile à respecter, car les chipies avaient envie de glousser, tant leur frère paraissait tout petit derrière le grand volant noir.

À genoux sur la banquette de la voiture de tête, Laurent multipliait les coucous de la main, puis des deux mains, les sourires, les grimaces, mais personne ne répondait. Il râlait d'être devenu soudain transparent. Émilie devait signaler les panneaux, Sophie les gendarmes et Monique les voitures s'approchant trop près.

Dans son rétroviseur, Louise surveillait les expressions de Léonard. Sur son visage, elle voyait défiler la route, ses pleins et ses déliés ! Elle interprétait chaque clignement d'œil, chaque rictus et chaque mouvement de tête. Tout l'inquiétait, surtout les barres horizontales et parallèles, entre ses sourcils qui ne s'effaçaient pas. Celles qu'elle surnommerait, désormais, les « rides de la route ». Des cernes de fatigue soulignaient ses grands yeux bleus. Il lui sembla aussi que ses joues étaient plus creuses que d'habitude. Sa flamboyante jeunesse en avait pris un coup. Il semblait adulte soudain. Louise s'en voulait de lui faire porter une si lourde responsabilité ! Quatre vies entre ses mains d'enfant… Elle fut parcourue de frissons, malgré la douceur de l'air.

Elle remarqua aussi qu'un petit quelque chose avait changé dans l'attitude de son fils. Un je ne sais quoi, à peine perceptible, pour tout autre regard que le sien. Un désordre inhabituel régnait dans ses cheveux châtains, coiffés très courts. C'était surprenant à quel point il paraissait plus grand qu'il n'était, donnant l'impression de s'être étiré. Son bac l'autorisait à se tenir droit, à la façon de sa mère, tendu vers le ciel, avec une rigidité d'ambition. Il était musclé, s'amusant, tous les matins devant sa fenêtre ouverte, à sculpter son torse avec des exercices de gymnastique dont il avait le secret. Les femmes le remarquaient et il en jouait.

Au fond, il était content de lui et ça se voyait. On lui avait toujours répété qu'il était le plus beau, le plus intelligent, le plus drôle, le plus rapide, le plus sportif, le plus tout. Il commençait à y croire dur comme fer ! En plus sa fierté masculine avait trouvé, depuis la veille, un rocher où s'accrocher. Le bac, le fameux, trônait dans sa poche. Le baccalauréat avec un grand B, une mention bien et les félicitations du Jury. Sans oublier qu'il conduisait les « petits » à la place de Papa, ce qui n'était pas rien. Il accomplissait des brasses de géant pour s'éloigner des rives de l'enfance. Et puis il avait donné à Marie un baiser éperdu et langoureux, avant de la quitter défaite et inconsolable, devant la lourde porte cochère de l'hôtel particulier de ses parents. Une preuve de plus à son actif !

Il récita, en silence, le poème de Rudyard Kipling, « Tu seras un homme mon fils ». Pour la première fois de sa vie, il se mesurait à lui. Homme ou pas homme ? Maintenant, il s'agissait de cocher les cases des Si, une après l'autre. Il attendait ce moment depuis ses dix ans. Charles lui avait offert un petit cadre doré, contenant le poème traduit par Paul Eluard, imprimé sur du parchemin. Léonard l'avait cloué au chevet de son lit, impressionné par ce texte dont il ne comprenait pas grand-chose. Mais ça le posait et les copains, qui remarquaient le petit cadre, émettaient un sifflement admiratif ! Tous les soirs ou presque, comme une prière, il lisait un morceau du poème. Petit à petit, la signification devint limpide. Il le connaissait si bien, qu'il pouvait le réciter dans tous les sens, à l'envers ou à l'endroit :

« Si tu peux voir détruit l'ouvrage de ta vie
Et sans dire un seul mot te mettre à rebâtir,
Ou perdre en un seul coup le gain de cent parties
Sans un geste et sans un soupir,
Si tu peux être amant sans être fou d'amour,
Si tu peux être fort sans cesser d'être tendre
Et, te sentant haï, sans haïr à ton tour,
Pourtant lutter et te défendre... »

À la première strophe, aucun rapprochement possible. Il

aurait dû commencer par la fin. Par un bout plus facile, une pente moins ardue !

— Léonard, attention, tu roules trop à gauche. Maman fait des signes… cria Émilie.

Il donna un violent coup de volant.

— Ouf, heureusement qu'il n'y avait pas de voiture en face.

— Je pensais à autre chose…

— Tu devrais te concentrer. C'est idiot de mourir si jeune d'un accident de voiture en pleine guerre, sans même défendre notre pays, articula Émilie, furieuse de l'insouciance de son frère.

Il promit, penaud !

Kipling pouvait aller au diable…

4.

3 juin 1940

La route jusqu'à Rennes parut interminable.

Jusqu'au Mans ça allait à peu près. Malgré le nombre inhabituel de voitures, on pouvait rouler et on avait encore l'impression d'avancer. Puis, entre Le Mans et Laval, les choses se gâtèrent. Le flot grandissant de réfugiés vous prenait à la gorge.

Ce fut Éva qui ouvrit le bal des jérémiades. Elle avait chaud, elle avait faim, impossible de dormir, les sièges étaient durs, la route trop longue… Elle avait bien pris un livre, mais n'arrivait pas à se concentrer à l'arrière de la voiture. Et surtout, elle était distraite par ce flot continu. Tenez, regardez celle devant, leur matelas va nous arriver sur le capot, ou peut-être cette bicyclette… Pour chaque voiture, un commentaire. C'était assommant !

Puis soudain, un avion surgit du ciel bleu azur et rasa le toit des voitures. On entendait son moteur puissant qui effaçait tous les bruits alentour, et grondait dans un silence glacial. On avait l'impression qu'il s'éloignait. Ouf, ce n'était pas pour maintenant ! Mais, il surgissait de nouveau, de plus en plus menaçant. On retenait son souffle. Le bruit s'éloignait. On s'essuyait le front. Impossible de distinguer son camp. Il ne tirait pas, c'était peut-être un des nôtres. Allez savoir !

À peine le temps de reprendre son souffle et un autre avion montait à pic pour regagner de l'altitude, après avoir largué des bombes sur un village, tout près. Là, à portée de regard, l'église était en feu. À ce moment-là, Louise sut qu'elle n'était pas enceinte : du sang coulait entre ses jambes. Quelle trouille ! Un autre avion et son chapelet de bombes revenaient sur eux. Thérèse hurlait, elle ne voulait pas mourir.

— Tais-toi, les bombes n'ont pas peur des cris, ordonna Louise.

Mais là aussi l'avion changea de cap, au-dessus d'eux... Ce fut un miracle. Louise se signa n'importe comment, sous l'emprise de la peur.

Par chance, Laurent dormait profondément, abandonné dans un sommeil d'enfant.

À la troisième série de coups de klaxon de Léonard, comme s'il participait à un cortège de mariage, Louise s'arrêta à contre-cœur sur le bas-côté. D'abord, elle fouilla dans la valise sur laquelle dormait Laurent, pour pouvoir changer de jupe même si le noir avait camouflé les faiblesses de la nature... Encore une idée lumineuse.

— Maman, qu'est-ce que tu fais ? l'interpella Léonard. Viens calmer les filles, elles sont insupportables

La tension dans la voiture suiveuse était à son paroxysme.

— Vous n'allez pas pleurer toute la route. On n'est pas morts ! hurlait Léonard pour les faire taire.

— Je ne pleure pas. J'ai peur, mais je prends sur moi, crâna Émilie.

— On n'arrivera jamais. On ne reverra pas Papa, marmonnait Sophie.

— Je suis fatiguée. Où allons-nous dormir ? renchérissait Monique.

Léonard en profita pour se soulager, pendant que sa mère s'employait à faire grandir les petites.

— De la tenue et du courage ! Vous en verrez d'autres. On arrête de se plaindre et on repart. Allez faire pipi et gardez vos larmes pour la soif !

Les filles s'exécutèrent. Quand Maman avait ce regard-là, mieux valait pas s'y coller ! Émilie remarqua une mèche échappée du chignon de Louise et ce signe de laisser-aller lui sembla inquiétant.

On échangea une grand-mère contre une des filles et on repartit. C'en était fini de céder aux caprices des enfants qui voulaient voyager ensemble pour faire des jeux !

Encore cent kilomètres, trois bouchées de sandwich ramolli par la chaleur et plus d'eau. Personne ne parla. Les plaintes, les questions, les commentaires, c'étaient avant les avions, avant les menaces, avant la guerre, vieux soudain d'un autre âge !

5.

4 juin 1940

Soldat, repos ! Deux jours et une nuit pour faire trois cent cinquante kilomètres ! Mais le cauchemar de la route était derrière eux. Louise était en sécurité chez sa grande sœur adorée ! Les grand-mères ne se plaignaient plus ; les enfants pouvaient vivre, courir et crier sur un terrain de jeux ne se limitant plus à la voiture roulant en plein soleil. On pouvait se laver, se détendre, se laisser vivre ! Doux Jésus, merci de votre miséricorde !

Se retrouver avait toujours été une joie, là c'était un bonheur. Il faisait ressortir la ressemblance physique des deux sœurs pourtant si différentes. Tout avait disparu, elles étaient seules au monde, miroir l'une de l'autre : la même démarche en canard, qu'elles tenaient de leur père. Louise était plus grande. Mais avec le chignon gonflé de Juliette, on pouvait croire qu'elles étaient de la même taille. Pour qui les croisait, elles étaient jumelles. Louise était superbe et Juliette quelconque. Tout était différent et pareil. Cette même obsession « d'avoir du chic », de faire attention au qu'en-dira-t-on, d'être coquette et de se fier à la crème Jolie pour faire tenir la poudre de riz.

— J'ai bien cru que nous n'arriverions jamais… souffla Louise en embrassant Juliette.

— Ma Lisette chérie. Enfin, vous voilà, sains et saufs…

Lisette, que c'était doux d'entendre le surnom que lui donnait sa sœur depuis toujours. C'était une caresse au beau milieu de tout ce désastre. Le lien qui unissait les deux sœurs était aussi fort que les chaînes d'un forçat, fait de dizaines de petites cicatrices d'enfants soignées ensemble. C'était un amour pur. Un amour qui remontait à la naissance de Louise le 12 juin 1900. Elle arrivait au beau milieu d'une famille en pleine explosion. Juliette réserva à sa petite sœur un accueil digne d'une reine. Du haut de ses cinq ans, elle aima pour trois ce bébé, « encore une fille », que personne ne regarda.

De cette première partie de leur vie, les deux sœurs gardèrent, pour toujours, un amour et une tendresse absolue, l'une vis-à-vis de l'autre. Tout les rapprochait dans l'univers austère de leur famille amputée et bancale, délaissée par l'homme unique. Louise n'accepta jamais le départ de ce père tant aimé et admiré, Jules, grand séducteur et chirurgien de talent. Un bel homme, à la moustache glorieuse et conquérante, au sourire renversant mais à l'absence insupportable. La blessure de Louise était profonde et ne se cicatrisa pas. Sa mère lui reprochait d'être née fille et d'avoir fait fuir celui qui espérait un mâle pour porter son nom et prolonger sa vocation.

Juliette et Louise composèrent, donc, ensemble la partie d'enfance et de douceur dont elles avaient besoin. En permanence, confiées à des domestiques, elles se réfugièrent dans les bras tendres l'une de l'autre. Elles partagèrent tout. Un univers rien qu'à elles, avec pour horizon leur complicité qui les protégeait du monde extérieur. À l'ombre des pleurs de leur mère, elles grandirent l'une grâce à l'autre. En se tenant par la main, pour trouver leur équilibre et soutenir leur mère abandonnée.

— Viens embrasser Paul dans son bureau… Tu vas voir, il

est dans un drôle d'état. Ce flot incessant de réfugiés depuis une semaine, ces problèmes de nourriture, d'hygiène, d'eau, de logement. Il n'y a plus de gouvernement, plus d'approvisionnement, plus de gendarmes, ils s'en vont aussi sur les routes... Plus rien... Je t'assomme mais tu vas voir sa mine...

— De son bureau, je pourrai téléphoner à Charles...

— Oui, si on a des lignes...

— Et toi, tu tiens le coup ? s'inquiéta Louise.

Juliette ralentit le pas. Elle était soudain moins pressée de se précipiter dans le bureau de son mari. Quelques moments volés avec sa sœur étaient si bons à prendre, comme un bain bien chaud.

— Tu es la première personne à me demander de mes nouvelles, depuis longtemps, très longtemps.

— Ces jours-ci, un coup d'œil suffit pour s'assurer qu'on n'est pas mort... le reste compte moins...

Le début du dîner fut très joyeux. Sans Paul, à qui on apporta un plateau dans son bureau. Sans Thérèse, trop fatiguée pour quitter sa chambre. Mais Éva revivait et faisait le pitre. On était en vie, il fallait en profiter. Qui savait pour combien de temps encore ? Et puis ce qu'elle taisait, mais qui la mettait en joie, c'est qu'elle avait décidé de rentrer à Paris. Fini l'exode. Ce n'était pas de son âge. Elle racontait des blagues de sa jeunesse, sans pouvoir les terminer, riant avant la fin. Les enfants s'amusaient de la voir rire. On l'avait rarement vue aussi gaie !

On mangea de bon cœur, on mourait de faim. Comme toujours, Juliette parlait d'amour avec sa cuisine. Elle avait fait une razzia chez un paysan, ami de Paul, pour servir les plats préférés de Louise. Depuis l'arrivée de la petite famille, Juliette ne quittait plus ses fourneaux, trop heureuse de nourrir sa sœur et ses enfants. « Prenez des forces chez Tante Juliette, vous en aurez besoin », répétait-elle aux enfants, ce qui avait le don de leur couper l'appétit. Agathe la cuisinière était au chômage technique. Aux dîners heureusement, Juliette rendait son tablier et Agathe récupérait la main, déployant des kilos d'ingéniosité pour montrer que rien ne pouvait rivaliser avec son tour de main. Juliette n'allait tout de même pas lui apprendre son métier...

Les menus avaient été pensé mille fois, Juliette avait ajusté de son écriture scolaire chaque recette en fonction des ingrédients disponibles. Pour la blanquette, la crème manquait. Elle s'en excusa, avec des trémolos dans la voix.

— Hum, ça sent bon ! Preuve que la crème ne change pas l'odeur !

De peur que l'émotion de Juliette ne provoque une catastrophe, Louise s'était levée pour lui prendre des mains le plat de viande.

On se régala. La blanquette de l'exode allait rester dans les souvenirs.

Après le plat principal, l'humeur tourna. Éva avait le vin triste et ne disait plus rien et les enfants étaient sortis de table. On avait l'impression d'avoir trop mangé. La blanquette si tendre l'instant d'avant restait sur l'estomac, parce que les cœurs étaient gros. Le bruit incessant de la rue fourmillante parvenait par les fenêtres grandes ouvertes. Les cris, les pleurs, les klaxons, les moteurs, la TSF, les actualités, les voix, les chuchotements sur la progression de l'ennemi, la peur des bombardements chevillée au corps.

Deux jours plus tard, Juliette et Louise s'étaient portées volontaires pour distribuer de la nourriture dans la salle des fêtes transformée en dortoir, en cantine, en hôpital de fortune, en point de rendez-vous et en cache-misère de ce début d'exode. À peine passé le portail de la préfecture, elles furent prises d'assaut par une horde de réfugiés, qui erraient en ville, hagards, éperdus de fatigue, de désespoir, de saleté et de faim. Les hôtels étaient bondés, les épiceries dévalisées et le ravitaillement capricieux.

Le cheval et la carriole, c'était une idée de Paul, les drapeaux français une idée de Léonard. Les grandes marmites étaient bien calées sur de la paille. La cadence régulière et douce du percheron permettait de ne pas renverser la soupe de lentilles. On avait entouré le bas des hautes casseroles de torchons. C'était une idée de Juliette pour tout garder au chaud un minimum !

Pendant trois jours, en dormant quatre heures par nuit, elles vinrent en aide aux gens qui se réfugiaient dans le centre de Rennes.

— Pourquoi ne rentrent-ils pas chez eux ? Les Allemands vont arriver et alors la belle affaire ! dit Juliette, terrassée de fatigue à la fin de la troisième journée.

— Certains n'ont plus de chez-eux, il paraît qu'Abbeville brûle et le chaos des centres villes du Nord détruits par les bombardements jette des régions entières sur les routes…

— Hitler ne pourra pas envahir la France jusqu'à Nice.

— Je comprends cette ardeur à rejoindre le Sud. Tout bien réfléchi, nous n'avons pas de choix, marmonna Louise.

Abasourdies par le spectacle incessant du malheur et de la mort, les deux sœurs parlaient pour ne rien dire, comme pour se bercer. Allongées sur le lit d'une chambre d'amis, occupée par Éva et Laurent, elles écoutaient leurs jeux et leurs éclats de rire dans le jardin. C'était doux la gaieté !

— La préfecture devrait prendre en charge les orphelins. Tu as vu le regard de ce gosse dont les parents sont morts dans le bombardement la nuit dernière… Je n'oublierai jamais ce regard !

— Il ne peut même plus articuler son prénom. Si seulement la Bonne Étoile était en état de marche !

— Il faudrait parcourir les routes de France pour ramasser tous ces enfants. Tu imagines… Heureusement qu'on rencontre des femmes qui ne savent pas résister devant le malheur d'un enfant. C'est plus efficace que l'Assistance !

— C'est une période curieuse, une drôle de guerre, parenthèse entre deux mondes… soupira Louise.

Louise fermait les yeux, mais n'arrivait pas à dormir. Si seulement son beau-frère avait eu de la jugeote. N'était-ce pas à lui, comme Secrétaire général de la préfecture, de prendre la décision d'ouvrir les écoles pour recueillir ses pauvres orphelins ?

À la Bonne Étoile, elle voyait les enfants arriver par bataillon entier. Après son mariage, quand elle avait cessé d'être infirmière, elle avait pris en charge le placement d'enfants abandonnés, se battant pour chaque petite tête nouvelle. Elle militait pour la fin des orphelinats. La place des enfants était en famille. C'était très novateur dans les années 30. On considérait alors que les institutions comme l'Assistance publique étaient les plus qualifiées. Mais Louise était d'un avis différent. En famille, un enfant pouvait être heureux. Dans un orphelinat, il survivait. Elle bougea ciel et terre. Charles lui offrit une publicité dans son journal pour trouver de l'argent. Il arriva généreusement, la cause était juste. On confia les fonds à un banquier ami qui les fit fructifier. Juste avant septembre 39, Louise et ses copines, les dames patronnesses de la Bonne Étoile, avaient placé deux cent trente enfants à Paris et dans le département de la Seine. Puis la guerre avait tout bousculé. Aujourd'hui, le banquier-ami était juif, envolé depuis la percée allemande en Belgique. Les choses allaient devenir compliquées, surtout si les fonds étaient mis sous séquestre, comme le prédisait Charles. Qu'adviendrait-il des enfants si les familles ne recevaient plus l'argent ? La fragilité de son organisation la taraudait. Que pouvait-elle faire ? Elle avait essayé, avant de quitter Paris, de transférer le compte de la Bonne Étoile vers une autre banque mais c'était impossible. Il aurait fallu les signatures des douze membres du conseil d'administration, déjà éparpillés sur les routes de l'exode.

— À quoi penses-tu ? demanda Juliette après un long silence réparateur.

— Aux enfants de la Bonne Étoile qui risquent de se retrouver à la rue, si les familles ne reçoivent plus leur argent ou si elles prennent la route, ou si les Allemands fouillent dans leur vie... Mon organisation s'écroule. Dix ans d'efforts, de batailles qui s'envolent... Quel gâchis !

— Mais Rose est restée à Paris. Tu m'as dit justement qu'elle ne voulait pas abandonner les enfants, les filles mères isolées et tout le personnel de la Bonne Étoile.

— Oui, mais sans argent...

— Alors ?

— Ils viendront lui rendre les enfants. Pourquoi nourrir une bouche de plus, quand on n'a pas de quoi se nourrir soi-même ? Que pourra-t-elle faire avec tous ces mômes dans un Paris envahi par les Allemands...

Elle avait une mémoire redoutable. Le soulagement de l'oubli lui était refusé. Elle se souvenait de tous les enfants qu'elle avait placés dans les familles. Un à un, leur visage, leur regard... Ces êtres si fragiles, si dépendants... Elle agita sa tête violemment, pour essayer de penser à autre chose. À quoi cela servait-il de se torturer ainsi ? Elle ne pouvait rien faire. Rien. En vouloir à Paul n'avait pas beaucoup de sens. Elle en convenait mais lutter contre sa mauvaise foi lui demandait un effort trop grand.

— Je vais prendre une douche, cela me fera du bien.

Après une nuit sans sommeil, Louise décida qu'il était temps de poursuivre sa route, de rejoindre Charles et de chercher un refuge pour l'été. Elle sentait aussi, confusément, sans jamais qu'une seule parole n'ait été prononcée, que Paul considérait que leur séjour avait assez duré.

Louise annonça la nouvelle à Juliette au petit déjeuner de 5 heures, entre le café noir sans sucre et la tartine beurrée à la pointe de couteau. C'était une lève-tôt. Un sacré défaut aux yeux de sa sœur qui lui tenait compagnie au prix d'un effort douloureux. Elle s'était glissée péniblement hors du lit. Comme le manque de sommeil la rendait frileuse, elle avait enfilé un gilet de laine, un châle et même des chaussettes.

— Nous devons reprendre la route... déclara Louise, comme on annonce un prix d'excellence devant un parterre d'écoliers.

Elle avait fini de s'apitoyer sur la vie, les enfants, la guerre, les réfugiés, les orphelins, la misère, les morts, les bombes, l'essence et autres babioles inutiles... Finie la pause, elle reprenait le chemin infernal !

Juliette cherchait les arguments pour retenir sa sœur. Depuis huit jours, naïvement, elle avait déployé le grand jeu, mais cela ne suffisait pas ! Le départ approchait. Il dépendait du sens du vent, de la TSF, des infos recueillies par Paul, de celles données par Charles.

— Lisette, c'est de la folie ! Tu dois laisser passer ces malheureux, pas te joindre à eux... plaida Juliette.

Ce départ la paniquait.

— Tu gardes Maman. Elle sera heureuse d'être à l'abri sous les dorures de la République, plutôt qu'en fuite avec son juif de gendre, compléta Louise avec un petit sourire tendre.

— Ça ne réjouit pas Paul...

— Il exagère, cela fait quinze ans qu'elle vit avec nous, dans l'appartement d'à côté...

— Tu le connais... Son sens de la famille laisse à désirer...

— À toi de lui faire passer la pilule. Il ne sait pas te résister... s'amusa Louise, avec un coup d'œil malicieux.

Quel mystère pour elle, cette adoration entre Juliette et Paul ! Vingt-six ans d'amour solide, contre vents et marées.

C'était le seul sujet d'incompréhension entre elles mais elles évitaient d'en parler. À quoi cela aurait-il servi ? Qui avait prise sur une histoire d'amour ? À l'occasion, Louise s'autorisait des petites perfidies. De moins en moins car Juliette était heureuse et c'était le principal. Il fallait composer sans juger.

— Et Éva ? Elle toujours si forte, aurait-elle peur de la guerre, de ses compatriotes ? questionna Juliette.

— Elle s'en veut d'avoir tourné le dos à la religion pour s'intégrer en France à tout prix. Maintenant, il lui reste les remords…

— Les remords ?

— Et personne à qui en parler. Ses fils les balaieraient d'un revers de main. Puis elle sent confusément que la fin de sa vie approche. Vers qui va-t-elle se tourner au moment de mourir ?

— Que fera-t-elle seule à Paris ?

— Les Allemands ne devraient pas s'intéresser à une vieille dame. Elle a encore de la famille. Ses cousins arrivés de Berlin l'année dernière vivent dans une pension de famille dans le Xe. Elle aime beaucoup Joseph, un cousin germain, avec qui elle joue aux cartes et déguste des gâteaux à la crème et au chocolat et des cafés au lait.

— Ses cousins sont juifs ?

— Oui et alors ?

Une bouffée de colère défigura Louise. Oui, Juliette avait raison. Oui, elle aurait pu épouser un catholique pur jus, elle ne serait pas en train de fuir sur les routes de France. Oui, un autre nom bien français protégerait ses enfants… Tous ces juifs dans sa famille, ça allait devenir compliqué.

Mais elle se ressaisit, honteuse de ses pensées. À quoi cela servait de blâmer les juifs, son nom et tout le reste. Elle devait repousser les relents antisémites de son éducation. Ils étaient toujours à portée de main. Charles était si peu juif. Il était athée, sans religion, sans croyance. Et voilà que maintenant, il se retrouvait juif malgré lui. Éva et les enfants avec… Comme une erreur judiciaire qui vous condamne indûment.

— Tu me suggères de divorcer pour changer de nom ?

— Non, non, se défendit Juliette. Jamais de la vie, mais avec l'arrivée des Allemands, il faut être prudent. Rappelle-toi toutes les histoires racontées par la famille d'Éva réfugiée en France. La traque des juifs est bien réelle à Berlin et dans toute l'Allemagne. Tu le sais bien et Charles aussi.

— En France, ce sera différent. Le gouvernement ne laissera pas faire. Louise s'éventa le visage avec nervosité.

— J'essaie juste de vous protéger… soupira Juliette. J'ai le droit d'avoir peur pour vous.

— N'en parlons plus… ça sert à rien. Nous avons choisi des maris très différents.

— Tu n'as pas compris… J'essaie de te protéger dans la mesure de mes moyens. Le curé ici veut bien nous donner des certificats de baptême pour vous tous. Ils seront prêts après-demain. Tu dois attendre.

— Pour quoi faire ?

— On ne sait jamais. Tu dois avoir plus de preuves que les autres.

— Des preuves de quoi ? Les enfants sont baptisés.

— Ils portent un nom juif, étranger. Louise ne te cache pas la face. Un nom juif…

Louise faisait semblant de ne pas comprendre. Elle était bien française, catholique, ses enfants aussi. Personne ne pouvait prétendre le contraire... Elle dissimula sa confusion, avec un sourire crispé. Pleine de bonne volonté, malgré elle, sa grande sœur, son double de toujours, venait d'avouer qu'elles n'appartenaient plus au même monde. Elle avait pointé du doigt leur différence. C'était la guerre. La vraie, redoutable, qui rentrait par la petite porte, l'air de rien et venait se nicher, pernicieuse, au cœur de leur amour.

— Je suis comme toi, française et catholique. Mes enfants aussi…

— Alors ! Oublions et pars vite rejoindre ton Charles…

murmura Juliette, les yeux baissés. Elle savait que la présence de sa sœur et de sa famille déplaisait à Paul. Il s'enfermait dans son bureau, trouvait des prétextes pour éviter les repas, signe chez lui de grand inconfort. Et puis elle était à bout d'arguments audibles par Louise.

— Ils vont faire sauter les ponts de la Loire pour empêcher la progression des Allemands. Nous devons passer avant.

Louise avait raison et Juliette le savait. Plus elle plaidait le contraire, plus l'inévitable départ s'imposait. Les deux sœurs se turent, chacune plongée dans ses pensées. On avait dit trop de choses, mieux valait se taire.

Louise fuyait les Allemands, Juliette les attendait.

C'était une différence fondamentale, un fossé si profond qu'il donnait le vertige.

6.

12 juin 1940

Louise avait bien spécifié que, compte tenu des circonstances, il y avait interdiction de lui souhaiter son anniversaire. Interdiction formelle, pas même une allusion. On devait oublier... Pour fêter ses quarante ans, on attendrait la fin de la guerre. À l'aube, Léonard vint, quand même, se glisser dans le lit de sa mère, l'embrasser et lui redire, en secret des autres, à quel point il l'aimait. Lui seul pouvait contourner des interdictions collectives… Mais leur tête-à-tête ne dura pas longtemps. Louise devait accompagner Éva à la gare.

Éva rentrait à Paris à contresens de tout le pays. Pour rentrer chez elle, ce chemin contraire ne lui faisait pas peur. À la cantonade, elle donnait des petites raisons anodines, mais ne parla jamais de sa seule vraie motivation. Elle se sentait mourir. Mourir ou plus exactement vieillir brusquement. Une maladie incurable qu'elle voulait cacher à ses fils. C'était arrivé comme une révélation alors qu'elle tremblait de peur pendant les bombardements de la route vers Rennes. L'aventure, la guerre, les grandes peurs, ce n'était plus de son âge. Elle avait décidé de rentrer à la maison, près de son Samuel et d'attendre en paix, de le rejoindre. Elle n'avait pas peur des soldats allemands. Elle parlait leur langue parfaitement et pourrait s'occuper en donnant des coups de main à sa cousine qui tenait une pension de famille, près du square Montholon. Éva aimait aller dans ce coin de Paris, ça lui rappelait l'époque la plus heureuse de sa vie. Ils venaient de débarquer à Paris. Les garçons étaient petits et émerveillés par cette nouvelle vie, cette ville superbe et cette langue chantante.

Éva et Louise s'étaient observées longtemps avant de se rencontrer vraiment. Avant de partager leur amour pour Charles, avant de construire ensemble une famille. Pourtant, elles se ressemblaient. Elle possédait le même amour possessif de leurs fils, la même mauvaise foi argumentée, le même dévouement infini, les mêmes gestes tendres dans la vie quotidienne. Et une façon bien à elles de servir les hommes grands et petits, servir avec docilité, tout en imposant leur point de vue et leurs principes bien arrêtés. Un vrai talent.

Quel chemin parcouru, depuis la naissance d'Éva dans les brumes de Thorn, ville frontière au bord de la Vistule, entre l'Allemagne et la Pologne. À Berlin, elle rencontra Samuel. Il négocia le mariage avec David, le père d'Éva qui venait de s'installer comme rentier, après avoir fait fortune dans le blé. Avec la dot, ils s'installèrent à Paris pour conquérir le monde. Pas plus, pas moins, Samuel offrait du rêve et de l'ambition à revendre. Son nouveau monde ne dépassa jamais les frontières du Xe arrondissement, mais sa femme y fut très heureuse. Et comblée de mettre au monde trois garçons, en bonne santé, qui seraient un jour de vrais Parisiens et de vrais Français...

Éva aimait Paris à la folie. La ville était la fille qu'elle n'avait pas eue, avec qui elle se permettait toutes les complicités. Elle devint une guide expérimentée pour les cousins qui arrivaient d'Allemagne. Elle se donna de la peine pour parler un français parfait et aimait à se dire allemande de naissance et parisienne de cœur. Avec plaisir, elle naviguait sans cesse entre les deux cultures. Le seul domaine dans lequel elle conserva une prédominance allemande fut la cuisine et surtout la pâtisserie, « parce que ma mère m'a appris comme ça », s'excusait-elle, les yeux au ciel et les mains posées sur ses joues rondes. En haut de la tour Eiffel, en admirant la vue, elle distribuait du Strudel tiède pour se réchauffer.

Éva attendait en tête de quai, bien mise, fraîche et heureuse de sa décision. Arrêter de courir les routes de France, avec le peu qui lui restait à vivre : comment n'y avait-elle pas pensé plus tôt ?

Pour une fois, Paul s'était occupé de tout. Lui qu'elle considérait comme un incapable avait obtenu le passe-droit pour la faire grimper dans un train militaire. Il faut dire qu'il était prêt à tout pour qu'elle déguerpisse de la préfecture au plus vite. Ce « pauvre Paul » ... comme le surnommait Éva. Elle ne s'était jamais habituée à sa brutalité. Pourtant elle avait aimé un Prussien... c'est dire. Elle lui reprochait aussi de mettre trop d'emphase dans l'expression de banalités. Elle ne supportait pas sa conversation et s'ennuyait dès qu'il parlait...

On eut du mal à obtenir le renseignement du chef de gare. Il avait reçu des instructions précises « secret défense ». Aucun horaire militaire pour un civil. Rien car c'était de la plus haute importance pour la sécurité des soldats de l'armée française. Du sérieux... Et même pour Paul qui lui avait remis sa décoration des vieux travailleurs, l'année précédente, il hésitait. Pourtant, il l'arborait cette décoration, presque neuve, au revers de son uniforme bleu marine, sans forme ni couleur. Ce triste uniforme, qu'il n'avait plus le temps d'enlever, même pour dormir, toute la journée, assis dans son bureau attenant à la salle d'attente bondée. Il ne savait plus où donner de la tête, entre les trains des soldats, des munitions, des permissionnaires, des blessés, des réfugiés et ces gens qui le harcelaient pour en attraper un et partir n'importe où, sauf vers Paris, destination maudite.

Dans sa valise, Éva cachait des victuailles, sandwichs, pommes coupées, œufs durs, saucisson tranché pour faire oublier sa présence incongrue. À son âge, c'était son seul atout.

Tout le monde l'avait mise en garde contre ce voyage. Mais oui, elle se méfierait. Mais oui, elle demanderait de l'aide. Mais non, elle n'avait pas peur. Mais non, elle ne risquait rien à son âge…

— La route est encore longue. Vous ne regretterez pas de n'avoir qu'une seule voiture à mener au bout ! se justifia-t-elle, une fois encore auprès de Louise. Elle n'osait pas avouer qu'elle était triste de quitter sa belle-fille. Avec Louise, elle se sentait bien, protégée. À son âge, ce genre de confidence n'avait pas de sens, et puis c'était parler pour rien. Sa décision était prise…

— Je ne suis pas inquiète. Nous allons dans le bon sens. J'ai hâte de retrouver Charles. Cette séparation a trop duré. Maintenant, sans lui, j'ai peur, confia Louise à sa belle-mère.

— Mon enfant, ce n'est pas le lieu pour les déclarations, mais je n'ai jamais eu l'occasion de vous dire merci. Un merci du fond du cœur pour le bonheur que vous donnez à mon fils, murmura Éva, émue par ce qu'elle venait de dire.

Elles sourirent en silence sans se regarder.

— Je vous confie aussi mon fils aîné. Sa femme lui fera du mal et c'est un tendre sous ses grands airs. Chez vous, il pourra se réfugier du grand monde, je le sais…

Ce n'était ni le lieu, ni le moment pour les déclarations, les phrases définitives, les promesses, les trémolos et les émotions fortes. Ce passage de relais familial, sur le quai A de la gare de Rennes à 7 heures du matin, était surprenant. Louise regardait Éva, dans sa robe de voyage en voile de soie, inappropriée, plus adaptée à un transatlantique. Elle avait la ferme intuition que c'était la dernière fois qu'elle la voyait. L'une à côté de l'autre, elles se donnaient la main. Leur silence était complice. Il n'y avait rien à ajouter, que des recommandations inutiles. Bien sûr qu'elles seraient prudentes et attentives. Bien sûr qu'elles protégeraient ce qui pouvait l'être. Bien sûr qu'avec leur ventre de mère, trop rond pour être belliqueux, elles s'accordaient à penser que tout cela n'avait pas de sens, que la guerre est bien une histoire d'hommes, de territoires, de muscles et d'autres valeurs étrangères à leur anatomie.

Ce fut le coup de sifflet strident et l'arrivée menaçante de la Micheline BB1907 qui accélérèrent la séparation.

— J'oubliais... Promettez-moi de ne plus dire aux enfants que les gâteaux juifs font plus grossir que les autres. L'époque ne permet pas ce genre de raccourci, murmura Éva alors que Louise lui donnait le bras pour monter sur le marchepied.

— Ils venaient chez vous pour leur cours d'allemand, répliqua Louise. Je trouvais inconvenant qu'ils répètent la bouche pleine et écoutent d'une oreille distraite. Et puis, à la maison on faisait régime et chez vous c'était la débauche, il fallait bien trouver des arguments...

— De la tenue, de la retenue, votre devise d'éducation n'est-ce pas ? Vous avez raison, mon enfant !

— Tout cela appartient au bon vieux temps qui paraît déjà loin...

— Oh, les pipelettes, il faut activer le rythme ! les coupa le chef de gare qui essayait de se frayer un chemin au milieu des soldats entassés dans le couloir du wagon de tête.

— Au revoir. Bon voyage, on vous attend à Paris, Suzanne va s'occuper de vous... articula Louise, avant qu'un sanglot ne brouille sa voix. Elle eut envie de lui courir après... À quoi bon ? Pour lui dire quoi ?

Éva avait repris son destin en main. L'exode avait bon dos. C'était un prétexte pour ne pas avouer qu'elle cherchait la solitude, l'éloignement. C'était sa façon de prendre ses distances tranquillement pour habituer ses proches au grand départ.

Résignée, elle suivait le chef de gare, en se faisant toute petite, pour s'excuser d'être l'objet de tant de sollicitudes. À chaque compartiment, il usait, en vain, de son autorité pour exiger des jeunes gens lessivés et hagards une place pour une vieille dame fatiguée. Enfin, au compartiment 13, Éva put se glisser entre deux officiers n'ayant pas perdu, au combat, le sens de la galanterie. Sa valise débordante sur les genoux, elle serrait les fesses.

Revenu sur le quai, le chef de gare enleva sa casquette, pour s'éponger le front avec sa manche. La mission était accomplie. Il se ressaisit et agita sa lampe, siffla un grand coup et le train s'ébranla, parcouru d'un murmure. Pourquoi cette halte si courte et imprévue à Rennes ? Impossible de soupçonner l'abus de pouvoir d'un chef de gare, en mal de promotion dans l'ordre des travailleurs méritants !

Éva arriva chez elle la veille de l'entrée des troupes allemandes dans Paris. Elle laissa sa valise à la consigne et traversa Paris à pied. Il n'y avait pas d'autre moyen de transport. La ville était déserte et somptueuse… Éva respirait son bitume bien-aimé, sans appréhender l'arrivée des futurs occupants. Qui l'aurait croisée dans le jardin des Tuileries en train d'admirer la perspective des Champs-Élysées l'aurait prise pour une illuminée. Il y avait de l'inconscience dans sa façon de rentrer à la maison.

Aux aurores du 14 juin 1940, deux camions de soldats allemands entrèrent dans Paris, par la Porte de la Villette. La capitale venait d'être déclarée « ville ouverte ». À 5 h 35, des troupes vert-de-gris furent aperçues descendant l'avenue de Flandre en direction des gares du Nord et de l'Est. Une heure plus tard, les Allemands étaient aux Invalides. À 7 h 30, place de la Concorde, le général von Stunitz s'engouffra dans l'Hôtel de Crillon. Le nouveau commandant militaire de la région parisienne était à son poste. Il n'avait pas choisi la plus mauvaise vue !

Dans la matinée, une croix gammée géante flotta sous l'Arc de Triomphe, le premier défilé des troupes occupantes eut lieu sur les Champs-Élysées. Ce serait désormais le cas, tous les jours à midi, pendant quatre ans.

À la même heure, Éva chercha une boulangerie ouverte dans son quartier. C'était pire qu'un mois d'août après l'instauration des congés payés. Paris était une ville fermée... Elle fut servie en rideaux de fer. Mais pour le reste, il ne fallait pas y compter. Les quartiers bourgeois étaient déserts. Elle décida de se rendre à Belleville pour acheter du pain. Elle descendit dans le métro, sans même un coup d'œil sur « les loups » rugissants, et le drapeau rouge qu'on accrochait sur la façade de la Mairie, en face de ses fenêtres !

***

Pour Louise et les enfants, la route de Rennes à Toulouse fut un enfer. Sept cents kilomètres et quatre jours de cauchemars, bien qu'ils soient sur des axes secondaires. Louise conduisait jusqu'à épuisement, puis passait le relais à Léonard pour pouvoir dormir un peu. C'est à Niort, qu'ils crurent voir arriver leur dernière heure. La ville était un enchevêtrement de ruines, de carcasses de voitures, de corps pourrissants au soleil, d'objets familiers abandonnés, de canalisations éventrées, de charpentes fumeuses. C'était une désolation dont Louise voulut sortir au plus vite. Mais c'était comme un piège, une longue colonne de voitures, dont on ne pouvait s'extirper. Des soldats en guenilles, épuisés, ajoutaient au tableau une couleur glauque et pathétique. Louise ne fit aucun commentaire pouvant laisser croire aux enfants qu'elle était inquiète, horrifiée, perdue, dépassée par la situation. Rien, pas un mot. Elle crânait, droite et maîtresse d'elle-même pour montrer que tant qu'ils étaient en vie, tout était secondaire. Plusieurs fois, elle étouffa des cris d'effroi. Elle pâlissait, ses mains se crispaient sur le volant mais pas un son ne sortait de sa bouche.

Près d'un pont à la sortie de Niort, au bout de trois heures sans avancer, Louise proposa aux enfants d'aller se rafraîchir au bord de la rivière. Ils étaient abrutis de chaleur, lassés de trop d'horreur, gavés de cette route de désolation. L'un d'eux resterait avec elle et irait prévenir les autres si la route se débloquait.

En contrebas du pont, au bord de la rivière, l'endroit leur sembla bucolique, préservé de la horde immonde. La transparence de l'eau était presque irréelle. Quelle douce tentation, surtout que leur père leur avait appris que toutes les eaux étaient bonnes pour se baigner. Il ne savait pas résister à une trempette ! En moins de deux, les filles furent en petite tenue et plongèrent. Un pur délice, après deux jours de voiture. Elles nagèrent avec délectation, en poussant de petits cris de joie. Personne ne vit approcher les trois soldats ivres, au regard vitreux et à la mine bagarreuse. Ils se jetèrent sur les filles, au moment où elles sortaient de l'eau et regardaient leurs pieds pour ne pas s'écorcher sur les cailloux.

— Au secours … hurla Émilie, avant qu'une main affreuse étouffe ses cris.

Louise les entendit-elle ? Ou venait-elle, simplement à ce moment-là par hasard, leur demander de remonter ? Personne ne posa jamais la question. Elle dévala la petite côte d'herbe haute, en hurlant « au secours », le cric de la voiture à la main. Elle se précipita sur l'un des hommes et le frappa à la tête de toutes ses forces. Tout son corps s'était raidi pour accompagner son mouvement et le coup fut d'une violence inouïe. Des gouttes de sueur perlèrent sur son front. Elle dut se tenir pliée en deux, les bras ballants un long moment avant de pouvoir se redresser et ouvrir les yeux.

— Tu l'as tué, Maman, hurla Monique le regard brillant, fixant le crâne ensanglanté de son agresseur et les éclaboussures de cervelle qui glissaient sur sa peau mouillée.

Hoquetant, elle se précipita vers la rivière pour se rincer de la bouillie humaine. Léonard, la manivelle en avant, se précipita sur l'autre homme qui violentait toujours Émilie et le frappa au dos. L'homme roula sur le côté en hurlant. Le troisième homme sortit son revolver et le pointa en direction de Léonard, qui ne broncha pas en voyant sa vie basculer, tandis que Louise, tête baissée, lui fonçait dans l'estomac. Trop tard, il avait tiré. Un bruit creux accompagna le déclic aigu de la gâchette. Il agitait son pistolet, comme si ces mouvements ridicules pouvaient remplir le barillet. Quel con, marmonna-t-il, furieux d'avoir oublié son fait d'armes de la nuit précédente. Avec ses dernières balles, il avait tué un fritz. Le premier de sa glorieuse guerre. Il balança l'arme et plongea dans la rivière. Ça tournait au vinaigre l'amusement avec les petites !

— À la voiture dare-dare ! dit Louise, ayant retrouvé son aplomb, en emportant le pistolet. Monique s'effondra dans l'herbe.

— J'ai peur, Maman. J'ai peur… On va tous mourir…

Louise l'attrapa par les cheveux et lui ordonna de se mettre debout. Sa fille s'exécuta péniblement en reniflant.

— Laurent est seul dans la voiture. Il faut remonter…

Des pilleurs, déjà, entouraient la citroën, sous l'œil affolé du petit garçon. Son pouce encore dans sa bouche, il était terrifié. Dick aboyait sur le siège avant, essayant en sautillant de se faire passer pour un berger allemand. Léonard arriva en hurlant, la manivelle brandie devant lui, comme un fusil. Tous détalèrent.

On reprit la route, en silence. Sauf Monique qui reniflait, sans pleurer, mais avec une régularité assommante.

— Un peu de caractère, tu en verras d'autres, ordonna Louise avec dureté.

— Mais Maman…

— Nous ne sommes pas des poules mouillées, c'est dans les gènes… J'ai tué un homme pour vous sauver, alors il ne faut pas inverser les rôles. C'est moi qui devrais me morfondre au lieu de quoi…

— Maman, sois moins sévère, intervint Léonard. C'est quand même dur de se faire attaquer…

— Dur quand on y reste. Tout va bien, alors de la tenue. Les pleurnicheries ne servent à rien, c'est une attitude de poules mouillées…

— Je suis une poule mouillée… et je m'en fous… hurla Monique en montrant d'un geste désespéré sa jupe encore trempée.

La petite fille éclata en sanglots. Les pleurs tenus à distance au prix de contorsions disgracieuses envahirent la voiture. Ce fut un concert douloureux, auquel Laurent apporta sa bruyante contribution. Louise s'énerva, puis attendit que ça passe. Ajouter des cris aux cris ne servait à rien. Elle devait économiser ses forces pour arriver à Toulouse.

7.

17 juin 1940

Charles leur avait donné rendez-vous devant la Mairie. Depuis trois jours, il les attendait là à partir de midi. L'hôtel dans lequel il occupait une petite chambre sous les toits se trouvait dans une rue proche. Louise et les enfants arrivèrent à pied, fendant la foule tant bien que mal, après avoir laissé la voiture, le moins loin possible du centre. À trente minutes de marche quand même, tant pis pour les bagages... Louise était trop pressée de rejoindre Charles. On s'accorda à penser que laisser Dick n'était pas une solution. Il n'avait rien d'un chien de garde et, dans la voiture en plein soleil, l'insolation était garantie !

Les églises de Toulouse sonnaient les douze coups de midi. Le pays était en alerte, le maréchal Pétain allait parler. Toutes les TSF de la place du Capitole étaient posées sur les rebords des fenêtres, les zincs des bars, les tables des trottoirs, pour profiter au plus grand nombre. Une foule immense voulait écouter. En quelques minutes, la pagaille bruyante se transforma en une foule disciplinée, calme et silencieuse. Concentrée et grave, comme au cimetière, quand on récite une dernière prière, avant de placer le cercueil dans le caveau.

Ce fut Dick, qui vit Charles le premier. Il bondit avec l'habileté d'un chien de cirque dans un cerceau en feu et se précipita vers son maître attablé au café de la Mairie, la laisse traînant derrière lui. Laurent lâcha la main de sa mère, si émue, et se précipita, au beau milieu des adultes, avec la même dextérité que le caniche, pour être le premier à embrasser son père que les enfants surnommaient « Pich ».

— Pich, Pich, on est là, criait-il, heureux et confiant.

— Laurent, Laurent, attends-nous…

Toute la famille accéléra, en se faisant houspiller par les badauds qu'ils bousculaient au passage. Ils arrivèrent échevelés et essoufflés.

L'accueil de Charles fut bien en deçà des espérances.

Il ordonna le calme et le silence. Les mots prononcés furent oubliés dans la gravité du moment. On s'embrassa à peine. Ce n'était ni le moment, ni l'endroit.

Le maréchal Pétain commençait à parler de sa voix chevrotante. Charles et Louise se tenaient l'un contre l'autre.

« Français !

À l'appel de monsieur le Président de la République, j'assume à partir d'aujourd'hui la direction du gouvernement de la France. Sûr de l'affection de notre admirable armée qui lutte, avec un héroïsme digne de ses longues traditions militaires, contre un ennemi supérieur en nombre et en armes. Sûr que par sa magnifique résistance, elle a rempli nos devoirs vis-à-vis de nos alliés. Sûr de l'appui des Anciens Combattants que j'ai eu la fierté de commander, sûr de la confiance du peuple tout entier, je fais à la France le don de ma personne pour atténuer son malheur.

En ces heures douloureuses, je pense aux malheureux réfugiés qui, dans un dénuement extrême, sillonnent nos routes.

Je leur exprime ma compassion et ma sollicitude. C'est le cœur serré que je vous dis aujourd'hui qu'il faut cesser le combat. Je me suis adressé cette nuit à l'adversaire pour lui demander s'il est prêt à rechercher avec nous, entre soldats, après la lutte et dans l'Honneur, les moyens de mettre un terme aux hostilités. Que tous les Français se groupent autour du Gouvernement que je préside pendant ces dures épreuves et fassent taire leur angoisse pour n'écouter que leur foi dans le destin de la Patrie. »

Ce fut la seule fois de leur vie que les enfants virent leur père pleurer dans l'honneur. Tout doucement, sans bruit et sans même essuyer ses larmes qui s'écrasaient sur sa chemise blanche, en y laissant une trace impudique. Louise était livide, une poupée de cire, vidée de son sang, sans expression. Les muscles de son visage battaient le tambour, presque en transparence sous ses joues.

— Y a plus gai comme retrouvailles, commenta Monique pour faire l'intéressante.

La gifle claqua dans un silence glacial et tous les regards se tournèrent vers la petite fille, rouge coquelicot, mortifiée au milieu du café.

8.

18 juin 1940

— Une robe du soir pour accueillir l'ennemi. Tu n'y penses pas…

— Alors, j'irai sans toi. C'est fâcheux, mais c'est mieux qu'une faute diplomatique… Tu restes à la maison.

Juliette foudroya Paul du regard. Elle était saisie d'effroi. Son mari allait accueillir les Allemands, c'était bien le mot qu'il avait employé… Accueillir, elle se répétait le mot en boucle sans réussir à retrouver ses esprits. Accueillir, mais de quoi parlait-il ? Dans quel monde vivait-il ?

Les derniers jours, à la demande du directeur, elle les avait passés à l'hôpital comme volontaire. Il était débordé par les événements et employait toutes les bonnes volontés, dont Juliette faisait partie. À la suite d'un bombardement allemand, un train d'explosifs avait sauté en pleine gare. Un désastre. L'explosion avait enseveli un train de permissionnaires et un train de voyageurs.

Il fallait déblayer, s'occuper des blessés, relever le nom des morts et les enterrer au plus vite à cause de la chaleur, rechercher et prévenir les familles. Tous ces drames, cette misère… et son mari lui parlait de robe longue.

— Tu te rends compte de ce que tu me demandes. Paul, sors de ton bureau, tu comprendras. Les morts, les presque morts, les souffrances des blessés, il n'y a plus de morphine, les pleurs des familles… Et tu me parles d'accueillir leurs assassins. Mais tu as perdu tout sens commun, mon ami…

— Tu n'as aucune jugeote politique. Il faut transformer une fatalité en une chance, expliqua Paul, comme si de rien n'était, insensible à l'émotion révoltée de sa femme.

— Tu seras cloué au pilori… Les gens ne peuvent pas accepter que les fonctionnaires fassent des courbettes devant les vainqueurs… Leurs fils, leurs pères, leurs frères sont morts sous les balles allemandes… La der des ders est encore dans toutes les têtes… Paul, Verdun, tu y étais quand même… La cote 304 et la solitude du trou défensif…

— Tu mélanges tout…

Paul n'évoquait jamais ces heures sombres de février 1916. Trop douloureuses, il les avait enfouies dans sa mémoire. Juliette perçut comme un fléchissement dans sa voix. Alors, elle employa les grands moyens…

— Mon amour, je t'en supplie. Ne compromets pas ton nom. Notre nom.

Paul n'écoutait plus. Il venait de claquer la porte derrière lui.

9.

30 juin 1940

À Toulouse, Charles avait trouvé une seconde chambre d'hôtel pour les enfants. Encore plus minuscule que la première. Deux enfants sur le sommier, deux sur le matelas par terre et Laurent dans la chambre de ses parents. À la guerre comme à la guerre. Tous les jours, Charles se rendait dans les bureaux de la *Dépêche* et tous les soirs il revenait bredouille. Sortir un journal en pleine guerre relevait de l'impossible. Comment faire sans article, sans compositeur, sans papier, sans encre, sans lecteur... La tâche était trop lourde. Louise, inquiète de voir son mari s'acharner dans une voie sans issue, décida que la famille devait quitter Toulouse au plus vite. C'est elle qui eut l'idée d'envoyer Charles à Megève. Par chance, la Savoie était en zone libre. La France était coupée en deux et ils étaient du bon côté. Ils étudièrent l'itinéraire, avec sous les yeux le journal qui reproduisait en Une la carte de France balafrée...

Toutes les lumières du chalet étaient allumées. Du petit chemin de terre, Charles apercevait même la danse régulière et douce des flammes de bougies rouges, disposées sur la longue table de la salle à manger. Les fameuses bougies rouges de Louise, qu'elle achetait à prix d'or à Genève. Mais qui s'était permis de les allumer ?

Son cœur s'arrêta de battre. Il fit quelques pas en arrière pour s'éloigner du rai de lumière. Le chalet était occupé. Il se tordait le cou comme une tortue pour essayer d'apercevoir par les fenêtres une indication, une silhouette, une ombre. Mais, il aurait fallu coller son nez à la fenêtre... ce qui n'était pas conseillé dans sa position... Combien pouvaient-ils être ? Une quinzaine sûrement. Des Allemands, des Italiens... Et qui dormait dans leur lit ? Qui osait violer la maison du bonheur ? Il avait l'impression que la maison lui parlait, le reconnaissait... Sa maison en crépi blanc, avec ses lourdes poutres de bois brut et ses volets rouges et blancs, ouverts au rez-de-chaussée, fermés à l'étage sur l'intimité des inconnus. Elle était généreuse cette maison, elle s'offrait, ne dissimulait aucun de ses charmes, pour accueillir ses habitants et se faire aimer.

Il se laissa tomber sur un talus de terre, posa son sac à dos et déboutonna la veste de son uniforme. Il manquait d'air. Il passerait la nuit à regarder son chalet du dehors... comme un « schmock » qu'il était, chassé de chez lui. Une irrésistible envie de pleurer le submergea.

À son âge et père de cinq enfants quand même...

Pourtant, il en avait vu d'autres, la Grande Guerre, les tranchées... Mais en violant son chalet, on touchait à sa famille. Il n'avait rien d'autre. Il le mesurait à cet instant avec une force foudroyante. En 14, il devait juste sauver sa peau, c'était un petit enjeu. En 40, il devait sauver la vie de six personnes en plus de la sienne, ça changeait tout et décuplait sa trouille, la bonne vieille trouille, animale et incontrôlable. Charles se surprit à s'apitoyer sur lui-même, sur la guerre, les nazis, les juifs, la fin d'un monde, l'impuissance, l'occupation de Paris. Lui qui détestait la faiblesse. « C'est la fatigue, une traîtresse sournoise de la pensée... », murmura-t-il pour se trouver une excuse.

Heureusement, la famille était restée à Toulouse, le temps qu'il trouve un refuge... Pour chasser ses idées noires, il se laissa ensevelir par une vague de souvenirs. Quand il pensait à son grand amour, ça commençait toujours par ce premier séjour heureux à Megève en 1925.

En fermant les yeux, il entendit le crissement musical des patins du traîneau sur la neige. Qu'elle était douce l'image d'eux trois, soigneusement emmitouflés sous une couverture de laine écossaise, rêche, à la forte odeur de cheval. Léonard dormait, confiant, abandonné comme seuls les enfants savent l'être. Le lever du jour, dans ce paysage féerique d'une blancheur ouatée, était une pure splendeur. Le cheval peinait dans la pente plus raide, à l'approche de l'hôtel du Mont-d'Arbois. Son souffle bruyant couvrait le bruit aigu et régulier de la petite clochette accrochée à son harnais.

Charles avait été saisi par cette atmosphère particulière.

L'extérieur de l'hôtel était décoré avec de grandes branches de sapin sur lesquelles s'était accrochée la neige. De hautes bougies dans des photophores rouges éclairaient les quatre marches de l'entrée.

Une odeur de café flottait dans l'air, et les bûches dans la cheminée émettaient un petit chuintement de bienvenue. Le reflet de la neige adoucissait la lumière grise du petit jour. Charles contempla le visage de Louise incroyablement beau, qui ne laissait rien paraître de sa fatigue. Un flot d'amour si fort circula en lui qu'il se surprit à s'accrocher à son fauteuil pour se calmer.

Il entraîna sa femme hors de la pièce et dans le couloir lui donna un baiser fougueux et voluptueux, comme le premier baiser de deux êtres qui s'étaient longtemps désirés. Dans leur chambre, au dernier étage du chalet, ils firent l'amour avec une passion nouvelle. Une passion qu'ils n'avaient pas éprouvée jusqu'à ce jour, jusqu'à cet endroit. La plénitude du lieu rejaillissait sur leur amour. Ils se cajolèrent tendrement sous les draps, éclairés par les bougies allumées sur les tables de chevet. Ils étaient vivants, d'une façon différente. Ils surnommèrent cet état « l'effet Megève ».

Ils étaient mariés depuis bientôt deux ans, mais ils venaient de se découvrir, de s'explorer. Louise, pour la première fois, s'était donnée sans retenue, rejetant au loin ses pensées antiplaisir. Elle était nue et généreuse. Cependant, elle se rhabilla, avec hâte, pour rejoindre son enfant qui jouait dans la neige, gardé par la fille du propriétaire de l'hôtel, une montagnarde de quinze ans au visage carré avec des pommettes saillantes.

Trois mètres de neige accueillaient les nombreuses chutes du petit garçon. Il était si occupé à découvrir les lieux, qu'il n'avait pas remarqué l'absence prolongée de ses parents.

À dix mois, Léonard marchait déjà et trébuchait souvent.

Il se relevait, les fesses en l'air, les mains plantées dans la neige, jusqu'aux épaules. Volontaire, il repartait heureux et fier, vers la prochaine chute. Il ne voulait pas mettre de moufles. Il était si content de jouer avec la neige fraîche. Chaque chute provoquait un nouvel éclat de rire. Il en oubliait le froid sur ses petites mains endolories. Ses vêtements, en gros lainage brut, n'étaient pas adaptés. Il était trempé, mais n'y attachait aucune importance.

En apercevant sa mère, il lui offrit une démonstration de galipettes et une collection complète des chutes possibles. Louise s'agenouilla dans la neige pour attraper son fils. À bout de forces, il vint chercher dans ses bras le réconfort et la chaleur. Elle le serra d'une façon particulière, les yeux plantés dans les siens. Puis, elle enfouit son visage dans son petit cou humide et lui murmura d'une voix douce :

— Tu seras un homme, mon fils !

L'enfant ne bougeait plus. Sérieux et attentif, il buvait les paroles de sa mère, Il prit son pouce et se lova complètement contre sa poitrine. Ils restèrent ainsi de longues minutes.

Elle lui récitait le poème de Kipling, sa mémoire avait retenu certains passages du texte, sans même qu'elle s'en rende compte, à force d'entendre Charles y faire référence. Il le mettait à toutes les sauces, ne manquant jamais de raconter la disparition au front du fils de l'auteur en 1916...

Le lendemain, ils achetèrent des skis. Charles voulait, comme toujours, découvrir les spécialités locales. Les skis étaient fort lourds, et accompagnés d'une paire de peaux de phoque. Les peaux découpées en lanières de la largeur voulue se collaient au-dessous du ski avec un fart spécial. Les poils, en se rebroussant, empêchaient les skis de glisser en arrière, pendant la montée. Il n'y avait ni moniteur de ski, ni remonte-pentes. On leur avait appris quelques principes de glissade et surtout d'arrêt qui se réduisaient au chasse-neige. Mais les chutes furent nombreuses et spectaculaires. La descente se fit lentement. Ils étaient freinés par la neige fraîche qui leur arrivait aux genoux.

Ils s'abandonnèrent à leur bonheur. Les jours s'écoulaient intenses et doux à la fois. Sportifs aussi car les montées à peau de phoque, à un rythme soutenu imposé par Charles, étaient épuisantes.

Ils se demandaient s'ils auraient, un jour, la force de quitter ce lieu dont ils étaient tombés amoureux. Le moment était d'autant plus précieux que c'étaient les premières vraies vacances que Charles prenait, depuis son retour des tranchées. Pour autant, il ne s'était pas arrêté de travailler. De retour à l'hôtel, il écrivait toutes les pensées que lui avait inspirées leur promenade dans la plénitude de la montagne vierge. De temps en temps, il faisait arrêter la marche, l'escalade à peau de phoque ou la descente à ski, sous prétexte de noter une idée. Mais il devait enlever ses moufles pendant un petit moment, et n'arrivait plus à réchauffer ses doigts avant le sommet et la boisson chaude qui récompensait l'effort.

Charles avait une intuition exceptionnelle de l'avenir.

Il crut immédiatement aux sports d'hiver. Il lui paraissait évident que ces lieux féeriques ne resteraient pas déserts longtemps.

Un soir à l'hôtel, il remarqua un jeune couple penché sur des plans. Charles cherchait, depuis son arrivée, une façon de s'enraciner dans cet endroit. Il lia connaissance avec ce couple suisse, avec une déroutante simplicité, sachant intuitivement qu'il avait trouvé, comme par miracle, ce qu'il cherchait.

Devant lui, étaient dépliés les plans des terrains du Mont-d'Arbois, mis en vente par le propriétaire de l'hôtel. Ce monsieur tourmenté avait décidé, lors de sa dernière insomnie, de brader ses biens. Tout vendre pour retourner vivre de l'autre côté de la montagne, à Chamonix, sa ville natale. Il était venu à Megève par amour, il pouvait maintenant repartir. Charles souriait à la chance qui lui avait permis d'être présent au bon moment. Il remerciait la providence, conscient que laisser paraître trop de joie ou d'empressement ne serait pas bon pour la négociation. De toutes les façons, il n'avait aucune intention de mégoter. Il voulait un terrain ici et maintenant. Il entra dans la conversation du couple suisse avec une facilité déconcertante.

— Que pensez-vous du lot 18 ? demanda Charles en prenant un ton désintéressé et en proposant de partager ensemble une bonne bouteille de Château-Margaux.

— Nous n'avons pas envie d'avoir un chalet isolé, nous allons prendre le lot 10 qui est le plus proche de la ferme du calvaire, expliqua le mari avec un accent suisse qui fit sourire Charles.

— Pour être isolé, quels lots me recommandez-vous ? s'enquit-il avec son carnet de notes à portée de main.

La soirée fut consacrée à la description des lots. Charles insista pour emporter les plans dans sa chambre afin de les regarder encore et encore. Il les glissa sous son oreiller avant de s'endormir, un sourire aux lèvres.

Megève allait devenir leur refuge. Un coin privilégié, une terre d'accueil et de prédilection. Ce n'était pas seulement « une occasion, une affaire » comme disait le vendeur. C'était leur coin de terre. Charles y trouvait un compromis entre ses origines prussiennes et le pays d'adoption de ses parents.

À l'aube, le lendemain, il réveilla Louise, il fallait partir visiter les lots. Il était émouvant dans son enfantine convoitise de leur « maison du bonheur ». La randonnée quotidienne fut remplacée par des visites de terrains. Le choix portait sur des étendues qui se ressemblaient toutes, comme des œufs montés en neige. Impossible de se faire une idée !

À la cinquième visite, sous un beau soleil pâle d'hiver, Charles se décida pour un lopin de terre avec une vue magnifique sur le demi-cercle de montagnes au loin, les toits du village en contrebas, les sapins à perte de vue, loin des routes, dans un calme absolu. Un bosquet délimitait le terrain en amont. Il avait raison d'avoir opté pour la vue, c'était le seul critère qui différenciait entre eux les monticules de neige.

Le propriétaire, surpris par la rapidité de décision de Charles, voulut lui vendre plusieurs terrains, prétextant qu'ils vaudraient tous un jour une fortune. Charles n'était pas homme à se lancer dans les spéculations. C'était pour lui un principe de base. Il avait eu tort parfois mais considérait avoir eu raison dans l'ensemble. Ce jour-là, il eut plutôt tort.

Un écureuil lui frôla les pieds et le sortit de sa rêverie. Ça bougeait dans le chalet. Il se leva d'un bond. Une à une, il vit les lumières s'éteindre. Il faisait maintenant nuit noire, malgré la luminosité du ciel étoilé et il sentait le froid le pénétrer. Une petite lampe électrique commença à danser dans l'air. C'est à cet instant qu'il reconnut Emma de dos, la femme de ménage, une Savoyarde bien rondelette, avec son vieux tablier marron qu'elle nouait péniblement dans le dos, au-dessus de son vieux pull gris tricoté à la main. Le plus tranquillement du monde, elle cherchait le trou de la serrure pour fermer la porte à double tour.

— Je suis là… hurla-t-il, à pleins poumons, en se précipitant vers le chalet.

Elle se retourna, surprise par ce cri presque inhumain.

— Funérailles, monsieur Charles. Vous m'avez fait peur.

— C'est donc vous. Je craignais des occupants indésirables.

— C'est Madame qui m'a demandé de vous attendre et de vous préparer à dîner. Y paraît qu'à Toulouse, y a rien à croquer… Et les Allemands sont vraiment là ?

Charles n'en croyait pas ses oreilles. Tout était en place, y compris la crédulité d'Emma. Quelle chance ! Il dévora le reblochon en entier avec un bon pain aux noisettes et but avec délice un fondant de Savoie qui lui parut être du grand vin ! Louise pourrait, dès le lendemain, se mettre en route, à condition qu'elle trouve de l'essence. Merci la vie ! Ce soir elle était plutôt bonne fille !

10.

Rennes, le 1er juillet 1940

Ma Lisette,

Comme notre séparation risque de durer, j'ai décidé de t'écrire toutes ces choses que je ne dis qu'à toi. Il est impossible d'envisager le silence entre nous. Et quoi de plus incertain que le téléphone... Une fois sur deux, l'opératrice ne fait preuve d'aucune persévérance !

Je suis heureuse de vous savoir tous les sept installés dans votre beau chalet, là-haut, dans la montagne, presque loin de la guerre. Quel soulagement !

Rennes n'est plus la ville que vous avez quittée. Nous avons d'abord subi d'horribles bombardements allemands le jour de votre départ. Lorsqu'on n'a jamais vécu un bombardement, il est difficile d'imaginer ce que représente le massacre d'un centre ville. En quelques minutes, le décor familier disparaît, tombe en poussière et en fumée. La brutalité du changement de décor constitue un véritable choc. Sans parler des blessés et du manque de moyens face à l'ampleur de la désolation.

J'ai vécu plusieurs jours au milieu des cris et des hurlements des blessés, à essayer d'être utile aux éprouvés, avec les notions de premiers soins que tu m'as apprises. Un enfer, au milieu duquel, je crois, tu aurais pu être fière de ta grande sœur. Je n'étais plus la femme du Secrétaire de la Préfecture, juste une aide-soignante ! Puis on n'a plus eu besoin de moi, alors j'ai repris mon rôle, aux côtés de Paul, à qui les Allemands donnent du fil à retordre ! Depuis l'Armistice, il ne reçoit aucune instruction du ministre de l'Intérieur et doit prendre seul les décisions pour la survie du département. C'est une drôle de responsabilité ! J'espère qu'il fait selon sa conscience d'homme d'honneur et qu'elle ne le trahira pas…

Mon fils est en vie. Quelle chance ! Tu imagines… Ici beaucoup de familles pleurent leurs morts ou leurs prisonniers. Il me faut taire ma joie. Elle est indécente. Mais à toi, je peux le dire, l'idée de son retour proche me comble de bonheur. Je vais le serrer fort contre mon cœur, fort, à lui briser les os, surtout qu'il doit avoir bien maigri.

Ta sœur qui t'aime tant.

Juliette.

Megève, le 14 juillet 1940

Ma Juliette adorée,

Ta première lettre est arrivée aujourd'hui. C'est un signe d'espoir, le jour de notre fête nationale.

Tout le monde est installé. Le chalet est plus accueillant que jamais. Nous avons tellement de chance d'être tous les sept en vie et encore réunis. C'est un cadeau du ciel.

Nous avons décidé, après d'interminables discussions, de ne pas quitter la France. On n'abandonne pas son pays. Et puis, Léonard doit poursuivre ses études, coûte que coûte.

Demain, je pars à Grenoble l'inscrire pour la rentrée de septembre.

Je redoute cette séparation programmée et inévitable. Il ne peut pas perdre son temps précieux. Il doit étudier, il est si doué ! Tu sais bien que je suis prête à tous les sacrifices pour assurer son avenir, y compris vivre loin de lui !

Les petits sont inscrits pour la rentrée au Cours Florimontane. La directrice, Mademoiselle Lucas, m'a fait la meilleure impression. Émilie devra cravacher pour réussir son bac de Philo. Que veux-tu, les femmes de demain doivent être diplômées si elles veulent choisir librement leur mari. Elles ne seront plus obligées de regarder le compte en banque avant la personnalité. Quelle chance, c'est un progrès formidable !

Sur ces considérations, je t'embrasse tendrement.

Lisette.

11.

16 juillet 1940

En voyant Louise pénétrer dans son bureau, le directeur du lycée Champollion à Grenoble sut immédiatement qu'il allait trouver une place dans une classe de « taupe » déjà surpeuplée. En cherchant bien, il allait se débrouiller. Que cette femme était belle ! Un soleil dans la confusion générale de la ville. C'était impossible de résister à sa charmante pression, à son amour maternel qu'elle brandissait comme un étendard.

Et puis, au regard des notes de Léonard au bac, il ne prenait pas de risque. L'élève était brillant, malgré ses deux ans d'avance. Il pensait même que c'était une chance pour son lycée d'avoir des élèves de ce niveau ! Un oral d'évaluation avec M. Rozen, le redoutable professeur de mathématiques, et l'affaire serait réglée.

Grenoble était bondé, encore sous l'émotion de la débâcle et dans la désorganisation de l'exode. Pour trouver un logement disponible à la rentrée, Louise parcourait la ville, à pied dans un juillet de plomb. Ils n'avaient pas connu une chaleur pareille depuis longtemps… vraiment longtemps, avouait-on avec un soupir sifflotant. C'était bien sa veine ! Elle qui rêvait de l'air frais des côtes de la Manche.

Elle frappait à toutes les portes, se présentait à chaque concierge. Le soir, elle faisait ses pages de punition : de sa grande écriture ronde, elle recopiait son nom et son adresse « au cas où », pour mémoire. Puis Léonard s'endormait au milieu du grand lit défoncé de leur petite chambre d'hôtel sous les toits, dans laquelle il faisait une chaleur irrespirable. Louise s'installait dans le fauteuil et le regardait dormir. Il ressemblait à l'enfant qu'il n'était plus !

Ce séjour à Grenoble était sa première trêve, depuis longtemps. Léonard, rien qu'à elle, tous les deux seuls au monde. Un bonheur qui la culpabilisait. C'était la guerre quand même. Quant au logement, ça n'était pas gagné. On ne lui laissait aucun espoir, que des sourires narquois qui disaient : vous n'y pensez pas et la France, alors ? Mais rien n'était insurmontable, surtout quand il s'agissait de Léonard. Pourtant Charles, inquiet, la sommait de rentrer.

— Léonard vivra loin de nous pour la première fois ! Un sacrifice, ça se prépare ! Imagine qu'il ait faim, il ne pourra pas travailler, expliquait-elle à son mari.

— Il n'a plus cinq ans. Louise, tu es une vraie mère juive… Méfie-toi, les Allemands ne croiront jamais que tu es catholique, plaisantait Charles.

— Il n'y a pas d'Allemands ici… répondait Louise sans humour quand il s'agissait de son fils.

— Laisse-le s'envoler, il a besoin de grandir.

C'était bien cela qu'elle redoutait. Léonard avait beau lui répéter : « Tu es la femme de ma vie. Tout me ramènera toujours à toi », rien n'y faisait. D'avance, elle souffrait de la séparation ! Elle le savait, mais c'était inavouable ! Sauf au confessionnal, peut-être.

Puis le hasard fit bien les choses.

Alors que Louise attendait Léonard sur un banc public, à l'ombre d'un marronnier, une vieille dame vint s'asseoir près d'elle. Elle était essoufflée, au bord de la syncope et son chapeau de paille troué n'avait pas empêché le soleil de rougir son visage. À la fontaine du square, Louise attrapa de l'eau dans ses mains rassemblées en coquillage, et l'offrit à sa voisine.

— Oh merci, madame, j'avais si chaud… Vous seriez assez gentille pour me raccompagner chez moi. Je ne suis pas sûre d'avoir la force de rentrer toute seule. J'ai été bien imprudente aujourd'hui.

— Si ce n'est pas trop loin…

— C'est juste là, mais la porte est difficile à ouvrir.

Louise donna le bras à la vieille dame. Elle semblait si fragile. Elle aurait pu se casser en deux.

— Vous n'êtes pas d'ici ? demanda-t-elle.

— De Paris, réfugiée en Savoie. Je suis venue inscrire mon fils en Math-Spe.

— Le mien était professeur de physique à Champo avant d'être mobilisé… Un sanglot sec l'empêcha de poursuivre. Elle s'arrêta de marcher, le regard perdu au loin.

Louise resserra son bras pour l'encourager à raconter la suite.

— Il fallait bien des morts pour justifier les bêtises de ce pauvre Maréchal.

— Comment s'appelait-il ?

Pour Louise, les gens se racontaient, grâce à sa présence attentive, ses questions simples jamais indiscrètes et sa manière d'écouter avec considération. Elle écoutait sans retenir, car au fond cela ne l'intéressait pas. Mais c'était tout le contraire qu'on percevait.

— Jules…

— Comme mon père.

— J'ai pu récupérer son corps, avec beaucoup de difficultés. Il est là dans notre jardin, près de moi.

Elle s'arrêta devant une grande villa du début du siècle. Louise voulait partir maintenant, la douleur de cette dame la prenait à la gorge. Que pouvait-elle faire pour elle ? Que représentaient dix minutes de compagnie dans son drame ?

— Je vous aide à ouvrir… Et je ferme les volets pour empêcher la chaleur de rentrer…

— Revenez me présenter votre fils. Voir de la jeunesse me fera du bien.

Louise et Léonard revinrent saluer la vieille dame, dont on ne connaissait toujours pas l'identité. En fait, Blanche n'était pas si vieille, la vie l'avait juste un peu malmenée. Du thé, on enchaîna sur un dîner, préparé par Louise avec une bonne bouteille remontée de la cave. On sympathisa et même davantage. C'était une rencontre, une incroyable rencontre. On se raconta. On rigola. On écouta Léonard parler politique. Il fallait combattre Vichy. Bien sûr, mais après le concours de Polytechnique.

Elle proposa de loger Léonard dans sa maison.

Elle avait été conquise par ce jeune homme, ces grands yeux bleus et ce physique d'acteur américain. Sa mère le dévorait des yeux. Et elle la comprenait et l'encourageait même. La mort est si vite arrivée et on regrette de n'avoir pas assez aimé son enfant. On n'aime jamais assez un enfant.

Et puis, Léonard dégageait une énergie incroyable, unique.

À ses côtés, on se sentait invincible, tellement il débordait de vie. C'était un héros en herbe et on avait envie de le regarder prendre son élan.

Elle leur fit visiter la maison. Il pourrait prendre deux chambres : une pour dormir, l'autre pour travailler. C'était tellement grand pour elle seule ! Tellement vide et triste.

Elle promit de ranger les affaires de Jules. Non, non, pas la peine de remercier, c'était l'occasion, une sorte d'accélérateur de deuil, un cache-misère tombé du ciel.

12.

4 février 1941

— Le prix est honteux ! Ils vont m'entendre.

— Tu ne vas pas faire un scandale dans ce restaurant. On pourrait croire que tu n'as pas de quoi payer ou que tu veux négocier. Tu parles d'une arrivée à Chartres ! chuchota Juliette.

— Regarde la proprio derrière sa caisse, elle peut prendre des grands airs. À ce tarif-là, elle sera bientôt rentière, insista Paul, blanc de colère.

C'était parti pour une nouvelle colère inutile.

Juliette la redoutait d'avance mais l'excusait aussi.

Il avait trop de choses en tête, l'obsession de l'ordre, de l'honnêteté, l'habitude de donner des leçons, de tout savoir, d'être dans son bon droit et son arrivée tonitruante comme préfet d'Eure-et-Loir. L'ordre de mission était précis. Il devait prendre la place que le préfet actuel n'avait pas réussi à occuper, après le départ, en novembre 40, d'un certain Jean Moulin. Il s'agissait de rétablir l'ordre dans le département, et d'être un intermédiaire apprécié des populations et loyal à l'ordre nouveau. Pas de seconde chance possible, il fallait réussir. On était venu le chercher lui car il faisait preuve de zèle. Au cœur de Vichy, il savait se faire apprécier. Au grand fonctionnaire, ce grand département.

— Je ne vais quand même pas payer 80 francs pour un steak d'enfant de moins de 100 grammes et des légumes sans goût. C'est proprement scandaleux !

— Paie et allons-nous-en, supplia Juliette. C'est notre premier arrêt dans cette ville, ne te fais pas remarquer. La salle est pleine de gens qui ont l'air satisfait.

— Les profiteurs de guerre devraient être condamnés à mort…

— Paul, allons-nous-en !

Juliette ajustait son bibi quand la bagarre éclata. Le patron, qui avait entendu la réflexion de Paul, lui suggéra de la reformuler sur le trottoir. C'était bien mal connaître notre homme ! Le ton déplut fortement à monsieur le Préfet, qui n'eut pas la patience d'attendre. La gifle partit toute seule. Le patron voulut se défendre mais Juliette s'interposa.

— C'est contre les Allemands qu'il fallait se battre. Maintenant, montrer les muscles est un peu passé de mode !

— Pousse-toi petite dame… s'énervait le maître des lieux.

Tous les clients retenaient leur souffle. Certains eurent même l'idée de s'en aller sans payer. Mais, dans ce silence où chacun se jaugeait avant l'assaut final, se lever ne serait pas passé inaperçu !

Ce fut Jacques qui rompit la glace en rentrant dans le restaurant.

Depuis le matin, il était le nouveau chauffeur de Paul, une affectation peu glorieuse pour un jeune gendarme qui n'avait même pas eu le temps d'être mobilisé. La cloche suspendue au-dessus de la porte détourna l'attention des deux hommes sur le point de bondir. Il arrivait à point nommé, au moment même où, comme les taureaux, naseaux gonflés, ils reniflaient pour charger.

— Des difficultés, monsieur le Préfet ? J'appelle une patrouille ? cria-t-il, arme au poing.

Le restaurateur avait blêmi. C'était bien sa veine de chercher la bagarre avec le préfet. Il aurait dû se méfier de ce grand gaillard, manifestement trop bien nourri.

— Non, non, baissez votre arme, jeune homme.

— Ne prenons pas de risque, monsieur le Préfet. J'ai reçu des ordres précis quant à votre sécurité !

— Non, non, pas de bagarre, c'est moi qui ai commencé. Je n'aurais pas dû. Je paie et nous partons. Nous réglerons plus tard les susceptibilités de notre profiteur de guerre.

Paul avait le visage fermé et impénétrable des hommes habitués à commander. Une bouche large, tombante, formant un triangle parfait avec un nez aplati, d'où partaient de chaque côté de grandes rides qui donnaient l'impression, comme des colonnes grecques, de soutenir tout l'édifice du visage.

Et quel édifice ! Un large front, avec des cheveux gominés vers l'arrière, des sourcils épais et des petits yeux enfoncés dans leur orbite, à peine visibles derrière des verres épais. Capter son regard n'était pas facile à travers les verres miroirs de ses lunettes rondes en écaille qui reposaient sur des oreilles décollées, surtout celle de gauche. Sa moustache à la Hitler, plus large peut-être, témoignait qu'il aimait suivre les modes.

Il jeta deux billets de 50 francs sur la table et sortit du restaurant, sans un mot, sans un regard. Juliette lui emboîta le pas, le bibi de travers, mais soulagée de la tournure des événements.

— Venez que je vous embrasse, jeune homme, dit-elle au gendarme.

— Juliette, tu ne devrais pas être aussi familière. Jacques n'est quand même pas un héros de guerre, répliqua Paul articulant à peine, ses dents serrées sur sa pipe qu'il venait de bourrer d'un bon tabac anglais. Un cadeau trouvé dans la poche d'un pilote malchanceux.

— Allons, maintenant découvrir notre nouvelle vie, notre

grande préfecture, dit-il en s'engouffrant à l'avant de la voiture. Il avait horreur d'être à l'arrière et, surtout, il ne s'habituait pas à être passager. Il aimait conduire, la vitre grande ouverte en fumant comme un sapeur !

D'une préfecture à l'autre, on voyageait léger. Avec deux déménagements en un an, Juliette avait pris l'habitude de n'avoir pas besoin de grand-chose. Une valise d'habits pour elle, l'équivalent pour Paul, quelques bibelots personnels et ses livres de cuisine. Trois fois rien ! Cédric, son fils, arrivait, de son côté, avec ses affaires. Il était grand, maintenant. Et dans son camp d'entraînement, on l'habituait à se détacher des biens matériels. Un uniforme complet, trois chemises blanches, quatre changes de sous-vêtement, un savon de Marseille, un costume pour le dimanche et deux photos souvenirs. Tout le reste était inutile.

Il avait promis de venir dès que possible à Chartres, se faire dorloter par sa mère et visiter l'appartement privé du préfet, connu comme étant l'un des plus spacieux des préfectures de région.

À Chartres, on savait vivre.

Tout le personnel de la préfecture attendait dans l'entrée pour être présenté au couple préfectoral par le Secrétaire général, Pierre Beaulieu, qui avait demandé sa mutation, supportant mal les diktats de l'occupant. On l'avait prévenu, le préfet était un besogneux, un taiseux, dominateur et dur à cuire. Paul fit le tour du propriétaire sans dire un mot. Pourtant, l'endroit était somptueux. Un hôtel particulier datant du XVIIe, avec des proportions harmonieuses. Au fond du jardin, accessible par une entrée dérobée, avec les mêmes arbres centenaires qu'à Versailles, se trouvait le pavillon du gardien. Une maisonnette de garde-barrière qui ressemblait à celle des sept nains. Quand il frappa au carreau, personne ne répondit et pourtant il entendait du bruit à l'intérieur. Le gardien qui était né dans cette maison, où son père était déjà gardien, avait mauvais caractère et des idées bien arrêtées. Le jour de la rencontre entre Hitler et Pétain à Montoire-sur-le-Loir, village de naissance de sa mère, il avait décrété que de toute la guerre, il n'adresserait plus la parole à un fonctionnaire de Vichy ! Alors le nouveau préfet, pensez donc, il s'en foutait comme de sa première chaussette ! Lui s'était engagé direct dans la résistance, comme homme à tout faire de Jean Moulin pour Chartres et les alentours, en attendant que les troupes de patriotes s'étoffent.

Pierre Beaulieu essaya en vain de dissuader Paul d'entrer. Mais Paul était têtu, préfet en fonction, il se sentait chez lui partout… même dans la cabane du gardien. En plus, cet endroit l'attirait, parce qu'il semblait à l'abri des bruits de la ville. Il entra brusquement. En face de la porte, trônait le portrait d'un homme dont on ne pouvait pas détacher le regard.

Une grande photo en noir et blanc, au-dessus de laquelle était accrochée une branche de rameau. Il se dégageait de ce visage une force et une sérénité impressionnantes. Autour de son cou, comme s'il s'agissait de camoufler un signe distinctif, une écharpe noire était nouée de façon singulière. Un chapeau mou tombait bas sur son front et lui donnait un air mystérieux. Le regard de l'homme le transperçait. Impossible de détourner les yeux de ce regard fixé sur lui et pourtant perdu dans la ligne d'horizon. Paul frissonna.

— Quelle présence ! Qui est-ce ? demanda-t-il en s'éclaircissant la voix. C'était sa première parole depuis plus de deux heures. Il connaissait pourtant la réponse. On l'avait prévenu, c'était quelqu'un… Un grand préfet !

— Jean Moulin… l'un de vos prédécesseurs. Tout le monde l'adorait, répondit le Secrétaire général.

Le gardien, quant à lui, ne tourna même pas les yeux. Il continuait, le nez plongé dans l'assiette, à manger sa soupe en faisant le plus de bruit possible. Son chien, qui s'était levé pour aboyer, reçut un coup de pied qui l'envoya gémir sous la table.

— Ah, c'est lui ! Pourquoi ce grand portrait ici ?

— C'est l'endroit où les religieuses l'ont soigné quand il s'est tranché la gorge, en juin 1940 et qu'il refusait de rester à l'hôpital.

— Trancher la gorge ?

— Sans en mourir, une tentative de suicide et un acte de grand courage. À leur arrivée à Chartres, les Allemands le sommèrent de signer une déclaration accusant les troupes sénégalaises d'atrocités à l'égard de la population. C'était tout le contraire, ils s'étaient battus comme des héros pour défendre Chartres. Alors il refusa d'entériner cette calomnie. Il fut roué de coups et dans la nuit, pour se soustraire aux sévices qui auraient pu le contraindre au parjure, il tenta de se tuer.

— C'est le cœur serré que vous avez dû…

Le Secrétaire général foudroya Paul du regard. Ça n'allait pas être facile ! Il avait dit deux mots en deux heures, dont une expression tristement célèbre du Maréchal… Il se réconforta avec l'espoir de sa mutation. Demain serait un jour meilleur, il en était sûr !

Paul fit mine de n'avoir pas remarqué son trouble. Il salua le gardien et sa femme et fit un salut militaire au portrait. Ce regard souverain qui le fixait le mettait mal à l'aise, sans qu'il sache vraiment pourquoi.

Ou plutôt si, il savait. Allait-il réussir à lui succéder ? Allait-il être à la hauteur de sa mission ? Comment faire oublier Jean Moulin ? Qui le jugerait devant l'Histoire, le personnel de la préfecture ? Vichy ? Les maires du département ? Les vainqueurs ? Qui ? Les paroles du ministre de l'Intérieur résonnaient dans sa tête : « Moulin avait le don de la mise en scène. Avec habileté, il ne cédait sur rien. Se trancher la gorge a été un coup de génie, les Allemands respectent les hommes d'honneur. »

Sans aller jusque-là… il n'avait qu'à faire son travail et exécuter les ordres.

Être un bon collaborateur, selon l'article 3 de l'Armistice. Ni plus, ni moins.

Les références aux prédécesseurs étaient aussi encombrantes qu'inutiles. On était dans une époque nouvelle, avec des hommes de bonne volonté, comme lui. Pour finir de s'en persuader, il récita encore, mais en silence cette fois, une parole du Maréchal : « ... il n'y a pas de place pour les mensonges et les chimères ». Merci, mon guide !

Dès demain, il donnerait l'ordre de décrocher le portrait.

13.

1er avril 1941

Elle sut tout de suite qu'il était arrivé. Depuis qu'il savait marcher, il faisait claquer les portes. C'était sa façon de marquer son territoire, le plus souvent par instinct comme un chien, parfois pour se faire remarquer. Il devait la chercher. Il commençait toujours ses visites par un baiser tendre sur le front de sa mère. Mais aucun pas ne résonnait dans l'escalier qui montait à l'appartement privé de monsieur le Préfet. Elle se précipita pour aller à sa rencontre. Le bruit des talons résonnait sur la pierre. Elle avait choisi de mettre une vieille robe qu'il avait trouvée belle, un jour, dans une autre vie, avant la guerre. Mais cette robe était trop habillée. Elle se trouvait endimanchée, un peu ridicule mais tant pis ! Elle n'avait aucune envie de se changer là maintenant. À travers le reflet de la vitre, elle ajusta une mèche de son chignon qui flottait dans son cou.

L'itinéraire familier de son fils était modifié. D'habitude en arrivant, il embrassait toujours sa mère en premier. C'était immuable et Juliette y tenait. Mais aujourd'hui, il venait de pénétrer dans le bureau paternel. Juliette surprise s'arrêta devant la porte ouverte, sans se faire voir. Elle voulait écouter leur conversation, encore des cachotteries entre hommes. On lui cachait tellement de choses, pour la ménager, pour avoir la paix, pour ne pas lui faire peur, pour oublier.

— Oh, catastrophe, jura-t elle.

Le souffle court, elle s'appuya contre le mur pour ne pas chanceler. Le claquement de talon et le salut hitlérien de Cédric résonnaient dans la pièce. Il parlait fort, criait presque.

— Bonjour, père, heureux de te voir ! Je viens t'annoncer une grande nouvelle !

Le menton en avant, sa tête semblait plus haute que d'habitude, ses épaules plus larges. Un long manteau de cuir noir flambant neuf lui donnait une allure menaçante.

— Bonjour, mon garçon, te voilà enfin. Nous t'attendions le mois dernier. Tu aurais pu donner signe de vie ! répondit Paul surpris de la métamorphose et des gesticulations de son fils. Ce bras tendu était ridicule. En famille, sans témoin, c'était un peu beaucoup.

— Cesseras-tu un jour de m'appeler « mon garçon » ? Papa, j'ai bientôt vingt-deux ans, je suis un homme.

— Cela ne se décrète pas... Ça se prouve ! Tu crois m'impressionner avec ta nouvelle tenue ?

Cédric ne comprit pas l'hostilité de son père. Il fit comme si de rien n'était. Surtout, prendre sur soi, ne pas perdre à la première occasion l'assurance récemment acquise. Le premier regard en coin de Papa, et le vaillant combattant flanchait. Non, un peu de tenue, nom d'un chien !

— Je suis engagé volontaire dans le Service d'Ordre légionnaire pour défendre la Révolution Nationale, expliqua Cédric avec un ton vantard. Pour la première fois, il avait l'impression d'être quelqu'un, un premier de la classe.

Paul était stupéfait.

Était-ce lui qui avait montré la voie en devenant préfet de l'occupant ? Dans les moments de lucidité, quand sa conscience le chatouillait, Paul se disait que le national-socialisme n'exerçait aucun attrait sur lui, aucune fascination irrationnelle et dangereuse. Il se voyait, juste, comme un grand serviteur de l'État, soucieux de maintenir l'ordre, la souveraineté de l'État sur le territoire national. Un fonctionnaire dans son bon droit. Le Service d'Ordre légionnaire n'était qu'une pauvre bande de voyous, des petites frappes.

Paul gardait les yeux baissés. L'arrogance puérile de son fils lui faisait horreur. Il en avait la nausée. Où étaient passés tous ses grands principes d'éducation ? La dignité, l'honneur, le respect, l'intelligence, la réflexion… Pour être sincère, il aurait dû hurler « tu viens de faire une connerie, je te l'interdis ». Mais les mots restaient bloqués dans sa gorge. Comment exprimer sa répulsion ? Comment indiquer à son fils un chemin différent du sien ? Bien au chaud, derrière son bureau en marqueterie, il servait l'occupant, parce que c'était sa fonction. Il exécutait les ordres de l'État français, pas plus, pas moins. Il était préfet pour servir son pays et exécuter les ordres de ses supérieurs. Par hasard et pas par sa faute, ses supérieurs étaient allemands. Cela ne changeait rien. La routine administrative était la même, mis à part la rédaction des listes. Pour donner des gages à l'occupant, il avait appris l'allemand. Le reste suivrait. Oui, cela lui allait bien d'être un grand commis de l'État français. Il aimait se répéter ces quatre mots, cher payés. Hors de prix même.

Cédric s'affala sur une chaise. Le soufflet était tombé dès sa sortie du four. Le visage contracté et hostile de son père le contrariait. Il n'avait pas prévu cette réaction et n'aimait pas être pris au dépourvu. Il se tordait les mains nerveusement.

— Regarde, je viens de recevoir une nouvelle demande du Feldkommandant. Lis-la, à haute voix.

L'école maintenant ! Décidément, il était bien petit face au bureau de son père. Il s'exécuta, le regard craintif, la voix hésitante en accrochant même certains mots.

— « De nouvelles plaintes ont été adressées au sujet des agents de police titulaires et auxiliaires qui, malgré les instructions de la Feldkommandantur, ne saluent pas nos officiers. Je vous prie une fois encore d'en informer ces agents. En cas d'inobservation de ces instructions, des mesures sévères seront prises. Je vous prie de notifier d'urgence ces instructions au personnel de la police placé sous vos ordres. »

— Et alors ? demanda-t-il à son père en lui rendant la feuille.

— C'est cela ta noble cause ? Des officiers qui se plaignent de ne pas être salués dans la rue ? C'est pour cela que tu donnes ta jeunesse ?

Cédric répondit par un haussement d'épaules. Il n'aimait pas la rhétorique ! Même guerrière, surtout avec son père.

Juliette ne respirait plus. Elle sentit un frisson de terreur lui parcourir le dos. On lui prenait son fils pour le déguiser comme un dur alors que c'était de la guimauve.

Le silence devint bouillant. Cédric n'y tenant plus parla le premier. Pour masquer sa confusion, il adopta un ton agressif.

— On dirait que tu désapprouves ! Quelle différence entre mon engagement et tes petites combines de préfet au service des Allemands !

— Contrairement à Darnand, le Maréchal n'est pas un voyou. J'étais avec lui à Verdun, je sais de quoi je parle. Il veut le bien de la France.

— Contre les Français ? Ton Maréchal est gâteux, c'est Laval qui dirige !

— Cédric, ça suffit. Allons dîner, ta mère nous attend.

— Maman, le refuge facile, dès qu'un sujet t'embarrasse. Alors monsieur le Préfet, et toutes les arrestations, perquisitions, et autres actes administratifs signés un peu vite ? Ne te méprends pas, Papa, le sort de ces gens m'importe peu, mais je n'accepte pas ton hypocrisie. Assume de participer aussi au nettoyage des Français par les Français qui exécutent les basses besognes des Allemands, dans l'espoir d'un petit pouvoir minable. Tu te crois protégé par ta fonction ? C'est faux, cela ne fait aucune différence.

— Ça suffit, Cédric, hurla Paul dont le visage s'était vidé de son sang. Il se tenait debout, contracté dans une rigidité de fureur. Tellement contracté que la gifle prête à partir lui donnait des fourmis dans la main.

À cet instant, Juliette se montra, sans réfléchir, juste pour protéger son mari. Elle craignait que son cœur lâche. Une colère pouvait lui être fatale. Au regard humide de sa mère, Cédric comprit qu'elle avait entendu leur conversation et il voulut la rassurer.

— N'imagine rien, Maman. Je t'expliquerai. Je dois combattre pour la cause qui me paraît juste. La France aux côtés de l'Allemagne sera victorieuse et tu pourras être fière de moi, ma petite Maman chérie, fière de ton fils.

Sa voix tremblait sur les derniers mots.

— Nous avons des convictions et des ennemis en commun : les communistes, les gaullistes et les juifs...

Juliette pleurait.

Paul soupira, il ne supportait pas ces scènes de mélo. Cédric n'avait plus deux ans. Les larmes ne remplaçaient pas les conversations viriles, que diable ! Avec Juliette, on oubliait tout pour se laisser attendrir. C'était sérieux tout de même, pas un sujet de femme, pas un sujet de mère éperdue d'amour pour son fils. Ça n'était pas étonnant que ce grand garçon se croie tout permis.

Pendant le déjeuner, Paul ne desserra pas les dents.

À peine pour mâchouiller nerveusement son petit bout de viande. Il n'était pas question de faire honneur au gigot que Juliette conservait depuis deux semaines. Tous les jours, elle en parlait, pour conjurer le sort et éviter la moisissure ! Un gigot en pleine guerre, ce n'était pas le moment de le gâcher ! Elle changeait sa place dans le garde-manger, dénouait le torchon à carreaux rouge et blanc et le sentait pour s'assurer qu'on pouvait encore attendre. Attendre la visite du fils. Maintenant, il était là. Contrarié, avec une mauvaise mine comme aurait dit Lisette, mais bien présent. Alors, ce n'était pas le moment de faire la fine bouche. On ne parla plus des sujets qui fâchent. À quoi cela aurait servi ? On mangea goulûment, le nez dans son assiette. Cédric et Juliette échangèrent des regards complices. Les bruits du repas remplissaient la pièce : les cliquetis des couverts et les allées et venues de Marie qui déployait une énergie insoupçonnée pour se faire discrète. Une mission bien difficile pour sa petite imagination. Comme elle ralentissait ses mouvements, elle manquait d'équilibre, se cognait contre les meubles et offrait à l'assistance ses soupirs bruyants.

— Le gigot était trop cuit, marmonna Paul en se levant de table.

C'était une plainte détournée, comme un message codé de Radio Londres. Une phrase pour ne pas dire ses pensées, comme il en faisait de plus en plus souvent.

Juliette fit semblant de n'avoir pas entendu. Ou plutôt, elle fit semblant de faire comme d'habitude. Sa moue appuyée signifia à Paul qu'elle avait reçu sa remarque cinq sur cinq. Ça n'était pas la peine de répéter !

Il ne se levait jamais de table sans faire une remarque sur le repas. En vingt-quatre ans de mariage, on pouvait en écrire un recueil ! Comme d'habitude, Juliette n'exprima rien de ce qu'elle pensait. Elle aurait pu l'attraper par la manche pour l'empêcher de fuir ses responsabilités. Reste là, empêche notre fils de foutre en l'air son avenir. Mon pauvre amour, une fois de plus, tu fais les durs mais tu es un vrai mou…

Elle respira un grand coup et trouva la force d'affronter le regard de Paul. Il n'exprimait rien, ni fatigue, ni lassitude, ni même de la tristesse. Pourtant, elle remarqua comme une supplique dans sa façon de quitter les lieux. Un pas traînant et une raideur dans le torse modifiaient sa démarche. Juliette ne put s'empêcher d'être attendrie par cette silhouette de guingois, qui semblait avoir quinze ans de plus, depuis la fin de la matinée.

14.

Chartres, le 1er juin 1941

Ma Lisette,

Me voilà de retour à Chartres, après trois jours passés avec Éva à Paris. Ce furent trois jours testament. Pendant des heures, même la nuit, nous avons parlé et parlé encore, de tout, de la vie, de la mort, des grandes et des petites choses de l'existence. C'est une vieille, très vieille dame, méconnaissable, et diminuée. Elle veut maintenant aller rejoindre son Samuel et attend la fin avec une grande sérénité. Elle n'a plus la force, ni l'envie de rien... Elle m'a fait promettre que tu n'inquiéterais pas Charles avec ça. Je sais que tu tiendras parole !

Jacqueline est près d'elle et cette présence lui suffit. De toute façon, elle prétend que la mort comme l'accouchement, c'est avant tout une histoire de femme. Les hommes sont trop fragiles pour ça. Elle m'a donné son cahier de cuisine, arguant que j'étais la seule de la famille à connaître vraiment les fourneaux ! Je te joins la recette du « roulé aux noix » que Charles aime tant !

Éva ne m'a pas demandé des nouvelles de Paul. Tant mieux, j'aurais été bien empêtrée si j'avais dû lui raconter notre vie actuelle... « Ils sont tous devenus fous », dit-elle avec son petit sourire en coin... Elle refuse d'aller à la mairie ou au commissariat se faire enregistrer comme juive et préfère ne plus sortir. Que c'est triste ! Éva, si téméraire, a peur de tout maintenant et veut mourir avant qu'ils ne défoncent sa porte pour lui demander ses papiers. Crois-tu qu'ils iront jusque-là ? Paul dit que non et je préfère le croire !

Voilà un an que nous nous séparions, le jour de ton anniversaire et que tu accompagnais ta belle-mère au train. Cette année encore, le cœur n'y est pas pour t'écrire Joyeux Anniversaire. Tout est trop brumeux ! Que les anniversaires paraissent dérisoires dans ce monde sens dessus dessous.

Tu me manques, ma Lisette, je t'aime tant.

Juliette.

15.

25 décembre 1941

Quand le curé de la paroisse de Megève, l'abbé Bernard, proposa à Louise de cacher des enfants juifs, elle accepta tout de suite. Il s'agissait d'orphelins, qui attendaient la constitution de convois vers la Suisse, par Chamonix. L'attente pouvait être brève ou se prolonger sur plusieurs semaines. On ne savait jamais à l'avance.

Joël, le plus petit, avait quatre ans, un regard frondeur, de longs cils fournis, son chapeau de laine rouge avec un gros pompon au sommet de la tête lui tombait sur l'arête du nez. Il était trop large pour lui. Il avait dû appartenir à son frère dont il ne lâchait pas la main, même pour ôter son manteau. Matthieu devait avoir deux ans de plus. Lui aussi faisait un effort de contorsion pour ne pas lâcher son petit frère. Ses yeux cubistes à la Picasso, sans symétrie, s'agitaient dans tous les sens pour ne rien rater. Derrière eux, une petite main posée sur chaque épaule, se tenait Alexandra aux nattes blondes serrées, avec des joues rouges, saisies par le froid.

— T'as vu la crèche… ? demanda Matthieu.

— Et alors ?

— Ils ne sont pas juifs ! Peut-être qu'ils vont nous dénoncer ? s'inquiéta-t-il.

— C'est normal qu'ils soient catholiques. Ce sont les amis de l'abbé Bernard, expliqua Alexandra avec le calme des vieilles troupes.

— T'as raison.

— D'abord c'est grâce aux catholiques qu'on est en zone libre… hein…

— T'as raison.

— Et les parents y vont venir comment en zone libre ?

— L'abbé Bernard a dit qu'il repartait à Paris demain pour essayer de les faire sortir de Drancy.

— Ils passeront derrière le mort aussi…

— Oui, les Allemands ont rien vu… L'abbé Bernard, il les impressionne.

L'abbé Bernard, un fils du pays, curé de la paroisse de Megève, avait le privilège de bénéficier, pour les besoins de son œuvre dont le siège social était à Paris et les sanatoriums en Haute-Savoie, d'un laissez-passer permanent pour franchir la ligne de démarcation. Résistant de la toute première heure, quasiment à l'appel du 18 juin, il s'occupait de sauver des enfants juifs, recueillis par le couvent des Martyrs à Paris.

Plus la guerre se prolongeait, plus il fut actif. Au début, il passait des lettres de familles séparées, puis des plis de la Résistance. Avec le début des rafles à Paris, il cacha des pourchassés, juifs, communistes, plus tard résistants, parachutés, connaissant les familles sur lesquelles il pouvait compter. La famille de Louise était de celles-là. Toute la guerre, Charles et Louise accueillirent des inconnus pour une nuit, une semaine, un mois. Les aviateurs anglais étaient cachés dans un chalet à côté et les enfants agrandissaient la famille, au cœur de leur vaste maison.

Un jour, de retour de Paris, sur le point de franchir la ligne de démarcation et se trouvant dans un bourg frontière, l'abbé

Bernard remarqua une bizarrerie qui allait se révéler bien utile ! Le bourg était dans la zone occupée, mais son cimetière en zone libre.

Aussitôt, il commanda un enterrement en bonne et due forme, fixé quelques jours plus tard, pour accompagner en procession un cercueil vide. Il revint de Paris avec un groupe d'hommes, de femmes et d'enfants vêtus de sombre. En silence, l'air morne, tous suivirent le convoi tandis que les prêtres et les enfants de chœur psalmodiaient des chants liturgiques. Les gardes-frontières allemands enlevèrent leurs casques et se mirent au garde-à-vous. Alléluia ! La cérémonie terminée, l'assistance se dispersa lentement en zone libre. Seuls le curé et les enfants retournèrent au presbytère en zone occupée. Ils renouvelèrent le faux enterrement de nombreuses fois. Et le jour où un garde-frontière eut l'idée de suivre le cortège, il s'agissait d'un pauvre grand-père du village, accompagné par sa famille en grand deuil.

Dès son installation au chalet, Louise qui aimait prier dans cette église baroque aux couleurs chaudes remarqua le grand dévouement de l'abbé à la cause de Dieu et surtout sa détermination à faire le bien autour de lui. Très vite, ils devinrent amis. Elle participait activement à ses « œuvres de charité », comme il surnommait le sauvetage d'enfants. Louise était subjuguée par son curé de montagne, admirant sa foi, sa simplicité, sa culture et son courage. Ils priaient ensemble et devisaient sur leurs sujets de prédilection : la religion, l'éducation des garçons et la meilleure façon de soigner la tuberculose. Car comble de l'émerveillement, l'abbé avait fait des études de médecine ! Dans d'autres circonstances, elle aurait pu tomber amoureuse. Il était grand et mince avec un regard marron intense. Son visage long était traversé d'une bouche toujours prête à sourire. On le reconnaissait de dos à cause de ses oreilles décollées. La propreté de sa soutane laissait à désirer. Mais ça, elle lui pardonnait.

À l'entrée du chalet, les trois enfants attendaient que leur sort soit réglé avec, une fois de plus, la peur au ventre d'être séparés. Intimidés par les chuchotements les concernant, l'interdiction de bouger, l'ordre de mentir ou de se taire, ils n'avançaient pas vers la chaleur, la lumière et le bruit. Une douce odeur de lait chaud flottait dans l'air. Tout les impressionnait : la cheminée avec un feu fourni et crépitant, l'escalier qui menait à la mezzanine et donnait une impression de maison dans la maison, le bois clair et chaud qui recouvrait les murs, les profonds canapés en velours rouge, le tapis de laine verte, le grand sapin rempli de boules et de guirlandes, les paquets dans les chaussons, tous ces paquets, tous ces chaussons !

— Alors, on peut rester ?

La petite voix de Joël sonna comme un clairon ! Il louchait sur les paquets, avec la force de l'envie et une réserve nouvelle chez lui, héritée de trop de malheurs.

Soudain, Laurent dévala l'escalier de la mezzanine. Une tornade en pyjama se précipitait sur les cadeaux. Plus rien n'existait. Le père Noël avait tenu sa promesse ! Au passage, il balança sur Joël son doudou, une vieille couche plutôt grise.

Louise le coupa net dans son élan.

— Il va falloir partager… Quels paquets donnes-tu à nos nouveaux invités ?

— Les nouveaux quoi ? Laurent regarda au-dessus de son chausson et remarqua les paires d'yeux fixés sur lui.

— C'est qui eux ?

— Des enfants qui vont vivre avec nous plusieurs jours.

— Ils n'auraient pas pu arriver après Noël ! s'offusqua Laurent, en cognant ses poings contre ses cuisses, signe suprême d'impatience.

— Ils sont juifs comme le petit Jésus, ils arrivent avec lui…

— Le petit Jésus était juif ? s'inquiéta Laurent.

Décidément, Maman avait décidé de lui gâcher sa fête.

— Oui, juif avant de devenir catholique…

— Ah c'est pour ça qu'il a été arrêté !

Louise sourit, elle, si croyante, essayait au fil de la conversation courante de donner des petites notions à ses enfants, mais leur mémoire était sélective, ou elle avait loupé sa première leçon.

Le petit garçon avait décidé de ne rien lâcher, c'était Noël tout de même ! Il regarda Joël droit dans les yeux et détacha chacun de ses mots.

— Il n'avait pas trouvé de famille pour se cacher, lui Jésus ?

La tête de ce môme ne lui revenait pas. Sans savoir pourquoi, il ne pouvait pas l'encadrer. Il fallait être gentil et accueillant, il fallait jouer avec lui, et partager, bien sûr… Il entraîna sa mère à l'écart en tirant sur son fuseau.

— On ne peut pas l'échanger contre un copain juif de ma classe ?

Depuis début décembre, un nouveau groupe d'orphelins juifs avait gonflé les effectifs des classes de l'école. Tout le monde râlait. Les dysfonctionnements se multipliaient et les habitués étaient ravis parce qu'ils travaillaient moins.

— Ça suffit, Laurent. Tu es gentil et tu lui donnes un cadeau de bienvenue !

— Ce n'est pas juste…

— Jouer les égoïstes est mal venu. Joël n'a plus de jouets, plus de maison, plus rien… C'est juste ça ? se fâcha Louise.

Joël hérita des skis en frêne avec les fixations bancales. Il lâcha la main de son frère, pour attraper au vol celle de Laurent, qui par moments le trouvait un peu pot de colle.

La nuit, il se couchait contre ses skis. Au moment de se mettre au lit, pendant de longues minutes, il les essuyait dessous, dessus, en s'appliquant, avec une serviette de bain.

À son départ, Joël confia « son trésor » à Laurent, en lui faisant promettre de ne pas l'abîmer. Laurent les conserva religieusement et n'osa jamais les utiliser. Il s'en serait voulu d'abîmer le précieux bien de celui qui était devenu son compagnon de jeu préféré, surtout que Joël avait promis de revenir les chercher avec ses parents, après la guerre, après la Suisse.

Au milieu des cris d'enfants, Louise décida de s'offrir pour Noël une conversation téléphonique avec sa sœur. Elle eut du mal à obtenir l'opératrice. Vers 18 heures, alors qu'elle arrangeait la chambre des nouveaux venus et négociait avec eux pour qu'ils acceptent de se laver, l'opératrice lui passa son numéro.

— Joyeux Noël, ma Juliette...

— Joyeux Noël, ma Lisette. Que c'est doux de t'entendre...

La ligne fut coupée au bout de cinq minutes. On eut à peine le temps de passer en revue le menu, les cadeaux, les réactions de chacun. Puis les lignes furent encombrées. Il était impossible de se parler à nouveau. Alors de guerre lasse, les deux sœurs eurent la même idée. S'envoyer une lettre écrite sous la dictée du Père Noël...

16.

Megève, le 25 décembre 1941

Ma Juliette chérie,

Notre troisième Noël de guerre, le second que nous vivons séparées. Comme tu n'étais pas là pour préparer la sauce béchamel du gratin de Noël, nous n'avons pas pu goûter de délice blanc, doux et chaud à la fois. Je viens de réaliser que ce plat te ressemble !

Tant pis, cette année encore, nous mettons nos traditions entre parenthèses. Pour nos retrouvailles, après la guerre, je fais le vœu solennel de déguster, tous ensemble, un gratin tout blanc, tout chaud.

J'ai offert à Charles un poisson d'eau de mer. Quelle folie, heureusement qu'il ne m'a pas demandé le prix ! Depuis l'armistice, nous n'en avions pas mangé. Ainsi, le temps de la dégustation, il a été le plus heureux des hommes. C'est toujours une soirée que l'ennemi n'aura pas... Je rigole mais il est comme un lion en cage, à tourner en rond, sans pouvoir travailler. Il aide Émilie qui a du mal à l'école. Les études, l'algèbre, l'histoire, la grammaire... lui semblent futiles, tant que son pays n'est pas libéré de l'occupant. Elle n'a qu'une envie : se battre. Et au fond d'une salle de cours, ce n'est guère facile... Elle fait des déclarations politiques intempestives. Les professeurs et les autres parents sont agacés. Son agitation montre bien un manque de maturité. Charles est très fier et ne résiste pas au charme et à la volonté de sa fille adorée... Moi je suis moins attendrie ! Tu vois, la guerre ne change pas les sentiments et les préférences.

Pour les cadeaux, j'ai fait avec les moyens du bord. Chacun a trouvé quelque chose dans son chausson. Laurent, le plus gâté, a dû partager, car nous accueillons des enfants orphelins. Je l'ai obligé à partager, plus pour son éducation que pour ces pauvres enfants qui ne réclamaient rien.

Léonard n'a pas pu venir de Grenoble. Il y avait trop de neige et c'était compliqué. Tu imagines que j'avais le cœur gros. C'est le premier Noël où nous sommes séparés depuis sa naissance. Sa naissance... Tu te souviens de ma joie d'avoir un fils, et si parfait en plus. Cela reste le plus beau jour de ma vie. Souvent j'y pense et je peux dire que j'ai été comblée de bonheur, comme la Vierge dans la gloire et l'amour de son fils !

Ici les semaines passent, rythmées par les mauvaises nouvelles. Combien de temps encore allons-nous rester cachés dans notre refuge ?

Je te souhaite de tout cœur une année 1942, heureuse au milieu de tes hommes. Qui sait : peut-être serons-nous de nouveau réunies dans un pays sans occupant. Imagine le soulagement, j'en ai des frissons rien que d'y penser ! En attendant le retour des jours heureux, en cette période de pénurie de cadeau, je t'offre mon amour intact de petite sœur isolée...

Ta Lisette.

Rennes, le 25 décembre 1941

Ma Lisette Chérie,

J'étais heureuse d'entendre ta voix et furieuse de la perdre. C'est de plus en plus compliqué de se parler par téléphone.

Toutes les lignes sont utilisées par nos dirigeants. Paul insiste pour que nous soyons prudentes dans nos lettres, à cause des enfants indiscrets qui pourraient les lire...

Regarde l'enveloppe, tu devrais être amusée...

Bonnes fêtes, ma Lisette adorée et surtout que Dieu, notre Dieu, celui dans lequel nous croyons si fort toutes les deux, vous protège tous les sept. Qu'il vous considère tous comme des âmes de son univers chrétien !

J'ai un mauvais pressentiment pour mon fils. Je ne sais pas bien dans quelle organisation de jeunesse il est embrigadé. J'attends avec impatience sa prochaine visite pour pouvoir le questionner. Je m'y perds dans tous ces mouvements de Vichy.

Cédric m'a dit qu'il voudrait me présenter quelqu'un. Je ne sais rien de plus sauf qu'il ne veut pas que son père soit là. L'impatience me ronge. Surtout que je m'opposerai à un mariage en pleine guerre, comme le mien. Tu te souviens de mon mariage en 1917 : notre entrée dans l'église en même temps que l'enterrement d'un soldat qui s'était suicidé en permission pour ne pas retourner au front. Et ce cercueil dans l'allée qui nous poussait dehors avec notre mariage trop heureux ! Quel souvenir douloureux ! Le curé avait manqué de tact, quand j'y pense...

Pour parler de choses plus gaies... Samedi dernier, nous étions invités à l'Opéra. C'était magique, du grand art. Die Meistersinger von Nürnberg *était le titre d'un spectacle éblouissant. Ensuite nous avons dîné Chez Maxim's, c'était la première fois que j'y allais. J'ai adoré l'ambiance. Malgré l'occupation, ou peut-être grâce à elle, Paris a une vie nocturne riche. Je découvre le Paris by Night, dont je n'avais aucune idée avant-guerre. À Rennes, et dans les sous-préfectures précédentes, je n'ai jamais profité de cette effervescence. Je suis comme une petite fille dans un magasin de poupées... Ces Allemands savent vivre !*

Tu dois sourire, c'était ton quotidien avant la guerre.

Quand je ne sais pas comment me comporter, je me demande ce que tu aurais fait et j'essaie de m'en inspirer.

Paul fréquente des Allemands très comme il faut, bien élevés, galants, qui parlent un bon français si on fait abstraction de leur accent ! Il paraît qu'on nous envoie la crème des officiers. Pour eux, Paris est une récompense. C'est bien vu ! Tu dois être d'accord avec ça, toi la Parisienne ! Les conversations sont animées, tous essayant de convaincre les autres de la richesse de leur culture aussi bien en musique qu'en littérature... Ce sont des dîners passionnants. Je te joins une petite photo de moi que j'aime bien. Elle a été prise chez Maxim's. Tu reconnaîtras le renard argenté de Maman. Quelle histoire pour qu'elle le sorte de ses papiers de soie ! La robe longue en dessous était en soie rouge.

La journée, je m'ennuie un peu... Paul n'est pas disponible. Au déjeuner, il vient avec ses dossiers et griffonne à table... Je ne dis rien. S'il le fait, c'est qu'il n'a pas le choix. Il travaille comme un fou. Je ne l'ai jamais vu aussi actif et diligent !

Je te laisse. Pour fêter Noël, nous sommes invités à boire une coupe de champagne au domicile du Feldenkaporal de Chartres.

À la prochaine, ma Lisette, ma sœur adorée.

Je t'aime tant.

Juliette.

17.

6 avril 1942

— En somme, la société de contrainte repose sur des imprimés ! C'est un régime de papier qui terrorise l'Europe…

— Oui, et alors ?

— Il faut prononcer « Papire » … s'amusa Charles.

— Oui et alors ? C'est pas vous qui aurez à le prononcer…

L'abbé Bernard et Charles devisaient, assis sur le banc public de la place de l'église en face de la mairie de Saint-Gervais. Un peu en avance sur l'horaire indiqué, ils attendaient l'ouverture des bureaux.

— Peut-on choisir ses pensées quand le destin les martèle ? répondit Charles.

— Non certes, mais on n'est pas obligé de les exprimer… rétorqua l'abbé, d'humeur mauvaise.

Il avait envie d'un peu de repos, après douze kilomètres de vélo. Mais sa lassitude venait de bien plus loin. L'ampleur de la tâche lui semblait insurmontable. Combien de vies avait-il sauvées ? Trente, cinquante, c'était dérisoire. Alors, il n'avait pas la tête à jouer au ping-pong intellectuel avec Charles. Non, pas maintenant.

— Vous êtes préoccupé ? Quelle mauvaise nouvelle ?

Charles avait compris. Le ton de son ami cachait quelque chose de grave.

— La Gestapo est à Megève ! Fraîchement débarquée de Lyon. Trop de juifs, trop de plaintes, trop de marché noir, trop de passages en Suisse, trop de fiesta, trop de tout…

— Tu parles d'une zone libre ! souffla Charles.

— Il va falloir prendre des précautions. Mettre nos activités en sommeil. Ne pas aller chercher des nouveaux de l'autre côté de la ligne de démarcation, ne pas agiter le chiffon rouge sous leur nez, le temps qu'ils passent à autre chose…

— Allons voir déjà si nos faux-vrais papiers sont prêts. C'est un camouflage qui devient indispensable…

Les cloches de l'église sonnèrent 14 heures, Charles se dirigea vers la mairie. Il forçait la décontraction pour masquer sa trouille. Il vérifia d'un coup d'œil que les vélos étaient bien en place pour déguerpir en cas d'alerte par la grande descente longue de cinq kilomètres conduisant au Fayet, d'où il pouvait s'enfoncer dans la forêt de sapins. L'abbé Bernard devait couvrir le fuyard en cas de danger ou donner l'alerte si Charles ne ressortait pas de la mairie au bout de quinze minutes.

Était-ce possible que le miracle se soit produit ? Quinze jours plus tôt, Charles avait déclaré la perte de son portefeuille, assisté de deux témoins, le garagiste et le boucher. Devant eux, il avait déclaré avec un naturel et un aplomb dignes d'un grand comédien s'appeler Charles Somer, époux de Louise Somer. Les Schirrer avaient disparu avec le portefeuille… Tout ce petit monde avait signé les registres et l'affaire paraissait réglée. Mais en racontant cette aventure à l'abbé Bernard, celui-ci avait eu peur d'un piège. Le maire de Saint-Gervais n'était pas réputé pour son hostilité à Vichy. Pourtant ça avait marché. Au bout de quelques minutes, Charles trop heureux pour être prudent traversa la place déserte en brandissant les deux cartes d'identité au nom bien français de Somer, comme s'il s'agissait d'un drapeau bleu, blanc, rouge. Il avait découvert une nouvelle filière de vrais faux papiers. Ça lui donnait des ailes.

On ne sut jamais qui était de connivence. Qui avait pris l'initiative de fournir les « repliés de Megève » en faux papiers. On ne sut jamais car aucune question ne fut posée. Ça marchait, il ne fallait pas chercher plus loin. Qui avait mis au point la filière, avec quelles complicités ? À quel niveau et dans quels services de la préfecture de Haute-Savoie ? Des anonymes qu'on ne pouvait pas remercier et qui sauvaient des vies.

18.

20 mai 1942

Pour avoir l'air respectable, il voulut porter son uniforme de préfet.

— Les Allemands respectent les uniformes, avait approuvé Juliette en repassant elle-même l'habit avec une pattemouille de fortune qu'elle avait trouvée en fouillant dans l'office, avant que le personnel n'arrive. Paul n'avait pas fermé l'œil de la nuit et voulait déjà prendre la route pour Paris à 5 heures du matin, alors qu'il était convoqué à 8 heures.

Le costume bleu marine était flambant neuf. Depuis sa nomination comme préfet, il l'avait porté cinq fois, dont deux à des enterrements. Avant l'aube, Juliette s'agitait pour enlever les faux plis invisibles que Paul avait remarqués sur le bas de sa veste. Vu l'épaisseur du drap de laine, il ne risquait pas de se froisser. Mais Juliette ne voulait pas le contrarier avant son rendez-vous.

Quelle histoire cet uniforme ! Après en avoir rêvé toute sa carrière de sous-préfet, Paul retardait le moment de l'enfiler. Le porter était un cauchemar, il détestait le mettre. Insupportable, ce frottement du tissu de laine sur ses cuisses poilues. Obsédant, comme un caillou dans la chaussure. Il en voulait à ce tailleur juif qui, en janvier 41, n'avait plus de tissu pour doubler le pantalon ! Encore une preuve que ces juifs lui pourrissaient la vie !

Heureusement, cet uniforme il l'avait eu pour rien. C'était un jour de grande braderie chez les israélites. Et il avait encore eu une remise lorsqu'il s'était engagé à obtenir des informations sur ce qui se tramait à Vichy. Qu'aurait-il pu savoir ? Ça ne l'intéressait pas le sort réservé « aux étrangers ». Ses seules préoccupations étaient de maintenir l'ordre dans le département. En faisant les essayages dans l'arrière-boutique, le tailleur avait voulu savoir si c'était une bonne chose de se faire recenser au commissariat comme le demandait la loi. Quelle question ? Il valait mieux être en règle, voyons. Il n'allait pas mettre sa famille dans l'illégalité, lui avait conseillé Paul. Vous êtes français... Ce petit tailleur avait une tête sympathique, et de la retenue : pas une plainte, pas une allusion politique, que des commentaires sur le tombé du tissu ou le carré des épaules. Pour la peine, Paul avait offert un bon pourboire tentant d'oublier les rumeurs insistantes sur le traitement des juifs en Allemagne. Encore de la propagande des communistes ! Quelle engeance, ces communistes. Ils devaient aller au diable, ça oui. Heureusement, dans son département, la liste des communistes était à jour et complète. Prête à l'emploi.

Juliette le ramena à son échéance du jour.

— Tu as maigri, essaie de mettre un pantalon de pyjama en dessous, suggéra-t-elle, avec un large sourire. Elle imaginait Paul en pyjama à la Kommandantur et cette image lui donnait envie de rire aux éclats.

— N'as-tu rien de plus zazou à me proposer ? dit-il d'un ton neutre.

Zazou... C'était pour Paul l'insulte suprême, un condensé de bêtise et de provocation, tout ce qu'il détestait. Il n'avait pas envie de vexer Juliette, la seule personne au monde qu'il aimait vraiment et il s'en voulut. L'espace d'une seconde, il envia son insouciance, alors que lui était mort de trouille. Une vraie peur de subalterne qui vous empêche de trouver les mots, une peur éblouissante, comme les phares blancs d'une voiture dans la nuit.

Pourquoi cette convocation ? Qui était ce SS qui le faisait venir à Paris, du jour au lendemain, sans se donner la peine de préciser l'objet de cette rencontre ? Cela lui semblait louche, voire dangereux. Mais il n'avait pas osé se renseigner. De toute façon, ses petits contacts dans la police française n'auraient rien su, et il aurait perdu son prestige, pour rien. Il jugeait son silence intelligent et se félicita de son sens politique.

Monsieur le Préfet se présenta à la Kommandantur avec une heure d'avance et on le fit attendre deux heures. Il ne broncha pas. Trois heures d'enfer, dans un couloir en plein courant d'air, avec comme seul passe-temps l'écoute attentive du claquement des portes, des sonneries de téléphone, des conversations en allemand.

Par moments, le picotement du tissu sur ses cuisses irritées devenait insupportable. Alors, il se levait pour faire quelques pas, mais le planton du couloir lui intimait l'ordre de rester assis. Plusieurs fois, il décida de partir, avant de se raviser, l'orgueil et la sagesse avançant, tour à tour, leurs arguments contradictoires.

Enfin, le soldat vint le chercher. Heureusement, une minute plus tard, il aurait été parti ! La porte du bureau de l'officier SS était entrouverte et il entendait sa conversation en allemand sans en comprendre le sens. Fallait-il toquer, entrer, s'imposer, attendre… Il jeta un regard affolé au soldat qui lui fit signe de s'avancer.

On raccrocha, en lui présentant une chaise, d'un signe sec et autoritaire.

— Bonjour, monsieur le Préfet. Je vais être direct. Parler en français m'oblige à être concis, je ne connais pas bien votre langue, dit-il avec un accent très prononcé.

— Faites, faites, je vous écoute !

— Vous devez aider la police allemande à coincer... – C'est le bon mot, n'est-ce pas ? – des terroristes et des juifs.

— N'ai-je pas déjà donné des preuves de bonne volonté dans ce domaine ? Je vous ai apporté les chiffres de ma préfecture. Je vais vous les montrer.

Il sortit de la poche intérieure de sa veste une feuille à petits carreaux pliée en quatre. Avec une application de maniaque, il y avait dressé le bilan des six derniers mois. En regardant les chiffres, une nouvelle fois, dans le bureau de la Kommandantur, ils lui semblèrent dérisoires. Pourtant, il n'avait pas ménagé sa peine.

— Nous sommes contents de vos états de service. Mais vous devez nous rendre d'autres petits services, l'interrompit l'officier SS.

Paul sentit un frisson parcourir sa colonne vertébrale. Le regard était terrible.

— Un petit service presque personnel... vous me comprenez ?

Paul se détendit. Ce n'était que ça.

— Très bien. Je suis toujours prêt pour rendre service, répondit Paul, sensible aux compliments de l'Allemand et à son ton, tout à coup presque aimable. Il ne regrettait pas d'avoir attendu trois heures. Un petit service, quelle chance pour sa carrière !

— Vous êtes un homme d'honneur, monsieur le Préfet. Vous œuvrez pour l'avenir de l'État français.

L'Allemand, soudain debout, claqua des talons. Paul se leva aussi, par réflexe, sans réfléchir. En lui posant la main sur l'épaule, l'officier lui suggéra de se rasseoir.

— Vous devez nous aider à coincer… c'est le bon mot… coincer ?

— Oui, oui, continuez, je comprends très bien votre français.

— Albert Einstein, vous connaissez.

— De nom, pas personnellement. Mais il vit en Amérique…

— Vous êtes bien renseigné… Vous l'avez rencontré dans des dîners de famille ?

— Des dîners de famille ?

Paul s'arrêta net, le souffle court. Il venait de comprendre où voulait en venir le nazi. Son ton avait changé, il devenait menaçant.

— C'est bien dans le journal de votre beau-frère – on dit comme ça en français – le mari de la sœur de votre femme ? Un juif qui a pris position en 1933 en publiant, dans son journal, l'appel au boycott économique de la France contre Hitler.

Paul se gratta les cuisses, n'y tenant plus.

— Vous l'avez lu ? Mais peut-être oublié aussi ? Voici une copie pour vous rafraîchir la mémoire.

Une première goutte de sueur glissa sur le papier de journal jauni. La preuve était futile. Paul fit semblant de lire, le temps de retrouver ses esprits. Bien sûr qu'il se souvenait de cet éditorial. À l'époque, cela avait fait grand bruit : « Il vous en coûtera des larmes et du sang. » L'expression avait été reprise en boucle sur la TSF. Et le dîner de famille suivant avait été houleux. Même s'il s'était écrasé à la demande de Juliette qui refusait de laisser la politique leur pourrir la vie.

— Le petit service ? Nous avertir si vous avez des nouvelles de votre beau-frère. C'est votre mission spéciale, hurla l'officier qui perdait son calme. Nous savons qu'il n'est pas en zone occupée. Son appartement de Paris est vide… Sa maison à Veulettes-sur-Mer est réquisitionnée pour des officiers supérieurs de la Wehrmacht…

— Vous savez déjà tout... Comment puis-je vous aider ? osa Paul, surpris de sa propre audace.

— S'il vient en zone occupée. Il vous préviendra... n'est ce pas ?

— Pas sûr, il se méfie de moi...

— Mais vous faites bien partie de la même famille et, un jour ou l'autre, il aura besoin de votre aide... Ce jour-là, il faudra juste nous prévenir discrètement. Les juifs ne seront tranquilles nulle part dans la grande Europe.

— Et sa femme ?

— Quoi sa femme ?

— Elle n'est pas juive et les enfants sont catholiques.

Juliette serait contente. Il avait défendu la veuve et l'orphelin. Après tout ce n'était déjà pas si mal.

— On les laissera tranquilles. On veut juste arrêter votre beau-frère et ses frères. Ici en zone occupée ou dès que nous envahirons la zone libre, tôt ou tard...

— Pour la mère et les enfants, vous me...

— S'ils ne sont pas juifs, on les laissera tranquilles !

— Alors, je ferai de mon mieux... mentit Paul.

— Vous devez aussi nous aider à retrouver Jean Moulin, votre prédécesseur à Chartres, continua l'officier.

— Je ne le connais pas... Comment puis...

— Il a des complicités dans votre préfecture. Trouvez-les et faites-les parler, l'interrompit l'officier qui commençait à perdre patience.

Le grand monsieur ne faisait pas preuve d'imagination et marchandait comme un vulgaire négociant.

— Qui sont ses complices ?

— À vous de trouver, monsieur le Préfet. Toutes les méthodes sont bonnes pour débusquer les coupables.

— Des méthodes régulières, n'est-ce pas ? Vous êtes un soldat et moi un fonctionnaire. Nous sommes des hommes de droit !

— Débrouillez-vous, mais je veux ces renseignements.

Il tapa du poing sur la table et son visage changea. La

contraction des muscles du visage, le ton de voix, la posture du corps comptaient beaucoup dans l'intimidation. L'Allemand jouait, avec talent, de ces trois instruments. Quelle tête de méchant con, pensa Paul en quittant son bureau, l'estomac dans les talons et les cuisses irritées par le rugueux tissu de laine. Il pesta contre Juliette qui avait tant insisté pour qu'il porte son uniforme. Ça n'avait servi à rien. Il s'était quand même vu confier la corvée des chiottes...

***

Paul s'engouffra dans sa voiture et quitta la Kommandantur sur les chapeaux de roue. Il s'était engagé à prévenir les autorités d'occupation si son beau-frère passait la ligne de démarcation. Rien de plus, rien de moins.

Il se sentait désorienté, comme un lapin pris dans un champ à découvert. Il devait réfléchir pour décider ce qu'il convenait de faire, avant d'en parler à Juliette. Il s'en voulait de n'avoir pas eu le courage de dire : « N'y comptez pas ! » Son hésitation le bouleversait. Il ne se savait pas capable d'hésiter, alors qu'il s'agissait de la famille de Juliette. Mais ces Messieurs le tyrannisaient.

Pour Jean Moulin, il commencerait ses recherches par le gardien. Il se devait de le faire parler : donner des gages sur son prédécesseur lui permettrait, peut-être, de gagner du temps pour protéger Charles.

Il se gara au pied de la tour Eiffel, pour se promener dans les allées désertes du Champ de Mars. Respirer un grand coup et se détendre les jambes. Il ne s'était pas aperçu qu'il pleuvait. Une pluie fine et glaciale qui plombait la lumière. De toute façon, pour regarder ses pieds, il n'avait pas besoin de lumière. Son corps était parcouru de spasmes, ce qui enlevait tout naturel à sa démarche.

Les images se bousculaient dans sa tête. La dernière fois qu'il avait vu Charles, c'était en janvier 1941 au buffet de la gare à Lyon, un jour de grand froid, et de neige abondante. Il remontait de Vichy où il venait de prêter allégeance au Maréchal. Il avait demandé à Charles une rencontre en tête à tête, en terrain neutre. Il ressentait le besoin de lui expliquer les raisons de son engagement. Vichy, le Maréchal, la collaboration, le grand Reich, l'acceptation de la défaite, la remise en ordre... Charles devait l'écouter, avant de le juger...

La mésalliance venait de Louise, après tout. Lui, Paul, s'était opposé depuis le premier jour à ce mariage contre nature, avec un juif. Bien sûr, à force de fréquenter Charles, il lui reconnaissait des qualités indiscutables. Rien à dire sur son intelligence hors du commun, sa générosité un peu écrasante parfois. Mais il n'avait jamais oublié sa juiverie si évidente physiquement !

En arrivant à leur rendez-vous, Paul se sentait fort, dans le camp des vainqueurs. Presque sans s'en rendre compte, il caressait l'étoffe de son costume à l'endroit même où le Maréchal avait posé sa main, en signe d'encouragement et d'amitié. Oui, d'amitié pour les hommes de la Révolution Nationale. Pour la première fois de sa vie, il avait l'impression d'avoir été au bon endroit au bon moment, présent au rendez-vous décisif avec l'Histoire.

Pour une fois, il se sentait supérieur à son beau-frère. C'était son tour de profiter de la grande vie et des honneurs. Il n'avait certes pas la fortune et les relations, mais ça ne comptait pas. Le pouvoir, c'était bien plus excitant.

En voyant Charles recroquevillé, pensif, comme abattu sur la banquette de similicuir rouge, Paul interpréta sa posture comme un aveu de faiblesse et ne put s'empêcher de s'en réjouir. Pourtant Charles en apercevant son beau-frère s'anima pour l'accueillir. Comme Paul était en retard, il craignait d'être venu pour rien ou de devoir accueillir un agent de la Gestapo. Après tout, il s'était un peu exposé sans filet dans ce buffet de la gare.

— Nous sommes comme le téléphérique du Mont-d'Arbois, s'amusa Charles.

Le ton de la plaisanterie surprit Paul. Il s'était imaginé l'heure plus grave.

— Quand l'un est en haut, l'autre est en bas ! reprit Charles en se levant pour embrasser Paul qui refusa l'accolade, surpris de la clairvoyance de Charles sur ses pensées secrètes.

— Nous n'appartenons plus à la même France ! dit Paul en jetant sur la table, d'un geste brusque et méprisant, un paquet de cartes d'alimentation.

Paul s'en voulait de son ton fabriqué, de sa précipitation. Pourquoi être si brusque ? Il ne savait pas cacher son jeu. Il aurait voulu avoir une conversation de comptoir, demander des nouvelles, ne rien dire pour mieux se dévoiler et révéler son pouvoir nouveau, en offrant ce cadeau, preuve de sa domination, de ses relations haut placées. Avec un air satisfait, il aurait pu tendre les cartes d'alimentation, dans un échange apaisé. Mais voilà, c'était électrique. Il ne savait pas jouer et ça le rendait furieux contre lui-même.

Charles ne baissa même pas les yeux sur le paquet de cartes. Paul pensa qu'il ne se rendait pas compte de leur valeur. Comment imaginer le contraire ? Pour obtenir ces cartes, Paul avait usé de persuasion, de roublardise, contre sa nature. On peut même dire qu'il y avait mis du cœur. Un dernier cadeau avant la croisée des chemins méritait bien un effort. Le fonctionnaire à Vichy avait été étonné des demandes exorbitantes de Paul : des tickets de catégorie T et C (travailleurs de force), violet pour le beurre, rouge pour le sucre, brun pour la viande. En dessous de la pile, il avait même glissé des cartes de ravitaillement pour le charbon et les chaussures. Un trésor…

— En direct de Vichy, cadeau du Maréchal… Tes nouveaux amis ne manquent pas de ressource.

Le ton de Charles agaçait Paul. Il n'avait jamais compris son humour détaché, cette distance qu'il mettait entre lui et le reste du monde.

— Ne fais pas le fiérot, cela va devenir compliqué de nourrir ta famille. La guerre sera longue pour vous…

— Pour nous… les juifs ?

— Écoute, Charles, je pense que le Maréchal a raison. Il faut l'aider à maintenir l'ordre dans ce pays, c'est une conviction profonde ! Construisons tous ensemble la grande Europe de l'ordre et de la puissance.

Paul regardait dans le vague et sa jambe remuait nerveusement sous la table.

— Épargne-moi tes arguments, ta justification, ta bonne conscience et surtout tes idées politiques, je les connais et je les méprise. Quoi d'autre ? Comment va Juliette ? Que pense-t-elle de tout cela ? Et ton fils ?

Charles le fixa de son regard bleu dur. Paul baissa les yeux. Une fois de plus, une fois de trop à son goût !

— À toi de voir pour les cartes. Dans mon monde, je n'en aurai pas besoin ! marmonna Paul qui retenait sa colère. Il tenait la table des deux mains, pour ne pas exploser. Il n'avait jamais supporté le calme de Charles qu'il prenait pour de l'arrogance, lui qui s'emportait si facilement.

— Essayons d'avoir une conversation entre beaux-frères sans guerre, sans politique, sans religion, sans menace, sans adieu, sans ticket. Comment va Juliette ? Donne-moi de ses nouvelles. Louise supporte mal la séparation forcée.

— Juliette aussi. Elle souffre sans se plaindre. Parfois elle s'évade dans ses souvenirs, mais rien de plus. J'allais oublier, elle m'a donné un pot de crème Jolie. Le dernier avant longtemps. Elle ne trouve plus les ingrédients.

— Même avec tes amis allemands ? ironisa Charles.

Paul, une nouvelle fois, baissa les yeux et ne trouva rien à répondre. Il fixait le pot de crème, comme on s'accroche à un détail familier, avant un long voyage.

Depuis qu'elle avait douze ans, Juliette fabriquait la crème Jolie. Elle tenait la recette de sa grand-mère, une blanchisseuse courageuse, communarde convaincue, héroïne des barricades. Sur l'héroïsme, les versions pouvaient diverger selon les interlocuteurs familiaux. Un point les mettait tous d'accord : son fait d'armes le plus notable était la mise au point de la crème Jolie. Elle avait révélé à Juliette, avant de mourir, les secrets de sa fabrication au cours d'une cérémonie d'initiation pendant laquelle Juliette avait récité la formule apprise par cœur, avec la promesse, la main sur le livre de messe, de ne jamais en divulguer la composition. Après toutes ces années, Juliette avait encore gravée en elle, comme une marque au fer rouge, l'intensité de ce moment. On lui confiait une responsabilité de grande fille, alors qu'elle était encore bien petite. Plus tard, à l'accouchement de son fils, elle s'était mal remise de la déception de ne pas voir arriver une fille à qui transmettre la recette de la crème Jolie. Qui pourrait prendre la relève ? Cette question n'était toujours pas tranchée, alors Juliette s'était autorisée à la révéler dans son livre de recettes, une audace qu'elle s'était permise à cause des Allemands. Pour tromper l'ennemi, elle l'avait intitulé le « Pain blanc de Louise et Juliette ». Après tout, cette crème c'était leur pain blanc à elles deux !

Qui d'autre aurait voulu se couvrir le visage avec cette crème à la texture épaisse, comme une pâte à crêpe avec grumeaux. La crème Jolie avait une odeur âcre qui donnait envie de s'en mettre le moins possible ! Mais pour rien au monde, les deux sœurs n'auraient acheté une crème à l'odeur agréable ou douce au toucher. C'était leur crème miracle. La solution à tous les bobos des femmes comme des enfants. Chaque rougeur, égratignure, griffure recevait sa petite dose de crème Jolie. Louise dévissait, toujours avec gourmandise, le pot de verre et prononçait immanquablement la même phrase : « Rien de mieux que la crème Jolie. » Mais oui, Maman, on sait ! répondaient les enfants en chœur. Un pot pouvait leur durer un an, car comme le caviar la crème Jolie s'économisait.

— Tu me donnes de quoi rentrer en héros au chalet.

— Tiens, une lettre de Juliette que je cachais sous ma chemise. Je ne voulais pas que la censure de Vichy tombe dessus... Et puis elle l'a cachetée avec vigueur de peur que je la lise…

Paul était jaloux de l'amour entre les deux sœurs. Il n'y comprenait rien, lui le fils unique. Son hostilité faisait surface régulièrement, de façon sournoise.

— Tu devrais autoriser Juliette à venir nous voir. Elle ne risque rien à traverser la France.

— Juliette doit tenir, à mes côtés, son rôle de représentation. En plus, c'est trop risqué de venir chez des ennemis de l'État français ! Ils vous ont à l'œil… C'est la guerre, mon vieux !

— Tu crois ce que tu dis ? J'espère au moins que tu es en paix avec ta conscience !

— Je n'abandonnerai pas mon pays comme un vieux chien malade, uniquement parce qu'il est antisémite !

Charles fit une mine de poisson rouge, la bouche ouverte et le regard vide.

La trêve avait été de courte durée ! Paul se leva, il devait attraper le rapide de 14 h 36. Il haussa les épaules en apercevant les tickets encore éparpillés sur le sol. Il s'éloigna sans un mot, ni un regard pour son beau-frère. De toute façon, il n'y avait rien à ajouter ! Ils ne savaient pas ni l'un, ni l'autre, qu'ils venaient de vivre leur dernier tête-à-tête.

19.

16 juin 1942

Il y avait urgence. Charles avait emprunté de l'argent à ses amis Rosenblum du chalet voisin, mais tout avait fondu. Il fallait rembourser. Il considérait qu'être redevable, avoir des dettes, faussait la nature des relations. Quant à Louise son orgueil en prenait un coup, surtout à la crémerie, avec leur ardoise longue comme un jour sans pain. Elle n'osait plus passer devant la boutique, empruntant un dédale ridicule de ruelles pour l'éviter. La crémière ne réclamait rien. Elle savait attendre : les juifs se débrouillent toujours. Il n'y avait qu'à jeter un coup d'œil au chalet ! C'est pour ça qu'elle aimait les culpabiliser avec l'ardoise.

N'y tenant plus, il fut décidé que Louise irait à Paris chercher de l'argent. Coûte que coûte, il fallait remplir le porte-monnaie des commissions. Il ne restait rien de ce qui avait été emporté, un peu vite, dans l'exode. La guerre durait depuis deux ans, les prix augmentaient et le chalet ne désemplissait pas. La zone libre pour l'instant était une terre d'accueil !

Quand Louise débarqua gare de Lyon, elle se fit siffler par deux soldats allemands. Malgré son formidable aplomb, elle frissonna de la tête aux pieds. Une femme s'approcha d'eux et leur parla allemand. Elle crut reconnaître l'intonation de voix d'Éva. En fait, elle n'avait jamais entendu une autre voix féminine parler allemand à Paris. Ses pensées s'envolèrent vers sa belle-mère. À cause d'elle, la voix des occupants lui semblait presque familière. Quelle étrange impression ! Elle se boucha les oreilles avec le creux de ses mains, lâchant brusquement sa fausse carte d'identité qu'elle caressait comme un porte-bonheur. L'un des Allemands se baissa promptement et, avec un sourire, tendit à Louise le précieux document. D'un geste brusque, elle le lui arracha des mains et tourna les talons, les jambes flageolantes. Bienvenue à Paris !

Au bout du quai, elle chercha Juliette du regard. Deux ans qu'elles ne s'étaient pas vues.

Louise se balançait sur la pointe des pieds. En vain, elle ne voyait personne, aucune silhouette familière ne lui faisait signe. Un officier lui proposa de porter sa grande valise. Surtout pas, elle était vide. Un mauvais pressentiment la rendait nerveuse. Elle se mit sur le côté pour attendre, sans se faire bousculer, sans se faire remarquer. Tous ces uniformes allemands l'impressionnaient. Le quai se vida, puis un autre train entra en gare. Une foule de voyageurs se précipita vers la sortie. Combien de temps Louise resta-t-elle pétrifiée, au bout du quai ? Au moins cinq trains, avant qu'elle se décide à poursuivre son chemin.

Juliette n'avait pas pu venir, un ennui, un ennui de taille sûrement. Jamais, elle n'avait raté un de leurs rendez-vous. C'était sacré.

Elle hésita encore à s'éloigner, puis se résigna.

À cause des larmes, apercevoir la bouche du métro fut bien difficile. Elle cligna des yeux pour les laisser couler et tant pis pour la poudre. Pour avoir un teint de Japonaise, il fallait avoir un cœur de pierre.

Sur la grille fermée, une pancarte indiquait « Entrée interdite-Refuge ». Son voyage à Paris s'annonçait périlleux ! Quelle folie de venir en zone occupée, au cœur du danger, seule et maintenant sans Juliette. Elle avait dit oui à Charles avec une énorme boule dans le ventre qui ne la quittait plus.

Elle décida de traverser Paris à pied. Paris, sa ville, son « chez-elle ». Elle se trompa d'abord. C'était à cause des panneaux en allemand, mais pas seulement, l'atmosphère aussi avait changé. Paris était violé par un décor en carton-pâte, qui s'était planté là et lui faisait offense. Elle se signa, tremblante, quand elle aperçut sur un immeuble haussmannien une croix gammée géante. Elle comprit pourquoi les gens marchaient vite, le nez dans leurs chaussures. Un autre drapeau couleur de sang, puis un autre : à nouveau sa main à la vitesse d'un éclair parcourut son buste. Elle n'allait pas se signer toutes les deux minutes. Mais, c'était plus fort qu'elle.

— On s'habitue, vous savez. On s'habitue à tout, du moment qu'on survit…

Elle dévisagea, surprise, son interlocuteur. Un petit Monsieur, droit comme un I, au beau sourire réconfortant et avec des yeux gentils.

— Quand même ça fait drôle…

— Vous n'êtes pas d'ici ?

— Parisienne depuis six générations, répliqua Louise fièrement. Elle n'aimait pas être autre chose que Parisienne, fille de Parisienne et ainsi de suite…

Son énumération fut stoppée nette. Elle venait d'apercevoir l'étoile jaune du monsieur, comme une tache sur son pardessus gris souris et c'était une première. Une fois encore, elle se signa. Il éclata de rire.

— Pas besoin d'accrocher votre religion au revers du manteau. Avec vous, pas de doute, belle dame !

— J'arrive de la zone libre. Tout ça me paraît bien…

— Chut. Prudence. Dans ce Paris-là, on ne fait pas ses confidences au premier venu. Même si l'étoile jaune ne laisse guère d'ambiguïté sur votre interlocuteur et son camp ! Tout est danger.

Louise se mordit la lèvre supérieure. Charles lui avait dit la même chose. Personne, tu ne parles à personne. Elle s'éloigna à reculons pour ne pas tourner le dos à cet inconnu pourtant si liant. Timidement, elle agita sa main gantée, en signe d'au revoir, et lui décrocha un magnifique sourire pour s'excuser de s'éloigner si vite...

Il devait être 22 heures et l'appartement était plongé dans l'obscurité, quand Louise referma tout doucement la porte d'entrée. Elle soupira, heureuse d'être arrivée sans rencontrer personne. Ça lui fit tout drôle de se retrouver chez elle, dans ce lieu familier qu'elle avait l'impression d'avoir quitté la veille, avec le sentiment de violer les lieux, d'être en infraction, comme une voleuse... Dans l'entrée, elle se trouva un peu désorientée, osant à peine faire le tour du propriétaire. Elle avait décidé de ne pas s'aventurer dans les chambres, surtout celles des enfants, trop chargées de leur absence, avec leurs peluches et leurs jouets abandonnés et poussiéreux. Dans la cuisine, elle fut saisie par une horrible odeur âcre et croisa deux mulots sur le chemin de la salle à manger. L'odeur de renfermé lui donnait envie d'éternuer. D'une main, elle se couvrait le nez et la bouche et de l'autre, elle tenait ses chaussures pour ne pas faire de bruit. Pour attraper les tableaux et chercher les pièces d'or, cela n'allait pas être facile !

La sonnerie du téléphone la fit sursauter. Les chaussures s'écrasèrent bruyamment sur le parquet. Elle était pétrifiée. Répondre, ne pas répondre. Cela ne pouvait être que Juliette. Mais si c'était un piège. Elle pensa aux mises en garde de Charles.

— Juliette est suspecte. Paul la domine complètement, avait-il ajouté pour convaincre Louise qui prenait son air d'indifférence.

— Elle ne fera rien contre nous. Je le sais au plus profond de moi.

— Tu dois protéger tes enfants.

— Juliette ne touchera jamais à nos enfants…

— Juliette non, mais l'entourage de son imbécile de mari oui. Ils sont considérés comme juifs, malgré leur baptême. Ne lui dis rien d'important sur notre vie, elle peut sans le vouloir nous faire arrêter. Les rafles ont aussi lieu en zone libre.

Elle décida de ne pas répondre. La sonnerie dura et dura encore. La personne insistait.

Quand le calme revint, elle tomba à genoux et éclata en sanglots. Elle pleura longtemps. Elle était vidée la belle dame. Dans la salle de bains, elle voulut se rincer le visage, mais une eau marron foncé se répandit sur le blanc du lavabo. Et surtout, un bang bruyant résonna dans le tuyau. Aucun doute, tout l'immeuble l'avait entendu. Encore une imprudence ! Elle faillit se signer, mais le souvenir de l'inconnu retint son mouvement.

Elle n'avait plus d'énergie : réfléchir, remplir la valise, partir lui semblait au-dessus de ses forces... Alors, Louise s'allongea sur un des canapés du salon. Là au moins, elle ne faisait pas de bruit. Charles lui manquait. Soudain, elle avait peur de ne plus le revoir, une peur violente, douloureuse, comme ça pour rien. Tout pouvait basculer, à la vitesse de l'éclair.

20.

17 juin 1942

— Les tableaux ont disparu, murmura Louise.

— As-tu bien regardé sous le matelas de notre lit ?

Charles gardait un ton neutre. Rester calme, ne pas paniquer et réfléchir vite.

— Pas de temps à perdre. Seconde étape : la banque pour chercher les titres, le liquide et les pièces d'or…

— Tout ça ?

— Louise, écoute-moi et retiens mes instructions.

— Oui, oui… Je t'écoute.

Il parla de longues minutes, pour ne négliger aucun détail, faire courir le moins de risques à l'amour de sa vie. Il s'en voulait d'avoir envoyé Louise à Paris, quelle folie !

— Oui, mon amour, j'ai compris, dit Louise quand il eut fini. Non je n'ai pas peur, mentit-elle avec assez d'assurance dans sa voix pour qu'il la crût.

Elle aurait aimé ne jamais raccrocher, écouter ses instructions, sa voix rassurante encore et encore, comme elle le faisait avec son père quand elle était petite.

Depuis longtemps, elle n'avait pas éprouvé ce sentiment

étrange d'insécurité absolue. Un sentiment qui vous paralyse, et vous empêche d'agir. Elle ferma les yeux et le visage de Léonard apparut pour lui donner du courage.

À la banque, boulevard Haussmann, le sous-directeur gêné, plus gris que jamais, bégaya quand il expliqua que des scellés avaient été posés sur les coffres des juifs.

— Comme nos fondateurs étaient tous israélites, ils se sont installés ici pour avoir accès plus vite à tous les biens juifs... C'était facile, le directeur était en fuite.

— C'est vous qui tenez la maison.

Il se redressa sous la flatterie.

— Si on peut dire...

Le temps de se repoudrer le nez avec calme, Louise hésita sur l'attitude à adopter. Elle sentait sur elle le regard admirateur du sous-directeur et faisait durer le plaisir pour le harponner ! Ses autres atouts lui paraissaient bien faibles. Quel chemin emprunter pour convaincre cet homme aux manches trop courtes et au pantalon de complet lustré, presque miroir. Le charme, la menace, la corruption, la pitié, l'héroïsme ? Son regard fuyant contrastait avec ses sourcils épais et imposants qui barraient son visage.

— Je vous raccompagne, chère madame. Je vais en référer au Devisenschutzkommando installé dans nos bureaux pour essayer de trouver une solution. Revenez demain, je vais faire au mieux.

Il voulait en finir au plus vite, elle pouvait l'attendrir. Elle n'avait rien perdu de sa beauté brune, de son allure et de son port de tête... Une reine aux abois avec dignité !

— Téléphonez à mon beau-frère, il est préfet. Il obtiendra de ses amis allemands une autorisation administrative.

Le sous-directeur se lécha les lèvres, signe chez lui de grande réflexion.

— Pour un coffre appartenant à des juifs, c'est impossible... Aucune dérogation à part la bonne volonté...

Louise s'engouffra dans la brèche.

— L'argent liquide du coffre est pour vous.

— Pour qui me prenez-vous ? Je ne suis pas de ces hommes-là !

Mauvaise piste, Louise s'empressa de reculer.

— Le désespoir, quel mauvais conseiller ! Excusez mes propos. Comment ai-je osé ? J'aurais dû réfléchir en tenant compte de l'admiration de mon mari pour vous.

— Vous exagérez... murmura-t-il, en se redressant une nouvelle fois sous la caresse des compliments.

— Non, non, je vous assure, la fiabilité, la compétence, l'intelligence.

Elle crut le voir rosir. Mais, ils furent interrompus par l'arrivée d'un Allemand en uniforme. Louise essaya de masquer son trouble. Elle tremblait comme une feuille. Le sous-directeur sortit en prenant le temps de s'excuser avec galanterie, ce qui rassura Louise. Elle voulut coller son oreille à la porte pour écouter leur conversation, mais n'osa pas. Le poids de l'éducation...

Elle décida alors de jouer son va-tout. Il n'y avait plus que l'audace pour sauver la situation.

— Bonjour, madame, je souhaite parler à monsieur le Préfet en urgence de la part de Louise, sa belle-sœur...

Sa voix tremblait, elle parlait fort pour être entendue de l'autre côté de la porte. Le sous-directeur revint dans le bureau, surpris de la trouver au téléphone. Elle ne manquait pas du culot, sous ses airs de grande dame.

— On nous passe monsieur le Préfet, murmura-t-elle au sous-directeur, avec un air complice, et un sourire forcé.

Elle expliqua la situation en deux mots en valorisant l'attitude héroïque du sous-directeur. Les compliments finirent de le faire céder. Elle lui passa alors le combiné.

— D'accord, monsieur le Préfet, je donne le contenu du coffre à votre belle-sœur et vous attends demain à la première heure. Nous poserons ensemble les nouveaux scellés pour régulariser la situation. – Il s'inclinait devant le téléphone. –

C'est trop d'honneur… C'est ma femme qui va être contente. Elle qui trouve ces Allemands si corrects. Oui, monsieur le Préfet, nous viendrons…

Louise sourit, il en faisait trop. Il valait mieux accélérer avant qu'il ne change d'avis. Vite… la salle des coffres. Elle montra sa montre, en signe d'impatience. Le sous-directeur attrapa les clefs dans le tiroir secret de son bureau. Pourvu que le planton allemand soit sorti. Il mit les clés dans sa poche et en profita pour se gratter le bas du ventre, tous ces honneurs le faisaient transpirer.

Charles raccrocha. Même pas besoin de maquiller sa voix ! Pas très perspicace le sous-directeur ! Cependant, il était inquiet, Louise était en danger… Il ne pouvait pas imaginer qu'ils n'aient plus accès à leur coffre. À distance, replié dans sa montagne, que pouvait-il faire pour aider sa femme ? Rien. Rageur, il se cognait le poing droit dans la paume de sa main gauche. Vivement le moment où il pourrait de nouveau la serrer dans ses bras et respirer son parfum. Encore une épreuve qui renforçait leur amour !

Dans la rue, Louise serrait son sac avec précaution. En pénétrant sous le porche de l'immeuble, elle respira profondément, en vérifiant que personne ne l'avait suivie. Les escaliers n'en finissaient pas. Quelle idée d'habiter au cinquième étage ? Elle s'engouffra, soulagée, dans l'appartement dont le silence lui fit du bien.

Son tiroir de lingerie était intact, rangé au cordeau. Elle y piocha deux soutiens-gorge, deux vieilleries, qu'elle retrouvait avec plaisir. Les enfiler l'un sur l'autre n'allait pas être simple, y glisser le liquide non plus. Pour les titres de propriété les gaines lui semblèrent plus appropriées et la noire par-dessus, pour cacher les irrégularités et les épaisseurs.

Comme elle se tortillait devant la glace, en enfilant la seconde gaine, Louise entendit la porte de l'appartement s'ouvrir.

Son cœur s'emballa et elle s'arrêta de respirer.

Des bruits de pas s'approchaient de la chambre, ou plutôt un glissement sur les patins. Louise s'écrasa sous le lit. Par chance, Charles avait toujours aimé les lits hauts. Mais dans l'affolement, elle avait laissé toutes les preuves de sa présence en désordre devant l'armoire normande, sur le petit fauteuil recouvert de soie jaune et sur le grand drap de lin blanc qui protégeait le lit. Elle s'approcha du bout du lit, pour tirer vers elle son sac à main.

— Madame, vous êtes là ?

— ...

— Madame, c'est moi, Jacqueline.

— ...

Louise fut soulagée d'entendre la voix familière de sa voisine préférée. Elle voulut se précipiter et la serrer dans ses bras, mais elle avait eu tellement peur qu'elle n'arrivait pas à bouger.

— Madame, c'est moi. Je passe tous les jours vérifier qu'ils ne touchent à rien...

» Vous êtes peut-être dans la salle de bains...

Le glissement s'éloigna.

— Madame, madame...

Son appel plaintif et aigu résonnait dans l'appartement désert. Louise rassembla ses dernières forces pour se hisser hors de sa cachette. Elle aperçut sa silhouette dans la glace de la penderie. Quelle farce, cette dissimulation de trésors. Sur le lit, elle aperçut la veste de Jacqueline, l'étoile jaune y était à moitié décousue. Elle l'effleura du bout des doigts comme pour s'assurer qu'elle était bien réelle. Toutes ces étoiles jaunes qui jalonnaient ses retrouvailles avec Paris, c'était un signe des temps ? Du destin ?

Depuis treize ans que Jacqueline était entrée dans le cercle familial, Louise n'avait jamais su qu'elle était juive. Cette femme avait un jour frappé à sa porte lui demandant si elle pouvait traverser l'appartement, en gênant le moins possible, pour rejoindre plus facilement sa chambre de service. Une chute récente et le poids des années l'empêchaient de gravir les 377 marches de l'escalier de service, pour rejoindre son nid. Une chambre de 9 m^2 glaciale en hiver, étouffante l'été. Mais avec le surnom de nid, elle paraissait plus accueillante. Cette chambre sous les toits était le seul bien laissé par son mari mort d'une tuberculose et criblé de dettes de jeu. Avec l'ascenseur de l'entrée principale, elle montait jusqu'au cinquième, traversait l'appartement de Louise, puis franchissait par le service les deux derniers étages.

Avec les années, Louise et Jacqueline étaient devenues amies. Louise s'était attachée à cette petite silhouette maigre qui s'efforçait de passer inaperçue, avec toujours un mot gentil, très à propos. Ses traversées de l'appartement étaient devenues de plus en plus lentes. Elle bavardait au fil des rencontres avec les uns et les autres. En douceur, avec ses petits pas feutrés, elle était rentrée dans la famille, se faisant d'abord adopter par les enfants. Très cultivée, elle corrigeait leurs devoirs, et grâce à elle, leurs notes grimpaient. Elle les initiait aux courses de chevaux, sa passion, en leur apprenant à faire un pronostic. Après une lecture attentive des pages courses de *Paris Soir*, ils faisaient tous ensemble des paris fictifs pour la course principale du dimanche après-midi. Ils écrivaient leurs numéros fétiches sur des petites feuilles de papier, qu'elle conservait religieusement dans un tiroir de l'office. Puis le lundi au retour de l'école, Jacqueline lisait à haute voix et de bon cœur les résultats dans le journal et distribuait les gains. Pas souvent. C'était dur de trouver le numéro gagnant. Au moins ça, ils l'avaient retenu !

Un dimanche de printemps, Louise eut besoin d'elle pour garder Sophie fiévreuse. Une urgence l'obligeait à se rendre au plus vite à la Bonne Étoile. Elle frappa à sa porte et fut saisie par la montagne de journaux empilés sur le lit le jour, puis sur le sol la nuit. L'odeur aigre de vieux papier était saisissante, obsédante, insupportable. Depuis qu'elle vivait seule, elle conservait les journaux de pronostics qu'elle achetait chaque jour et lisait pendant des heures.

Pour élargir son espace vital, Louise mit à sa disposition une de ses chambres de service qui servait de débarras. La reconnaissance de Jacqueline fut éternelle, pour le débarras et tout le reste.

— Jacqueline, je suis là...

Avec ses gaines de guingois et sa poitrine, sans forme, gonflée par les billets de banque, Louise s'était assise à côté de la veste.

— Quel bonheur de vous voir, Louise... Quel bonheur !

Les paroles de Jacqueline étaient une plainte.

— Je vous emmène à Megève avec moi. Vous ne pouvez pas rester là. C'est trop dangereux.

Elles se tenaient les mains, en face l'une de l'autre. Elles essayaient de sourire, malgré la gravité et la tension du moment.

— C'est impossible, je serais arrêtée au premier contrôle de police. Assez parlé de moi, donnez-moi des nouvelles de toute la famille. J'en avais par Éva, mais maintenant, vous êtes tous loin !

Jacqueline s'était occupée d'Éva, dès son retour à Paris en juin 1940. Ensemble, elles avaient meublé leur solitude. Tous les jours, Jacqueline se rendait chez Éva et ne rentrait qu'au dernier moment, juste avant le couvre-feu. Souvent, Éva dormait chez Jacqueline. Les chambres de bonne n'étaient pas encore visitées par la Gestapo ou la police de Vichy. Pour accueillir sa nouvelle amie, Jacqueline avait jeté sa collection de journaux, deux, trois numéros des « Grandes Courses d'avant-guerre ».

— Tout le monde va bien. Nous avons peur, pas plus que d'autres. Nous avons faim, plutôt moins que d'autres. Charles tourne en rond, s'ennuie, écrit pour ne pas perdre la main des pages et des pages qu'il enterre…

— Comment ça ?

— Il range ses feuillets dans des bouteilles et les met sous terre au pied du bosquet derrière le chalet. Tout cela serait trop compromettant si les Allemands débarquaient. Les enfants travaillent bien à l'école et Léonard fait sa taupe à Grenoble.

— Mazaltov… murmura Jacqueline malgré elle.

— C'est de l'hébreu, s'étonna Louise.

— L'hébreu et le yiddish me reviennent quand je parle toute seule. C'est-à-dire tout le temps. C'est le port de l'étoile jaune qui fait remonter les souvenirs… Comme attirés par le petit soleil cousu sur mon manteau…

— Je ne savais pas que vous étiez juive. Vous l'étiez si peu et…

— Et ?

— Et maintenant vous l'êtes tellement…

— C'est la « métamorphose nazie ». Vous étiez une femme banale et vous devenez une cible. Une cible qui cherche à comprendre la signification des cercles rouges et noirs tracés sur elle. La mémoire restitue intacts les enseignements juifs appris enfant. Ça devient obsédant, comme une douleur lancinante que rien ne soulage.

— Vous devez venir à Megève. Venez avec moi…

— Ici, j'ai mes petites habitudes. Et puis, j'aide des personnes plus menacées que moi. Je suis vieille, je peux leur filer entre les pattes. Pour les jeunes, c'est plus dangereux.

— Jacqueline, soyez raisonnable. La chasse à l'homme n'épargne pas grand monde.

— Je vais réfléchir. Peut-être, mais pas aujourd'hui. Vous partez seule, c'est moins risqué.

— Je suis venue chercher de l'argent et les tableaux. Nous n'avions plus rien pour vivre. Nous allons vendre ce qui peut l'être.

— Les tableaux sont cachés au milieu de mes journaux. J'avais laissé un indice sous le matelas… Elle montra à Louise la Une de *Paris-Soir* du 12 juin 1939, dernier anniversaire de Louise en temps de paix, sur laquelle elle avait écrit, « les cracks sont au 7e ciel ». Louise dans la précipitation n'avait rien vu !

— Je monte chercher les toiles... Déjà les pas glissants s'éloignaient dans le couloir.

— À quoi servent vos patins ? demanda Louise avec un sourire dans la voix.

— Ne pas faire de bruit en marchant, répondit Jacqueline interloquée par la naïveté de la question.

Mais les œuvres étaient impossibles à transporter, sauf deux petites toiles qui seraient faciles à revendre. On téléphona à Charles pour savoir quoi faire. Il fut décidé de laisser les tableaux au milieu des *Paris-Soir*. On verrait plus tard.

Entre Louise et Jacqueline, il fut convenu qu'on se téléphonerait tous les dimanches à 8 heures. Louise promit de faire parvenir des faux papiers à Jacqueline par l'abbé Bernard. Il venait tous les mois à Paris.

Enfin assise dans le train, Louise s'endormit comme une masse, en sécurité à côté d'un officier allemand qui lui fit des compliments sur sa beauté. Son instinct de survie lui fit pencher sa tête vers lui. Dans cette position, personne n'oserait lui demander sa fausse carte d'identité, ni fouiller ses dessous...

21.

19 juillet 1942

Juliette sursauta. Son cœur s'emballa. Elle jeta un coup d'œil au réveil, 3 h 40 du matin. Il était arrivé malheur à son fils.

— Oui, monsieur le Ministre, je vous le passe… Paul, c'est le Ministre.

Paul dormait d'un sommeil profond. Elle eut du mal à le réveiller.

— Le Ministre, mais qu'est-ce qu'il veut ?

— Demande-le-lui directement, dit Juliette en lui collant le combiné contre l'oreille.

Elle entendit l'écho d'une voix grave qui parlait vite et ne laissait pas l'opportunité à Paul de répliquer. Il s'était redressé et s'appuyait raide, contre la tête de lit, écoutait les yeux fermés. Par moments même, il crispait fort les paupières, comme un enfant qui fait semblant de dormir.

— Paul, t'écoutes ? demanda Juliette, intriguée. Qu'est-ce qu'il dit ?

— Chut … Chut … murmura-t-il.

La voix sourde se tut.

— Non, non, monsieur le Ministre, je disais chut à mon épouse. Entre Chartres et Pithiviers, j'imagine une soixante de kilomètres. J'y serai vers 5 h 30-6 heures. À quelle heure doivent arriver les premiers convois ?

— Dans la matinée. Mais vous devez mettre en place la logistique d'accueil dans la plus grande discrétion. Nous craignons que le passage de tous ces autobus n'éveille la curiosité des habitants. Pour accomplir notre mission, rien de pire que les rassemblements de curieux…

— Je ferai au mieux pour éviter les rassemblements autour du camp…

La voix sourde poursuivait au même rythme. Encore et encore des instructions précises.

— Dans la Beauce, il n'y aura pas d'incident. Je m'y engage personnellement.

La conversation était terminée, mais Paul ne bougeait pas. Il n'ouvrit même pas les yeux. On entendait le grésillement de la ligne coupée dans le haut-parleur du combiné. Sa main était crispée sur l'appareil.

— Je vais faire du café fort… intervint Juliette en l'embrassant sur le front.

— Pourquoi moi ? se désola-t-il. Pourquoi moi pour répondre aux exigences d'Adolf Eichmann de l'office central de la sécurité du Reich ?

Elle n'avait pas de réponse. Elle se tut. Ils restèrent ainsi en silence de longues minutes.

Paul était assommé. Deux mille enfants transférés de Paris vers Pithiviers... De quoi parlait le Ministre au juste, il n'avait pas bien compris. C'était tellement invraisemblable. L'arrestation à Paris de dix mille juifs étrangers, des apatrides, une rafle gigantesque et on ne savait pas quoi faire des enfants… On n'avait rien prévu… Et Paul dans tout ça ? Il n'était pas concerné *a priori*. Mais, il était le plus compétent et le plus proche pour remplacer au pied levé son collègue, ce pauvre préfet du Loiret qui était opéré d'urgence d'une hernie étranglée. Trois, quatre jours d'absence pas plus. À ce tarif-là, Paul aurait préféré être, lui aussi, opéré d'urgence. J'ai comme mal au ventre... se dit-il en se caressant le ventre, sans s'en rendre compte.

Maintenir l'ordre, surveiller les opérations, tenir bride serrée le directeur du camp dont la compétence était discutable, organiser la relève des forces de police, tenir la population à distance, recruter le personnel médical. Tout ça à la demande du ministre de l'Intérieur de Vichy.

Pourquoi ? En attendant le renvoi en Allemagne ou en Pologne de tous ces étrangers. Était-ce vraiment le rôle de l'administration française ? Qu'importait la réponse, Paul s'était engagé. Trop tard, pauvre vieux, il n'avait pas hésité au téléphone, alors pourquoi maintenant ? Pourquoi ce doute déchirant qui l'empêchait de sortir de son lit, d'affronter le regard de sa femme, de se sentir assez fort et armé pour aller constater des faits, prendre des décisions, donner des ordres et rédiger un rapport sur le camp de Pithiviers.

— Je t'accompagne si tu veux, dit Juliette pour sortir du silence.

Quand il ouvrit les yeux, le regard de Paul fut terrible. Une image furtive de Juliette au milieu de deux mille enfants l'avait saisi d'effroi.

— Il manquerait plus que ça... répondit-il, fuyant le regard inquiet de Juliette.

Des deux mains, il tâtonna sur la table de nuit pour trouver ses lunettes rondes en écaille. Juliette était, à chaque fois, émue par ce premier geste du matin. Elle avait l'impression de vivre avec un aveugle.

— Où vas-tu ?

— Remplacer le préfet du Loiret qui a été hospitalisé cette nuit.

— Pour quoi faire ?

— Assurer la logistique et l'ordre au camp de Pithiviers... Tenir la population locale à distance.

Paul parlait d'ordre, de logistique, pour rassurer Juliette et lui faire comprendre qu'il n'en dirait pas plus. Quand elle s'y mettait avec ses questions, c'était une torture pour qui ne voulait pas répondre ! « Pas une partie de plaisir », avait avoué le Ministre. Surtout, ce « bon courage, mon vieux » était trop familier pour être honnête...

— Pithiviers, peut-être pourras-tu trouver un bon gâteau. J'adore leur spécialité à la crème d'amande... J'en ai l'eau à la bouche.

— Si tu savais... Tu tomberais de haut !

Il n'en dit pas plus. Surtout pas de confidence, c'était mauvais pour la carrière et ça provoquait des scènes de ménage... Peu lui importait que Juliette se débatte toute la journée avec ses mystères, ses allusions, ses non-dits et tout le reste. De son côté, il ferait au mieux, pour être à la hauteur, pour faire son travail et mériter un coup de fil de félicitations et qui sait... une promotion. Sur place, il improviserait. La rigueur, l'organisation, la logistique il savait gérer. Le Ministre ne s'y était pas trompé !

22.

Chartres, 5 août 1942

Ma Lisette adorée,

Cette lettre est difficile à écrire. Depuis notre rendez-vous manqué, je l'ai recommencée de nombreuses fois et déchirée tout autant. Pour comprendre ton silence, je suis passée voir Jacqueline qui m'a tout raconté.

La sonnerie c'était moi, mais que j'étais sotte, bien sûr tu ne pouvais pas répondre. Je ne l'ai réalisé qu'après. Je me suis dit que ce n'était pas si grave de n'être pas venue gare de Lyon. Que cela allait être vite oublié à l'échelle de notre amour ! Je ne pouvais pas imaginer l'importance de ce voyage et tous les risques que tu as pris.

Paul me surveille. Il sait bien que pour toi, je vais contourner ses interdits… Ce jour-là, j'avais tout organisé pour venir mais il a dû se douter de quelque chose et a décidé de m'emmener en représentation, chez des maires à l'autre bout du département. Tu imagines ma journée à faire des risettes et des mondanités de pacotille, pendant que tu m'attendais seule dans un Paris menaçant…

Je comprends ton silence depuis, mais ne le supporte pas. La guerre ne réussira pas à nous fâcher. Elle nous a déjà séparées... Sans toi, je suis amputée ! Dois-je t'avouer que le jour de mon anniversaire j'ai attendu toute la journée ton appel, un signe... J'étais d'une humeur de dogue...

Je vois bien que les antagonismes se durcissent. Nos maris nous demandent de nous tenir à distance l'une de l'autre... Je comprends leur logique mais elle est insupportable ! Le traditionnel champ de bataille des soldats s'est déplacé dans les familles, chez les civils de notre pauvre pays écartelé. Chez nous, dans notre famille !

Chacun agit selon ses convictions. J'essaie de ne juger personne. Cédric s'est engagé dans les mouvements de jeunesse de Darnand. Paul est inquiet, car il les considère comme des voyous. Quand je demande à mon fils en quoi consiste son engagement, j'obtiens une réponse de gamin : « Je chasse du communiste toute la journée. » J'ai bien peur que le communiste soit aussi parfois juif... et là, je tremble.

Oui, je tremble, impuissante...

Je tremble car j'imagine Cédric chassant Léonard. Tu vas me répondre mais Léonard n'est pas juif... Mais que veux-tu ? Impossible de me défaire de cette image. J'ai peur de la tournure que prennent les choses... Mais que puis-je faire ? Cédric me jure qu'il se comporte bien... Va savoir ce qu'il entend par « bien » ... On ne le saura jamais et c'est peut-être mieux ainsi.

Dieu merci, vous êtes en zone libre. Cela me réconforte de vous savoir à l'abri.

Quand j'ai vu Jacqueline, elle m'a demandé des « précieux documents ». Pas pour elle, l'abbé Bernard s'est occupé de tout, mais pour une famille en mauvaise posture. Je ne peux rien faire pour eux, c'est impossible ! Comment devrais-je m'y prendre ? Je n'en ai aucune idée. Et puis je ne peux pas trahir Paul.

Ma petite vie de mondanités se poursuit. Je n'ai pas grand monde à qui parler. Les notables que nous fréquentons nous font des courbettes, mais se méfient dans le même souffle de notre proximité avec l'occupant. C'est un drôle d'univers, chaud et froid, rassurant et impitoyable. Par moments, j'ai peur mais Paul me rassure. Sa force se déploie ici au maximum !

Voilà, tu connais maintenant les contradictions de ma petite vie. Je te dois la vérité pour que tu comprennes mes réactions. Je te dois la vérité aussi et surtout parce que je t'aime.

Ne m'abandonne pas, je t'aime tant.

Embrasse tout le monde de ma part.

Juliette.

Megève, le 13 septembre 1942

Ma Juliette,

Je reçois aujourd'hui ta lettre du 5 août. Reconnaître ton écriture sur l'enveloppe a été une grande joie. Ce malentendu silencieux me pesait aussi. Nous sommes toutes les deux, par des chemins différents, arrivées à la même conclusion. Qu'est-ce qu'un rendez-vous manqué, à l'échelle de notre amour ! Mais tu me connais, je considérais que c'était à toi de faire le premier pas. Il est fait. C'est du passé, n'en parlons plus !

Que te dire qui puisse être lu par la censure sur notre petite vie de repliés ?

Je plaisante... Au diable la censure, elle ne me fait pas peur et j'espère que c'est ton cas. Peut-être, risques-tu plus que moi ? Je n'ai rien à perdre, je suis déjà dans l'œil du cyclone !

Après un été calme, fructueux en myrtilles, les cinq enfants ont repris le chemin de l'école. Léonard est bien décidé à réussir ses concours, pour pouvoir passer à autre chose. La politique, la lutte armée et tout l'attirail... Face à face avec ton fils... Mais pour l'instant, il est enfermé dans des salles de cours et cela me rassure plutôt.

Charles et moi, nous travaillons beaucoup dans le village pour aider des familles pourchassées par tes amis allemands.

Depuis les immenses rafles de juillet en zone occupée, les rescapés les plus chanceux passent en zone libre. Ici tous les hôtels sont pleins et la présence de tous ces gens demande une vraie organisation. Beaucoup d'enfants juifs, qui ont été séparés de leurs parents dans des conditions affreuses, sont rassemblés dans des homes avec un encadrement formidable.

Paul a-t-il connaissance de ce qu'on raconte sur ces départs vers l'Est ? Tu devrais lui demander. Où vont tous ces gens dont nous sommes sans nouvelle ? Et puis, de temps en temps, tu devrais écouter autre chose que Radio Paris... Où tout cela va-t-il nous mener ? Tu conviendras qu'il faut chasser les Allemands de France ? Tu n'espères quand même pas que les choses restent en l'état ? La France Libre ça représente quoi pour vous ? Pardon de toutes ces questions, mais j'aimerais comprendre. Pas juger... comprendre.

Je ne vais pas m'attarder sur la politique qui n'a jamais été un sujet entre nous, malgré nos maris... Nourrir la famille est devenu compliqué. Heureusement, je suis connue dans les fermes d'Alpage et ils privilégient les Mégevans de cœur, dont nous sommes. Tout se paie au prix du caviar d'avant-guerre, le cochon, les œufs, la viande, la farine. Merci pour tes recettes « sans ingrédients » ... Agathe y puise souvent nos menus maigres. J'espère que tu les distribues largement autour de toi, à défaut d'en faire un livre. La myrtille a remplacé à elle seule tous les fruits de l'univers. Après la guerre, les enfants en seront dégoûtés, c'est une certitude. J'ai eu la chance d'acheter une tablette de chocolat. Je l'ai cachée soigneusement dans mon linge. Quelle belle surprise pour Léonard, quand il viendra pour les fêtes !

J'entends qu'on m'appelle. Ta petite chérie qui revient de l'école, en éclatant de rire, comme toujours. L'air vivifiant de la montagne a donné encore plus de décibels à ses éclats de voix surprenants. Tu lui manques beaucoup. Elle a accroché ta photo, au-dessus de son lit. De temps en temps, elle ose demander de tes nouvelles... De moins en moins en présence de ses sœurs qui lui rappellent immanquablement que tu es du côté des méchants. Alors elle change de sujet avec finesse. De plus en plus, elle me parle de toi quand nous sommes seules… Pas très souvent, je l'avoue. Mais alors, c'est notre moment de chagrin à toutes les deux… à toutes les trois…

Je t'embrasse tendrement.

Ta Lisette.

23.

11 novembre 1942

Trois jours plus tôt, on avait dansé devant le poste. Quatre pas de valse, pour célébrer l'opération Tosch, le débarquement allié en Afrique du Nord. Une première victoire alliée, enfin une lueur d'espoir. La Cinquième Symphonie de Beethoven, puis le brouillage régulier de Radio Londres donnait le tempo. Au milieu du salon, Charles et Louise, les yeux dans les yeux, devant les enfants ahuris d'une telle désinvolture, avaient valsé un long moment bien après les messages personnels que personne n'avait écoutés.

Puis, le vent tourna et, en guise de défilé du 11 novembre, on assista à l'arrivée des troupes italiennes à Megève. Mais rien ne se passa comme on l'imaginait. La population angoissée s'était rassemblée, au centre du village, sur la place de l'Église, et profita d'une belle partie de rigolade. Comme il avait neigé toute la journée, la route était verglacée. Les mulets qui n'étaient pas ferrés à glace trébuchaient fréquemment et tombaient les quatre fers en l'air avec leur chargement. Pour les remettre à l'endroit, les soldats les tiraient par la tête ou par la queue en essayant d'éviter d'être entraînés dans leur chute. Les soldats étaient pitoyables, sans équipement contre le froid. C'étaient des Napolitains, pas rasés et épuisés. Même leurs plumes aux chapeaux contribuaient à l'ambiance « spectacle de cirque » plutôt qu'à l'arrivée tonitruante d'une armée conquérante et suréquipée.

Plusieurs régiments arrivaient. Par le Mont Cenis les « Alpini Sciatori » envahissaient la Maurienne, en route vers Chambéry et par le Petit Saint-Bernard et la Tarentaise en direction d'Albertville. Le passage des troupes se prolongea, au-delà de la nuit tombée, mais les habitants depuis longtemps étaient rentrés se réchauffer.

Sauf Louise et Charles qui avaient été convoqués chez Mlle Lucas, la directrice du Cours Florimontane, pour des « manquements graves » de leurs enfants à la discipline de l'établissement. Rien que ça !

— Savez-vous pourquoi je voulais vous voir ? commença la vieille fille, face aux parents recroquevillés sur leur chaise.

— Non. Nous vous écoutons…

Louise accompagnait les paroles de son mari, de mouvements furtifs de tête. Elle était passée du hochement horizontal au hochement vertical.

La directrice afficha une moue dédaigneuse, puis une petite grimace de contentement devant sa capacité à faire durer le suspense. Charles pourtant ne la lâchait pas du regard. Pendant ce silence prolongé, il mesura une nouvelle fois à quel point ses enfants étaient en danger dans cette école. L'occupation de la zone libre plaçait le grand danger au centre de leur vie, et surtout sur les bancs de classe…

— Vos filles ont une mauvaise influence sur leurs camarades et plusieurs parents se sont plaints…

— Venons-en aux faits, si cela ne vous dérange pas, s'impatienta Charles.

— Quelle est la religion de vos enfants ?

— Quel est le rapport ? Quel est le lien entre la religion et la discipline ?

— Monsieur, c'est moi qui mène l'entretien. S'il vous plaît, gardez votre calme et répondez à mes questions.

Louise posa sa main sur le genou de son mari.

— Catholiques, chère mademoiselle. J'ai avec moi les certificats de baptême, rétorqua Louise, plus altière que jamais, en tirant sur la sangle de son sac à dos, pour joindre le geste à la parole.

— Je vous en prie. Votre parole me suffit. Mais comme les avis sont partagés dans le village, je préfère vous demander directement…

— Quel est le rapport ? Venons-en aux faits, intervint une nouvelle fois Charles, au bord de l'explosion et la directrice dut le comprendre car elle arrêta de tourner autour du pot !

— Elles organisent à chaque récréation une grande bataille entre les Allemands et les juifs… Elles jouent aux juifs et aux Allemands en divisant la cour de récréation en deux groupes… Chacune à tour de rôle prenant le commandement de l'un des groupes …

— Ah ! Et alors ?

— Certains enfants font des cauchemars, d'autres ne veulent plus venir à l'école de peur de se faire arrêter à la récréation…

— Ce sont des jeux d'enfants sans conséquence…

— Au début j'ai pensé comme vous. Mais maintenant, ça a trop duré et pris une importance démesurée. Il faut que cela cesse.

Charles et Louise étaient mi-amusés, mi-affolés. Ils se regardèrent pour essayer de trouver chez l'autre l'attitude à adopter.

— Elles ne font que jouer avec la réalité de la guerre. Toutes les époques, je suppose, ont pesé sur les imaginations des enfants…Vous devriez convoquer Hitler dans votre petit bureau et lui expliquer…

Louise lui coupa le sifflet.

— Mon mari plaisante… Oui, dix fois oui, nous allons

faire en sorte que ces jeux cessent au plus vite. Dès demain, vous pouvez…

— Vos filles sont renvoyées une semaine pour calmer les esprits, la coupa la directrice qui avait repris son « ton vichyssoise » selon l'expression de Charles.

— Vous n'y allez pas de main morte ! s'offusqua Charles.

— Cette sanction ne sera pas notée sur leur bulletin de fin d'année.

Charles se leva brusquement en renversant sa chaise de bois qui claqua sur le carrelage. Le visage anguleux de cette femme lui déplaisait, il l'avait assez vu, elle, ses manières de mijaurée et son regard fuyant.

— Finalement, je veux bien voir vos actes de baptême, comme ça leurs fiches seront en règle…

— Quelles fiches ? s'énerva Charles. Vous êtes de la police ?

— Je t'en prie, Charles. Mlle Lucas a raison, il vaut mieux que tout soit en règle. Tenez, vous pouvez les garder plusieurs jours si besoin…

Après un coup d'œil rapide, la directrice remercia avec un chevrotement de nervosité. Louise et Charles prirent congé, sans autre commentaire. On se serra la main, avec froideur.

En chemin, la dispute éclata.

— À quoi ça sert de provoquer la directrice ? Si elle chasse nos enfants, où iront-elles à l'école ?

— Elle voulait vérifier leur religion. Elle a peur d'avoir des ennuis avec les nouveaux occupants. Il y a trop de juifs dans son établissement. C'est une faux jeton de première.

— Qui ne l'est pas ? On a plus besoin d'elle, qu'elle de nous. On n'est rien, des pauvres repliés, sous un faux nom, recherchés par les nazis et en plus on fait les fiers, on fait de l'humour pas drôle et on se croit malin…

— On ne va pas se laisser dicter l'éducation de nos enfants par cette vieille fille ratée… Je peux leur faire la classe. Ils apprendront plus…

— Tu imagines les enfants coupés du monde, enfermés au chalet, avec interdiction de voir d'autres enfants, comme s'ils étaient trempés dans le formol. Et pour Émilie qui doit passer son bac, on fait comment ?

Les filles furent punies comme jamais. On ne les y prendrait plus de jouer à ces jeux idiots...

En remontant au chalet ce jour-là, Louise reçut un coup de fil de Jacqueline pour la prévenir qu'Éva ne se levait plus et avait déclaré vouloir mourir. Elle lui avait fait promettre de ne pas prévenir ses fils et de ne pas la quitter jusqu'à que dieu daigne la rappeler à lui ! Louise alluma des cierges, pria, prévint l'abbé Bernard, se montra tendre vis-à-vis de Charles et attendit le coup de téléphone suivant.

24.

20 décembre 1942

La dernière volonté d'Éva était écrite en allemand. Seule la date, en français, indiquait qu'Éva l'avait rédigée la veille de sa mort. Ce fut Jacqueline qui prévint Charles et Charles prévint Roland et Gilbert. Leur mère s'était éteinte tout doucement comme une bougie, dans son lit, dans son sommeil. Pour l'enterrement, il fallait faire vite, autrement le corps partait à la fosse commune. On n'avait pas le droit d'attendre.

Ensemble, ils cherchèrent celui qui prendrait le moins de risque en se rendant à Paris. Gilbert se désigna, il était déjà en zone occupée. À Dijon, il avait repris ses consultations de médecin sous une fausse identité. Heureusement, jamais personne n'eut la mauvaise idée de lui demander son diplôme. Sa fausse identité le protégeait et lui permettait de circuler librement. Il l'avait obtenue grâce à une secrétaire interprète de la Kommendantur de Dijon, dont il avait sauvé la petite fille de quatre ans. Gilbert était un bon médecin que ses patients aimaient, même si certains émettaient des doutes sur ses origines.

Alors qu'il se recueillait, près du corps de sa mère, Gilbert découvrit la feuille blanche pliée en quatre, glissée sous le pied de lampe de la table de nuit. À l'enterrement, le lendemain, il décida de lire le texte. Le lire pour qu'une voix s'élève, dans le carré juif du Cimetière de l'Est parisien, cerné par les indics de la Gestapo. Gilbert et Jacqueline s'y étaient retrouvés, glacés de tristesse et d'effroi. Seuls avec les porteurs des Pompes funèbres qui se signaient ostensiblement pour bien montrer qu'il ne fallait pas confondre travail et religion. La dernière volonté d'Éva ferait office de prière. Le rabbin du coin ne prenait plus le risque de venir enterrer ses morts, surtout ceux qu'il ne connaissait pas.

À mes trois fils adorés,
Roland, Gilbert et Charles,
Ne soyez pas triste, je pars heureuse de retrouver votre père et comblée du bonheur que vous m'avez toujours donné. Soulagée aussi de ne plus trembler pour vous à chaque seconde de cette nuit noire. Je vous demande de réciter ensemble le Kaddish. Vous vous réunirez un vendredi soir, à l'entrée d'un shabat de votre choix. Vous réciterez le Kaddish en allumant les bougies, un Kaddish pour votre père d'abord, puis un pour moi. Celui de votre père doit être chanté haut et fort. Il a trop d'années de retard. Le mien, vous pouvez le murmurer, d'où je suis je n'ai rien d'autre à faire que d'être attentive à toutes vos paroles. Ne prenez aucun risque pour réciter ces prières. Attendez la fin de la guerre. Je ne suis plus pressée. Votre mère qui vous aime à la folie, au-delà de la vie.
Éva

La gare de Sallanches était traversée de courants d'air. On supportait moins le froid par crainte de ne pas pouvoir se réchauffer. On n'allait pas gaspiller le charbon pour un petit coup de froid. L'hiver ne faisait que commencer. La température était descendue bien en dessous de zéro, depuis plusieurs jours. Noël serait blanc, les enfants étaient aux anges.

Charles, sur le quai, sautillait, le nez rouge et les mains glacées en attendant le train. Venir chercher ses frères à la descente du train était une folie, mais aucun argument ne lui avait fait changer d'avis. Ils avaient traversé la France, il pouvait bien descendre la montagne ! Et il était tellement heureux de l'animation créée par cette visite. Roland s'installait au chalet. C'était là qu'il avait envie de vivre, plutôt que tout seul dans le Sud, maintenant que sa femme l'avait quitté. Charles s'en réjouissait car il rêvait de conversations politiques sérieuses, sans crainte de se faire dénoncer, et surtout il voulait parler d'avenir, de projets, de travail. Il voulait monter une société d'identification des œuvres d'art. C'était une idée comme une autre pour tromper la monotonie des jours. Le prétexte de devoir se cacher ne lui suffisait plus pour se tenir tranquille. Il n'en disait rien à Louise. À quoi cela aurait servi de l'inquiéter ? Elle était si tendre depuis son retour de Paris, se laissant aimer avec une soif de plaisir perdue depuis le début de la guerre. Belle période pour leurs ébats nocturnes ! Comme quoi la vie savait faire des cadeaux.

Depuis l'exode, c'était la première fois qu'ils allaient être tous les trois réunis. La dernière volonté d'Éva ne pouvait pas attendre. Il y avait trop de risque à ne pas pouvoir la réaliser avant d'être soi-même emporté par les vents contraires. Pas un jour sans qu'une connaissance ne soit arrêtée. Les humiliations, les rafles, les menaces, les dénonciations prenaient de l'ampleur.

Cette histoire de Kaddish obsédait Roland. Il avait tout précipité, considérant que les distances, les passages d'une zone à l'autre, les faux papiers, les billets de train hors de prix n'étaient pas des obstacles. Une prière juive, ce Kaddish des morts prononcé à Noël, la concomitance des dates aurait plu à Éva, elle qui voulait tellement s'intégrer à la société française.

Avant d'apercevoir ses deux frères, Charles fut surpris de voir descendre autant d'uniformes. Depuis un mois, il n'existait plus de zone libre. La Savoie était occupée par les Italiens, mais on voyait de plus en plus d'Allemands. Il ajusta son béret pour essayer de cacher son nez. La propagande allemande lui courait dans la tête. Et une question incongrue l'obsédait : avaient-ils l'air juif tous les trois ? Il sourit. Pendant qu'il se creusait la tête pour trouver la réponse, il avait moins froid et moins peur.

Il ne vit pas Gilbert venir à lui, en rasant le train pour ne pas se faire remarquer. L'accolade fut chaleureuse et longue. Puis Gilbert sortit de sa poche un vieux portefeuille de cuir noir. Avec mille précautions, il montra à Charles la lettre d'Éva qui ne le quittait plus depuis qu'il l'avait trouvée près de la dépouille de sa mère.

— Quelle folie d'avoir traversé la France, en portant sur toi la preuve que tes papiers étaient faux, murmura Charles, un peu abasourdi de l'inconscience de son grand frère.

Il était le même, aussi tête en l'air que dans leur enfance. Il lui caressa le dos tant il était heureux de sa présence. Au bout du quai, comme sorti de nulle part, Roland marchait vers eux. Ils n'avaient pas voyagé ensemble pour ne pas se faire repérer. Charles fut frappé de la mauvaise mine de son grand frère. Il paraissait tout ratatiné. Des yeux, il questionna Gilbert.

— Jean s'est fait arrêter par la Gestapo la nuit dernière, murmura-t-il à Charles.

— À Paris ?

— Oui et Roland, avant de partir, a remué ciel et terre, mais n'a rien pu savoir. Il a même téléphoné à ton beau-frère… Mais il va te raconter… Chut.

— Bienvenue dans le calme des montagnes savoyardes, monsieur mon Grand-Frère. Le ton de Charles sonnait faux. Que dire, à part : viens, on va sortir Jean de leurs griffes !

Ce que Roland répondit fut oublié dans l'émotion. Il esquissa un sourire triste et fatigué, sans avoir ni la force, ni l'humeur pour des accolades démonstratives. Pourtant, Charles était bien la seule personne au monde qu'il eût envie de voir. Dire qu'ils avaient travaillé dans le même bureau au journal, tous les jours depuis vingt ans, et ne s'étaient pas vus depuis presque deux ans.

Charles le trouva vieilli, comme si d'un coup il avait changé d'âge. Ou peut-être était-ce sa maigreur, sa barbe de deux jours, ses yeux tristes, son visage sombre... Il avait quitté un homme vaillant et fort, il ne le retrouvait pas.

— Ils sont partout. Nous sommes en zone occupée par les Italiens mais ça ne durera pas. C'est une transition…

— Trompe-l'œil les Italiens, commedia dell'arte, ce sont les Allemands qui dirigent, coupa Roland. Aucune raison qu'ils fassent de cadeau.

— Trop de juifs se sont réfugiés à Megève. C'est une cachette qui n'en est plus une. Les Savoyards sont des durs à cuire et, pour l'instant, la distance de sécurité est à peu près respectée. Mais cela ne durera pas ! Profitons d'un dernier Noël ensemble…

Charles regretta immédiatement cette phrase idiote. Il venait de prononcer deux mots grossiers : profiter et ensemble. Il crut voir les yeux de Roland se remplir de larmes.

— Montons au chalet, dit-il en tapant dans le dos de son frère pour l'entraîner vers la sortie. Nous aurons chaud près de la cheminée. Dans les autres pièces, il ne faut jamais quitter son manteau, surtout la nuit !

Les trois frères prirent place au fond de l'autocar, sans se soucier de la guerre, des uniformes, des plaques de verglas, des risques de se faire repérer, de l'avenir, du danger. Tous ensemble, ils pouvaient être pris pour une bande de terroristes, mais, tant pis. Ils ne voulaient pas se séparer, alors qu'ils venaient de se retrouver pour prier en souvenir de leur mère et enterrer leur enfance. Ils se serrèrent les uns aux autres, sans même s'en rendre compte. Assis au milieu, Roland semblait avoir retrouvé son rôle d'aîné. Mais c'était imperceptible pour les occupants du bus, car au premier coup d'œil, il était difficile d'établir un lien de parenté. Charles était le plus petit des trois en taille et en âge. Un peu moins rond après deux ans de guerre mais toujours avec son même regard bleu clair, et ses cheveux blonds gominés, coiffés vers l'arrière. Sauf en ce moment où la brillantine venait à manquer. Il aimait la vie et dégageait une maturité sereine. Il n'avait peur de rien, à un point qui parfois frisait l'inconscience.

Ce jour-là, il avait eu raison. Le trajet jusqu'à la place de l'église de Megève se déroula au mieux. Une heure et demie de route, pendant laquelle les trois frères somnolèrent bercés par le ronflement du moteur et les commentaires du conducteur après chaque virage qu'il était heureux d'avoir passé sans déraper sur une plaque de verglas. Personne dans le car n'écoutait le catastrophisme de celui à qui les avait confiés leur destin. Rouler sur une route de montagne, même avec des pneus lisses, était un risque raisonnable en cette période troublée !

Charles se crispa légèrement quand il aperçut Louise en grande conversation avec l'abbé Bernard, à l'arrêt de l'autocar. Malgré le froid, l'homme d'Église était en soutane, sans manteau. Louise semblait vouloir le persuader de quelque chose. Encore une de leurs confidences qui agaçaient Charles.

Il n'était pas jaloux. Pas vraiment, mais il soupçonnait chaque phrase de l'abbé Bernard d'être un nouveau risque pour Louise. Elle était de plus en plus impliquée dans ses activités. Et celle-ci grossissaient avec le durcissement de la guerre.

Megève, était devenu un refuge géant d'orphelins. Des centaines d'enfants y formaient une communauté affaiblie par trop de malheur. C'était pour la plupart des juifs aux parents déportés, mais aussi des enfants rescapés des villes détruites par les bombardements.

Comme Louise s'y connaissait en dispensaire, en orphelinats, en enfances perturbées, on lui confia l'organisation d'un dispensaire médical au beau milieu du village. Il fallait surveiller de près les enfants de santé fragile, afin qu'ils ne fassent pas courir de risque aux autres.

Certains jours, Louise partait à l'heure où les enfants

allaient à l'école et ne rentrait que pour leur donner le bain. Elle était généreuse d'elle-même, ne ménageait pas sa peine et n'éprouvait aucune fatigue.

— Vous viendrez demain soir pour le dîner de Noël, demanda Louise à l'abbé Bernard, déployant son plus beau sourire.

— Pourquoi me mettez-vous en situation de refus, belle enfant ? Vous savez bien que c'est une nuit propice à nos activités.

— Oui, oui, suis-je bête ? J'espérais... que vous pourriez m'accorder... nous accorder... une petite faveur.

— Non, Louise. Mais je suis étonnée de votre insistance, ce n'est pas dans vos habitudes d'exprimer des caprices...

— D'enfant gâtée... C'est plus compliqué que cela !

Louise était déçue, même triste soudain. Elle aurait aimé avoir un cœur catholique à sa table de Noël. La juste récompense de tous ses efforts ! Autour d'elle, il n'y avait que des adultes qui ne comprenaient pas l'importance de cette fête. C'était peut-être son dernier Noël et elle le vivait au milieu de juifs ou pire d'athées. Inviter le curé lui trottait dans la tête depuis longtemps, mais elle n'avait pas osé lui en parler avant.

La présence de l'homme d'Église aurait pu aussi compenser l'absence de sa sœur. La religion, c'était leur affaire à elles deux, leur jardin secret. Les enfants, les maris, n'y comprenaient rien. Petites déjà, le dimanche à l'église, elles se donnaient la main pour rester bien sages derrière leur mère qui chantait à tue-tête. Elles s'aimaient, aussi, à travers leur croyance. Leur amour de Dieu participait du leur. Pour Louise, Noël était la fête de Juliette et réciproquement. Depuis toujours, ensemble, elles imaginaient le menu de fête. Ensemble, elles mettaient au point les cadeaux de chacun, ensemble elles fêtaient Noël, le cœur heureux de s'aimer et d'avoir élargi le cercle familial au fil des années. Ensemble, à la messe de minuit, épaule contre épaule, elles priaient, au nom du père, du fils surtout, et du Saint-Esprit, bien sûr !

Louise était livide quand elle embrassa ses beaux-frères.

— Tu sembles heureuse de nous voir ! lui dit tout doucement Roland, en caressant du dos de la main ses joues creusées par les privations et rosies par le froid.

Elle ne pouvait pas lui répondre. Ses forces devaient servir à étouffer le sanglot qui lui nouait la gorge, elle se frotta contre lui en signe de bienvenue.

Elle était heureuse de le voir et si triste de ne pas accueillir sa sœur.

Elle devait réprimer un sanglot de joie, de tristesse et de fatigue. Un sanglot de lassitude qu'elle n'avait pas vu venir. À force d'avoir peur, de ne jamais se plaindre, et de ne plus parler à Juliette pour se soulager de tout, elle avait enfoui trop de choses en elle. Charles s'était approché de sa femme, pour la prendre dans ses bras. En un coup d'œil, il avait compris qu'elle luttait pour ne pas s'effondrer sur la place de l'église. Les bras réconfortants de son mari lui firent du bien. Il avait cette façon particulière de la prendre contre sa poitrine pour la protéger du monde. Une vraie bouée de sauvetage.

L'ascension du calvaire, trois kilomètres de montée dans la neige fraîche, se fit en silence. On se méfiait de la nuit et de son cortège d'oreilles indiscrètes. Seul, Roland jurait quand il glissait à cause de ses chaussures de ville et se retrouvait les mains dans la neige. Il ne sentait plus ses doigts à peine protégés par des gants de laine trempés. Gilbert avait été plus prévoyant ou plutôt il avait eu la chance de pouvoir acheter à un de ses malades une paire de bottines doublées et antidérapantes. Bien qu'un peu grandes, il ne se plaignait pas, trouvant son sort bien agréable en écoutant les jurons de douleur de son frère.

— Jamais je n'arriverai à me réchauffer. Tu aurais pu nous prévenir qu'on se retrouverait sur le bien nommé « Chemin du Calvaire » ! Je n'avais pas pensé, quel idiot je suis, que la guerre et ses pénuries nous obligeraient à monter à pied !

— Regarde le ciel, comme il est étoilé, répondait Charles, tu en oublieras tes pieds !

— De toute façon, j'ai laissé mes chaussures de montagne à Paris. Et à l'heure qu'il est, l'appartement a dû être pillé. Remarque, ils n'ont peut-être pas pensé à prendre, dans la cave, les vêtements de montagne.

— Pensons à autre chose, suggéra Charles.

— Il vaut mieux que je pense à mon fils en train de se faire torturer, répliqua Roland, la voix cassée par l'émotion.

Plus personne ne parla. On accéléra le rythme pour arriver plus vite au chalet, se réchauffer et partager les dernières nouvelles. Jean était le premier de la famille à tomber dans les mains de la Gestapo. Comme les trois frères étaient recherchés, tout le monde était en danger. Allait-il résister à la torture ? Parlerait-il de son réseau de jeunes résistants ou des planques de sa famille ? Qui pouvait savoir ?

Les trois frères ne savaient pas encore qu'ils auraient des avis bien différents sur les conséquences de cette arrestation. Roland était isolé dans sa volonté de déménager toute la famille en Suisse. Probablement parce que c'était son fils, que le danger lui chatouillait les pieds, que la culpabilité s'en mêlait ou peut-être parce que la mort de leur mère donnait à son rôle d'aîné un relief particulier. C'était simple : il fallait juste faire les comptes, trouver l'argent et les filières fiables. Et… on dégageait.

Gilbert n'envisageait rien de tel. Réciter le Kaddish pour sa mère et repartir au plus vite était son seul désir car être loin de sa femme l'angoissait. Les situations basculaient si vite. Il n'avait aucunement l'intention de changer de vie. Il continuerait à circuler avec ses faux papiers. Il continuerait à pratiquer la médecine et à se faire payer parfois. De moins en moins souvent car ses honoraires étaient marchandés. Il pratiquait la médecine de façon illégale puisqu'il était juif, alors on lui demandait des petites ristournes... Les temps étaient durs pour tout le monde.

Quant à Charles, sans rien dire à personne, il s'était engagé dans la résistance pour rejoindre les combattants de la France Libre. Avant tout, sa préoccupation était de trouver une planque fiable pour Louise et les enfants. Louise refusait de quitter la France. Son fils devait bientôt intégrer l'École polytechnique et rien n'était plus important. Charles considéra donc que l'arrestation de son neveu ne changeait rien à ses plans. De toute façon, il savait que le chalet n'était plus un lieu fiable. Plus du tout.

25.

21 décembre 1942

Pendant le déjeuner Charles fut exécrable, critiquant tour à tour la guerre, la dernière volonté de sa mère, les topinambours, le froid, la difficulté de vivre, les nazis. Louise comprit qu'il parlait de tout, pour ne pas dire l'essentiel, ne pas avouer ce qui le préoccupait vraiment.

Depuis l'arrivée de ses frères la veille, tout semblait s'être compliqué et son humeur se dégradait. Son visage était crispé sur une grimace qui ne lui ressemblait pas. Sa disponibilité pour un bon mot avait disparu. Il était ronchon, comme quelqu'un qui couve une grippe. Pendant la nuit, Louise l'entendit remuer. Plusieurs fois, à moitié endormie avec une voix nasillarde, elle le supplia de se confier pour ne pas ajouter de l'anxiété à l'anxiété. Mais elle se rendormait avant qu'il se décide à parler. Quand elle s'était levée à 5 heures, se précipitant dans la nuit noire pour arriver la première dans la queue de la boulangerie, il dormait enfin, la bouche ouverte et le souffle bruyant. Elle évita de frôler sa main, comme elle le faisait souvent en se levant pour lui signaler qu'elle quittait les lieux. Surtout ne pas le réveiller ! Cela lui donnait un peu de répit.

Autour de la table, Louise s'agitait pour faire diversion, parlant de tout et surtout de rien. Mais Roland, n'y tenant plus, mit les pieds dans le plat.

— En période de guerre, il vaut mieux tout se dire. Les choses basculent encore plus brutalement et après il est trop tard pour regretter des silences cachottiers…

— Tu as raison… Nous t'écoutons si tu as quelque chose à dire, répondit Charles en décrochant le premier sourire depuis deux jours. La malice dans ses yeux rieurs était réapparue.

— Lâche le morceau, Charles, nous sommes inquiets en permanence, alors n'en rajoute pas une louche.

Louise s'éclipsa. Elle savait que, pour ne pas l'inquiéter, il lui disait les choses avec retard, le temps d'avoir tout arrangé. À ses frères, il se confierait plus facilement.

— Même la guerre embellit Louise. Elle est splendide, murmura Roland. Il savait que Charles ne résistait pas à un compliment sur sa femme.

— Trop belle pour passer inaperçue dans ce village bourré de collabos, pesta Charles.

Roland avait visé juste.

— Nous ne sommes plus en sécurité ici. Pas à cause de l'arrestation de Jean, mais des dénonciations.

Tout le monde retint son souffle. Louise aussi. Derrière la double porte battante de l'escalier, elle attendait la confidence. Pour que Charles ne se méfie pas, elle fit du bruit avec le monte-charge qui servait à monter les plats chauds de la cuisine située au sous-sol du chalet. Ce fameux monte-charge, dont Charles était si fier, il l'avait imaginé, à la construction du chalet, pour éviter de déguster les plats froids dans la salle à manger, un étage au-dessus.

De la poche arrière de son pantalon de velours râpé, il sortit la page déchirée d'un cahier d'écolier et la tendit à Roland.

— C'est le postier qui me l'a remise hier. En dérobant les

lettres de dénonciation, il aide les gens à prendre conscience du danger grandissant, ici en zone sud. C'est un brave type, au grand cœur. Certains noms sur les enveloppes lui donnent de l'urticaire.

— Je vous laisse lire... Celle-là, il a pu l'arrêter...

Roland se décida à lire à haute voix. Si on peut dire... on entendait à peine le début des mots.

À M. Darquier de Pellepoix

J'ai l'honneur de présenter à votre haute et bienveillante attention l'exposé suivant :

Garde champêtre assermenté, au village de Megève (Haute-Savoie), nous avons comme résident avec toute sa famille un nommé Charles SS, juif 100 %, sans référence militaire, qui dispose de nombreux tickets d'alimentation. Mais en plus, il profite du marché noir avec son argent abondant. Comme ils se cachent dans les montagnes, leur oisiveté ne donne pas l'exemple pour répondre à la morale salvatrice de l'État français qui prône le travail.

Comment se fait-il aussi que cet individu ne soit pas inquiété par vos services ? En tout cas, sa présence dans notre village est des plus suspectes. Son aplomb insolent est un défi révoltant ; ayant déclaré un jour à haute voix : « Les juifs en connaissent plus long que les Français. » Il a été appelé plusieurs fois à l'hôtel de ville pour sa situation de juif, mais il est toujours retombé sur ses « pattes ». Grâce à quelles influences occultes ? Sa femme, aux cheveux noirs et à la peau mate comme les israélites, se rend régulièrement à l'église. Nous l'avons même vue communier le dimanche. Quel blasphème ! Mais cette couverture ne trompe personne. L'attitude de ces gens n'est que duperie et lâcheté.

En attendant, ce cas ne peut s'éterniser, son dossier doit être riche en surprises. Il serait ridicule que les uns aillent de l'avant pour se laisser étrangler par-derrière !

En conséquence, je viens vous demander qu'une enquête sévère soit faite sur cet individu. Dès maintenant, il s'agirait de savoir de quelle autorité il est exempt, d'après lui, de porter l'insigne « Juif », qui devrait être imposé aussi en zone sud.

Croyez, monsieur Darquier de Pellepoix...

Jean Duvillain.

Le sifflement d'admiration de Roland surprit tout le monde.

— Bien écrite la lettre ! Est-ce qu'ils ne sont pas dans la catégorie des illettrés les garde champêtres d'habitude… ?

— C'est l'amant de la directrice d'école, Mlle Lucas. C'est elle qui a dû rédiger le brouillon qu'il a recopié en tirant la langue… Louise ne me croit pas quand je dis que cette femme joue un double jeu. Le postier me l'a confirmé…

— C'est l'école des en… s'inquiéta Roland.

— Oui, malheureusement oui… murmura Charles, soudain très abattu.

Tant de haine laissait sans voix. Saisis les « 100 % juifs » !

Louise ne respirait plus. Elle était pétrifiée. Des images horribles de la directrice arrêtant les enfants lui trottaient dans la tête. Au secours ! Dans quel monde vivait-on ? L'école dans laquelle se rendaient ses enfants tous les jours était tenue et surveillée par des gens qui rêvaient de les dénoncer. Même plus, qui s'employaient à présent à les dénoncer… C'était une sensation douloureuse d'avoir identifié la menace, sans pouvoir la combattre… Combien de temps resta-t-elle figée avec le plat de pommes chaudes, puis froides entre les mains ? Quand Agathe surgit de l'escalier, elle poussa un petit cri idiot et les pommes s'explosèrent sur ses chaussures. Tant pis pour le dessert. De toute façon, plus personne n'avait faim.

— Dick, ne mange pas les pommes. Tu vas avaler la porcelaine avec.

— Dick, arrête, criait Louise en tenant le chien par le collier.

Autour de la table, les risques encourus par le chien trop gourmand n'émurent personne. Les hommes parlaient de sujets sérieux !

— Pour passer en Suisse, il faut trouver une filière fiable. Par notre ami l'abbé, j'ai une piste. En échange du chalet, le passeur nous garantit un risque zéro, dit Charles, la voix blanche.

— Le chalet ! Mais tu es fou !

Bien sûr que c'était fou. C'était faux d'ailleurs. Il n'avait aucune filière. Roland était près de ses sous et ça irritait Charles. Il ne supportait pas la pingrerie de son frère. En sa présence parfois, à Veulettes ou dans les fêtes de famille, il dépensait au-delà du raisonnable pour le provoquer. Roland s'en moquait éperdument, ce n'était pas son argent... Charles était persuadé du contraire.

— Le chalet contre nos vies ! Quel est le prix de nos vies ? Tu sais leur donner une valeur toi, tu sais ? répliqua Charles qui cherchait la bagarre.

Il savait que c'était peu vraisemblable, que cela n'avait aucun sens. Mais il faisait comme si c'était envisageable pour rien.

— Les repères ont changé...

Charles ne lui laissa pas le temps de finir sa phrase.

— Tu donnerais ta maison pour sortir ton fils de prison ? Mais bien sûr que tu la donnerais. Alors, moi j'ai sept vies à sauver. L'un dans l'autre, ce n'est pas cher. Tu sais, les grands calculs, on peut oublier !

Une ride nouvelle apparut au coin des yeux de Roland. Il frissonna. Qu'il faisait froid, soudain ! C'était pénétrant jusqu'aux os. Même dans les tranchées en 14, il n'avait pas ressenti une sensation aussi glaçante. Non, il exagérait, sa perception était perturbée par les circonstances. Son fils entre les mains de la Gestapo, c'était insupportable. Charles n'eut pas la cruauté de poursuivre cet affrontement verbal, puéril et inutile. Il se leva pour remettre du bois dans la cheminée.

Louise choisit ce moment pour réapparaître. Une crispation triste, un accablement particulier régnaient autour de la table. Chacun était perdu dans ses pensées, le regard vague et le dos rond. Elle eut envie de taper dans ses mains pour les sortir de leur torpeur et de crier « Allez, Messieurs, on se redresse » ! Mais elle ne dit rien, à part des banalités d'une voix mondaine qui ne lui ressemblait pas, sur le manque de café et le goût de la chicorée. Sa voix masquait sa terreur : les enfants étaient entre les mains des dénonciateurs.

Puis, ce fut l'heure de s'occuper de la dernière volonté d'Éva. Il fallait joindre l'opératrice, établir la liaison, se rassembler autour du téléphone et répéter le kaddish. Appliquer scrupuleusement les recommandations de la lettre. Tous les trois, ensemble dans la prière. Une grande première ! Quelle drôle d'époque, pensait Charles sans oser formuler à quel point il trouvait tout cela farfelu.

L'idée venait de Roland. Aucun d'eux ne connaissait la prière, il fallait bien trouver un professeur. On aurait pu demander à un réfugié juif de Megève, mais cela manquait de discrétion. Le mieux était d'appeler le cousin Joseph qui parlerait lentement, il s'y était engagé !

Pour l'occasion, il sortirait de sa cachette. Lui le Kaddish, il connaissait, il y avait eu tellement de morts dans sa vie ! Mais ça n'avait pas été simple à organiser. Le cousin avait déjà échappé à plusieurs rafles. Il se méfiait des rendez-vous, même familiaux, surtout que les endroits avec un téléphone en fonctionnement étaient rares. Mais pour se prouver qu'il était toujours un homme, Joseph n'aurait loupé pour rien au monde cette mitzva. Être digne lui importait encore.

— Parle plus fort et articule, il y a du grésillement sur la ligne, dit Gilbert dont le visage crispé témoignait de son effort pour comprendre les paroles de Joseph. Comme il était le seul des frères à avoir reçu une instruction religieuse, on l'avait mandaté pour tenir le combiné et répéter les paroles sacrées en articulant. Roland et Charles répéteraient après lui, et ainsi de suite.

— *Yitgadal Ve'Yitkadach chema raba*... Avez-vous pensé à mettre une kippa ? Êtes-vous debout ? C'est une prière qui se lit debout.

Ils se levèrent comme un seul homme.

— Aucune kippa dans ce chalet... murmura Charles à ses frères pendant que Roland appuyait fort sur le micro du combiné.

— Ne quitte pas, Joseph. Louise nous apporte de quoi nous couvrir la tête.

Louise attrapa ce qui traînait sur la table du déjeuner.

Charles avait du mal à retenir son rire. Roland s'énervait contre la pointe de dentelle de la serviette qui lui chatouillait l'oreille. Gilbert avait enfoncé un porte-serviette ouvert sur lequel étaient brodées ces initiales soudain incongrues « SS ». Charles lui tendit une autre serviette en dentelle. Même avec la grosse tache de sauce, c'était plus neutre. Quant à lui, il tenait tant bien que mal un des petits coussins rouges du canapé. Au moins celui-là avait un cœur au centre pointé vers le ciel, le message était clair !

— On est prêt, Joseph, reprenons... Vraiment, nous aurions dû y penser, excuse-nous pour le temps perdu. Maman doit être affligée de nous voir ainsi...

— *Yitgadal Ve'Yitkadach chema raba.*

Charles fit un grand effort pour retrouver son sérieux et sa tête de circonstance. C'était sa façon de tenir la douleur à distance. Dans les enterrements, il trouvait toujours un détail pour faire diversion. Il n'y avait pas de raison que celui de sa mère soit différent. Trop occupée à lui faire les gros yeux, Louise non plus ne répétait pas comme il fallait.

Soudain plus rien, Joseph ne chantait plus. Des cris sourds résonnèrent dans le téléphone. Des poings puissants tambourinaient sur la porte.

— Ne quittez pas... dit Joseph, le souffle court.

— N'ouvre pas la porte, hurla Gilbert. Sauve-toi par le service, n'ouvre pas la porte.

— Qu'est-ce qui se passe ? demanda Charles en approchant son oreille du combiné.

Puis les coups s'accentuèrent. La porte résista un bon moment, avant de céder dans un vacarme assourdissant.

— Regardez, les gars, le téléphone est décroché. Allô, allô... Police française. Qui est à l'appareil ? Police française.

Charles frissonna, il avait l'impression de reconnaître la façon de prononcer « les gars ». Il n'en dit rien. Cela devait être une hallucination due au choc. Puis, on raccrocha.

26.

22 décembre 1942

À genoux depuis plus d'une heure, elle ne sentait plus le bas de son corps, endolori sur la marche de bois. Absorbée par ses aveux, pour recevoir le sacrement avant Noël, Juliette n'avait pas vu le temps passer. Pour s'extraire du confessionnal, il eût fallu une main secourable ! Quand elle s'écroula dans l'allée de pierre, contre les petites chaises en bois qui se cognèrent les unes aux autres, ce fut le bedeau qui la releva. Quel vacarme ! Le curé écarta le rideau noir et souffla un énorme chut, l'index droit sur ses lèvres gonflées. Juliette se vexa d'être ainsi grondée comme une petite fille, alors qu'elle venait de lui livrer le plus profond de ses tourments. Elle avait tout dit. L'engagement de son fils, le lapin posé à sa sœur, les cadeaux de Noël négociés à des juifs sur le départ, ses préoccupations futiles de menus de fête en pleine guerre… tout, pour essayer de se soulager. Tout pour ne pas avouer l'inavouable.

Que faisait Paul ? Elle ne comprenait rien sinon que les gens se faisaient arrêter facilement. Que les communistes, les juifs et les patriotes n'avaient pas la vie facile. Que la zone libre était envahie. Que ce n'était pas du tout une bonne nouvelle pour Louise et sa famille. Pas du tout.

Oui, c'était insupportable de ne plus distinguer le bien du mal ! Que savait-il le curé ? Elle évoqua à demi-mot les sous-entendus du personnel, de son fils, de Louise. Que savaient-ils tous qu'elle ignorait ? Que demandait Vichy aux préfets ? Plusieurs fois, elle avait posé la question à Paul. Il l'embrouillait, répondait à côté. Ou plutôt il répondait, obéissance, ordre, avancement, méthode, responsabilité et autres foutaises. Il esquivait les sujets empoisonnants. Alors qu'aurait-elle pu confesser de plus ? Elle avait prononcé le nom de Pithiviers comme ça pour voir, comme au poker. Mais le prêtre n'avait pas réagi. C'était plutôt bon signe. Pourtant Paul était revenu différent de son séjour dans le Loiret. Que cachait-il ?

Noël approchait, elle avait envie d'être en paix. De repousser ces tourments lancinants qui la réveillaient en pleine nuit, tandis que Paul ronflait comme un bienheureux ! Les yeux fixés au plafond, elle respirait pour se calmer, à contre-courant, une respiration courte et bruyante qui revenait instinctivement pour calmer ses spasmes nerveux.

Qui devait-elle croire ? Que se passait-il vraiment quand les Allemands arrêtaient des gens en pleine rue ? On parlait d'arrestation de juifs, des familles entières. Louise insistait sur le danger des arrestations dont on ne revenait pas, les déportations en Allemagne, des tortures atroces. Tout cela sa sœur ne pouvait pas l'inventer, quand même. Une nuit, Paul avait crié dans son rêve : « Épargnez les enfants. » Au matin, il avait nié en baissant les yeux, comme un coupable. Coupable d'un rêve, la grande affaire ! Alors le doute s'était installé. Avec de petites exigences au départ, puis plus vorace au fur à mesure qu'il grandissait. L'amour aveugle s'éclairait d'une lueur nouvelle. Les indices, les bizarreries, les signes se mettaient sur le chemin de Juliette, presque malgré elle.

Comme une femme trompée, elle était à l'affût de sa rivale inconnue...

À double tour, Paul fermait désormais son bureau en le quittant. Avec un rictus nerveux, il glissait même la clé dans la poche de son pyjama, au moment de se coucher. Dès qu'elle parlait de Louise ou de Charles, la voix de son mari tremblait et il détournait le regard. Juliette lui en avait fait la remarque. Sans agressivité entre le fromage et le dessert. Le haussement d'épaules limite dédaigneux qu'elle obtint l'encouragea à poursuivre seule ses investigations. De lui, elle n'obtiendrait rien.

27.

23 décembre 1942

Au téléphone, Charles jouait son va-tout.

— Que tu sois collabo de conviction ou d'opportunité m'importe peu.

— De conviction et tu le sais... Je ne suis pas en train de m'enrichir...

— Peu importe...

— Pas pour moi, c'est une différence essentielle. Je crois à une Europe nouvelle.

— Épargne-moi tes discours... supplia Charles

— Je n'arriverai pas à sortir ton cousin de Drancy. Quant aux faux papiers, je n'ai pas la filière. Pour le fils de Roland... je vais voir ce que je peux faire.

Charles se mordait l'intérieur des joues provoquant un petit bruit aigu de succion. Ça le calmait. Puisqu'il était bredouille, impuissant, pathétique, il pouvait bien s'amuser avec sa bouche...

— J'entends des drôles de bruit. Tu n'es pas seul...

— Cela doit être tes copains qui nous écoutent. Ils peuvent être contents de leur fonctionnaire zélé !

— Je suis désolé, mais tu me demandes trop d'interventions à la fois.

— Réfléchis, Paul. Réfléchis bien.

Qui connaissait ses intonations de voix entendait : « je t'aurais prévenu, mon Vieux. Saisis cette chance. Tu t'enfonces et tu ne devrais pas résister à la main tendue. Tu crois que je te demande un service, mais c'est aussi une façon de t'offrir une petite porte de sortie. »

— Charles, c'est impossible. Une prochaine fois…

— Une autre vie à sauver. C'est ça… la mienne par exemple… Que feras-tu ce jour-là ?

Quelle question idiote ! Charles s'en voulait de l'avoir posée car elle offrait une digression facile. Et en attendant Joseph allait se retrouver avec tous ces pauvres gens déplacés vers l'Est. De Joseph, comme des autres, on n'aurait plus de nouvelles.

— Tu es un humaniste, sauver une vie… Paul, juste sauver une vie.

Charles essayait par les sentiments.

— C'est la guerre. Tu sais bien que les vies n'ont plus la même valeur…

Charles en avait le souffle coupé. Comment osait-il ? Les vies pas la même valeur… Il se fit violence pour ne pas raccrocher. Une saute d'humeur n'était pas de mise. Il ne fallait pas couper le fil, tant que des vies sans valeur pouvaient encore être sauvées… Il tenta un autre chemin qu'il savait pourtant sans issue. Juste pour humilier son « beau-frère », cet homme, qui avait été de sa famille un jour, à une autre époque. Depuis dix secondes, il était enseveli dans les décombres de l'armistice, de la collaboration, de la lâcheté, de l'antisémitisme, de Pétain, de Hitler et toute sa bande de fous.

— Tu sauves Joseph et on est quitte.

— Quitte ? Que veux-tu dire ?

— Plus de dette. J'efface ta dette de 1938 qui t'a servi à payer la maison de Juliette à Veulettes.

— C'est bien l'argument d'un… Tout ne s'achète pas…

— Ne va pas plus loin... J'ai compris.

— Non, tu n'as pas compris... Je suis un collabo de conviction, pas de raison.

Sans le vouloir, Paul s'était levé de son siège. Il criait, se déployait, remplissait ses poumons d'un air fétide, toute sa grande carcasse tremblait. Foutue colère, pauvre conseillère, pitoyable fille !

— On ne se parlera plus. Chacun son camp, l'interrompit Charles.

Paul continuait à crier des horreurs.

Pauvre type... Pauvre type... pensa Charles en essuyant avec sa manche une traînée de salive qui coulait sur son menton. Pauvre con, il le faisait baver de colère !

Charles raccrocha, le souffle court. Il fourragea dans ses cheveux. Un mal de crâne l'obligeait à enfermer sa tête entre ses mains.

Il se laissa tomber sur sa chaise, anéanti, vidé. Mais au bout de quelques minutes, il ressentit un soulagement de savoir de façon définitive que son beau-frère était un salaud. L'affaire était réglée, Louise ne pourrait plus invoquer des excuses démodées... Les bons sentiments comptaient pour du beurre !

Il ne savait pas encore que le fils de Roland s'évaderait trois jours plus tard et quitterait la France, pour s'engager dans les Forces Françaises Libres. Que Joseph, ce pauvre Joseph serait dans le convoi parti le 17 janvier 1943, de Drancy pour Auschwitz.

28.

24 décembre 1942

Le chien hésitait. Il s'étira avec paresse, reçut de gros flocons sur le museau, baissa la queue et regarda son maître par en dessous pour le supplier de ne pas s'engager plus loin.

— Tu viens avec moi ! Tu n'es plus un caniche de ville… Tu es un chien de berger savoyard. Tout le monde doit s'adapter, les chiens aussi !

Charles ferma la porte derrière lui pour ne pas laisser entrer le froid, ajusta son chapeau dans un geste qui ressemblait à un salut militaire et s'engagea dans la poudreuse, sans même un second regard pour Dick. Il ne voulait pas céder. Louise, malgré les chutes abondantes de neige, l'avait supplié d'aller couper un sapin dans la forêt. À leur retour de l'école, les enfants devaient avoir un chalet décoré pour Noël. Guerre ou pas guerre, Noël c'était Noël, les enfants des enfants.

En cachette, depuis plusieurs semaines, Louise avait confectionné des décorations pour le sapin. Elle tenait à émerveiller les petits. Pommes de pin rouge, feuilles mortes peintes aussi en rouge, il n'y avait pas d'autres teintes chez le marchand de couleurs, rubans de velours verts, gros nœud en papier journal, pots de yaourt de Megève transformés en Père Noël, avec une barbe en tissu découpée dans des serviettes de toilette usées.

Louise avait raison, finalement, de s'obliger à la gaieté et à la fête. Charles, après ce Kaddish avorté, aurait eu tendance à se morfondre avec ses frères. Mais il avait appris de Louise à toujours être dans l'instant d'après. Son fils aussi était comme ça. C'était une faiblesse quand tout allait bien, car ils ne savaient pas savourer les instants présents mais c'était une force dans les difficultés. Ils ne sombraient pas.

— Dick, accélère, la nuit va tomber… cria Charles pour se donner du courage. Les forces lui manquaient soudain. Un immense frisson lui parcourut la colonne vertébrale. Il avait voulu assurer devant Louise, faire le fiérot, scie sous le bras, sourire aux lèvres. Mais fauché par le froid et la neige, il se sentait vulnérable. La scie lui apparut comme un objet monstrueux ! Il la tenait à bout de bras, loin de son corps, car cette lame froide et tranchante lui semblait menaçante. Qu'elle était lourde cette responsabilité de rapporter l'arbre pour les enfants. La réussite du Noël reposait sur ses frêles épaules de pauvre juif épuisé. Il avait envie de s'agenouiller dans la neige et de supplier le Père Noël de faire une trêve, une trêve des confiseurs ou n'importe laquelle…

Dick trottinait loin devant quand il entendit son maître s'écrouler. Le craquement de la neige lui fit peur. Il gémit, avant de se précipiter oreilles au vent, vers le corps immobile.

Charles revint à lui au bout de quelques minutes. Il décida d'aller voir le docteur Scoquette, pour prendre sa tension et faire écouter son cœur. Son chalet était sur le chemin de la forêt, à deux minutes. La porte de la cuisine donnait même dans la forêt, ce qui sauvait bien des vies parmi les résistants qu'il soignait. Le docteur était actif dans le réseau de résistance de Megève. Son cousin gendarme lui passait toutes les infos sur les activités des petits gars de Vichy.

On annonçait une nouvelle rafle de juifs pour la nuit de Noël. Charles arriva au chalet en pleine confusion. Le docteur Socquette avait rassemblé trois braves volontaires pour faire le tour des chalets avant la nuit et avant la messe.

— Laval n'a pas arrêté assez de juifs en zone sud. Il s'est engagé auprès des autorités allemandes sur beaucoup plus. Ils doivent en trouver d'autres. Ils sont nerveux...

— Ici, c'est facile. Il y en a partout.

— On doit prévenir le plus grand nombre de rejoindre les chalets d'alpage.

— Avec cette neige ? intervint Charles.

Personne ne s'était étonné de son arrivée, chacun pensant qu'il avait été prévenu par les autres. De toute façon, un « lutin » de plus n'était pas inutile pour préparer la « tournée » !

— On organise des groupes, comme pour une randonnée. La neige est une difficulté et une protection. On n'a rien sans rien, sourit le médecin.

Charles en oublia de se faire examiner. Il rentra au chalet avec de mauvaises nouvelles en pagaille, un ordre de mission et sans sapin. On décida d'accrocher les boules et les guirlandes dehors, sur le sapin qu'on avait surnommé « le roi de l'horizon » devant le salon. Les écureuils, les lapins, les marmottes pourraient aussi profiter des décorations, à défaut de noisettes... Après tout, il n'y avait pas de raison de tout garder pour les hommes. Les gens du village allaient encore prendre cette excentricité pour une couverture : ces juifs sans scrupule inventaient n'importe quoi pour faire croire qu'ils étaient catholiques... Mais tant pis pour les mauvaises langues... Laurent était tout content. Quelle joie nouvelle de décorer un sapin pour que les animaux en profitent eux aussi !

Avant la messe de minuit, tous les juifs du Mont-d'Arbois devaient être prévenus, Charles s'y était engagé. Il n'y avait pas de temps à perdre. Il téléphona à ses amis les plus proches, mais n'avait pas les numéros des autres. Surtout, l'opératrice pouvait s'émouvoir de tous ces coups de fil et prévenir la gendarmerie. Tout le monde était cousin de tout le monde dans ce pays du Mont-Blanc ! Trop de prudence ne pouvait pas nuire. Le rendez-vous pour monter à l'Alpette avait été fixé par le docteur Socquette, à minuit, devant le premier pylône du téléphérique. Tous ensemble, on irait se réfugier là-haut, pour laisser passer l'orage.

Au chalet, le dîner de Noël fut vite expédié. On mangea à peine. Les enfants étaient trop excités et les adultes trop inquiets… Louise ne remarqua même pas que personne n'avait touché aux marrons et aux choux de Bruxelles négociés de haute lutte. On coucha les enfants à la hâte. Vite, vite le Père Noël attendait. Laurent commença à discuter. Qui dans la famille était en contact avec le Père Noël ? Comment pouvait-on savoir à quelle heure il venait… Louise se fâcha et Agathe prit le relais.

On forma deux équipes, Louise et Léonard s'occuperaient des chalets de l'autre côté de la route. Charles et Roland de ceux autour du calvaire. Il fallait prévenir une bonne cinquantaine de familles en moins de deux heures.

En partant, Charles et Louise fermèrent la porte du chalet, à double tour. Ce n'était pas dans leur habitude. Mais ça les rassurait, un peu. Ils étaient anxieux de laisser leurs enfants seuls, dans la nuit, avec la menace d'une rafle.

La mission fut accomplie dans les délais. Le dernier chalet, celui des Meyers, était déjà vide. Ils étaient passés en Suisse, la veille. La nuit était superbe, un beau ciel étoilé donnait envie de s'attarder dehors. Louise et Léonard s'assirent sur les marches du chalet, pour se reposer. En silence, ils appréciaient ce moment calme, après l'effort, avec la satisfaction d'avoir contribué à sauver des vies.

Ils n'entendirent pas les voitures arriver. Tout d'un coup, ils se retrouvèrent face à deux hommes en manteau de cuir et deux gendarmes. À découvert, aussi visibles et démunis qu'un nid abandonné sur les branches d'un arbre en hiver.

— C'est chez vous ? demanda l'un des hommes avec un fort accent allemand.

— Non, non, s'empressa de répondre Louise, qui espérait que la nuit même claire l'aiderait à camoufler son trouble.

— Vos papiers ?

— Nous ne les avons pas. Nous étions juste en train de nous reposer, avant de poursuivre notre chemin vers l'église pour assister à la messe de minuit.

Léonard regarda sa mère, épaté. Chapeau bas, pour la répartie, quel sang-froid. On assure d'abord, on a peur après, avait-elle l'habitude de répéter.

— Ce chalet semble vide… se désespéra l'autre homme en civil. Avez-vous croisé des gens, peu de chalets sont éclairés ?

Louise répondit non de la tête et fit signe à Léonard de se lever. Elle venait de reconnaître l'un des hommes, un gendarme de Saint-Gervais. Il fallait déguerpir, avant qu'il ne réagisse.

— Si vous allez à la messe de minuit, on vous emmène, nous redescendons au village.

— Très gentil à vous, mais nous allons marcher, la nuit est si belle… Elle leur tournait déjà le dos.

— Suivez-nous, ordonna l'un d'eux. Vous n'êtes pas équipée, belle dame, si vous rencontrez du mauvais monde.

Paniqués, les jambes flageolantes, Louise et Léonard s'engouffrèrent dans la voiture. Comment avaient-ils pu se laisser cueillir aussi bêtement ? Léonard, pendant dix secondes, envisagea de s'échapper dans la nuit. Mais, il n'était pas certain de la réaction de sa mère. Elle pouvait le suivre ou décider de rester pour le couvrir. C'était trop risqué. Mieux valait faire comme s'ils ne craignaient rien…

— C'est Louise et Léonard…

Charles et Roland, eux, avaient entendu les voitures arriver et repéré les phares dans la nuit. Ils s'étaient cachés derrière des sapins.

— Non...

— J'ai reconnu son chignon... dit Charles dans un souffle. Il avait du mal à respirer, comme s'il venait de recevoir un coup violent dans le ventre.

— On descend à la gendarmerie. On les connaît tous... On va discuter.

— Allons plutôt prévenir le docteur Socquette. Il n'y a que lui pour les sortir de là, proposa Charles.

— Respire un bon coup. Fais pipi. Après un choc, il faut se soulager, suggéra Roland.

— Ça va aller, répliqua Charles, le souffle court, la voix altérée par l'émotion.

Ils se mirent en route. Personne chez Socquette, personne à la gendarmerie, personne à la mairie, personne nulle part. Le village était vide. À l'entrée de la rue principale, à bout de ressources, ne sachant pas quoi faire ensuite, ils s'appuyèrent contre le mur d'un vieux chalet. Aucun d'eux ne voulait tirer de conclusion à propos de leur course éperdue. Que dire ? Où aller ?

— Si on les retrouve, je croirais au Père Noël pour toujours... murmura Charles.

Roland ne répondit rien. Il était trop noué. Il appuya sa tête contre l'épais mur de pierre. Au début le froid lui fit du bien, pour calmer ses tumultes intérieurs. Puis le mur vibra... une étrange sensation, comme si des chars approchaient... Il s'appuya de plus belle... Ce n'était pas des chars, mais des vibrations de musique... Les orgues de l'église...

— Ils sont tous à la messe... cria-t-il en se précipitant vers l'église.

C'était évident. Aveuglés par la panique, ils n'y avaient pas pensé. Dans sa course éperdue vers l'église, Charles trébucha contre les restes d'un bonhomme de neige et se releva sans même s'apercevoir qu'il s'était fait mal.

Derrière la lourde porte de bois, ils furent éblouis par la

lumière, la foule, la ferveur des chants, la chaleur, les bougies, la crèche, la vie.

Charles et Roland cherchaient du regard le dos du docteur Socquette ou une canadienne en cuir couleur chocolat. Une au milieu de toutes les autres. Ils remontèrent l'allée centrale, demandant aux derniers occupants des rangs s'ils l'avaient aperçu. De chaque côté des rangées, ils chuchotaient, faisaient des grands gestes, s'excusaient, haussaient le ton, soupiraient... On leur répondait par des murmures de plus en plus nombreux. Un peu de silence ! Taisez-vous ! Respectez quand même ! Chut ! Assez ! Dehors ! Ce n'est pas pour les juifs !

Les réflexions devinrent haineuses, bruyantes et s'élevèrent de toutes parts. Une clameur bientôt assourdissante obligea le père Bernard à intervenir.

— Un peu de calme dans le fond, je vous prie. Reprenons...

À ce moment-là, curieuse, Louise se retourna. Au premier rang, l'agitation de l'arrière n'était pas encore parvenue jusqu'à elle. Charles continuait à scruter les visages, comme si de rien n'était. Il se sentait dans son bon droit, la vie de sa femme était en jeu. Rien, ne pouvait l'arrêter.

Sans réfléchir, tellement interloquée de le voir à la messe de minuit, elle l'interpella.

— Charles, Charles... appela-t-elle, sans même se rendre compte qu'elle criait.

— Chut, chut, répondit l'écho.

Charles n'avait pas entendu. Elle se décida donc à aller le chercher et s'engagea à grands pas dans l'allée centrale, le regard noir, les joues rosies par la colère. On eût cru qu'elle allait même lui coller une bonne correction...

— Te voilà, mon amour, dit Charles, ému aux larmes.

Il voulut la serrer dans ses bras, là au milieu de l'allée centrale, en pleine messe de minuit.

— Sortons. Vite sortons...

Louise l'entraîna précipitamment, comme on fait avec un bébé qui hurle et qu'on n'arrive pas à calmer. Elle était mortifiée, elle qui s'était glissée au premier rang, avec le plus de discrétion possible. Se faire remarquer était vraiment mal venu. Pour appuyer sa fureur, elle sortit de son fuseau une feuille soigneusement pliée, distribuée à l'entrée de l'église, qu'on lui avait tendue par erreur…

« Chassons les indésirables juifs de Megève.

Ces gens sans scrupule envahissent notre région et boivent le lait qui manque à nos enfants. Mamans, réagissez ! Avec leur portefeuille bien garni et la pratique du marché noir à outrance, ils nous prennent le beurre, le fromage et le jambon des mains.

Pour ne plus avoir faim, il faut chasser les indésirables ! »

Louise si forte et volontaire ne s'était pas dégonflée, pour éviter les racontars dans son dos. Mais là, dehors, en présence de son Charles lui aussi bouleversé, elle n'était plus qu'une poupée de chiffon. Avant que Charles ne fasse une boule du tract, elle le reprit d'une main tremblante pour le ranger.

Louise lui décocha un sourire qui se voulait réconfortant, mais qui était parfaitement triste. Il ne dit rien, les mots étaient inutiles. Il l'embrassa avec une tendresse infinie, la respira à pleins poumons. Il avait eu si peur. Quand il eut fini, Léonard et Roland applaudirent, en chœur, le baiser digne des meilleurs films hollywoodiens.

— Il est temps de changer de vie, murmura Charles.

— Oui, oui, nous ne sommes plus protégés…

Pour la première fois depuis le début de la guerre, elle renonçait à clamer son bon droit de Française catholique. Elle acquiesçait. Charles avait raison, le danger devait être pris en compte à sa juste valeur !

29.

1er janvier 1943

Juliette tâtonna pour trouver sa combinaison. Cette liquette en dentelle noire qui produisait sur Paul un effet bœuf. Ça marchait à tous les coups ! Au passage, elle caressa le corps endormi de son mari. C'était rare qu'il soit nu. Après l'amour, il enfilait toujours son pyjama avant de sombrer dans le sommeil. Mais cette nuit, il n'en avait pas eu la force. Elle eut une envie violente de lui et pensa une seconde à le réveiller pour faire l'amour, encore. L'odeur de leurs corps, la chaleur des draps et le souvenir délicieux de leurs ébats lui montèrent à la tête. Une vraie nuit de Saint-Sylvestre !

Juliette regarda l'heure sur le réveil de Paul. 4 heures et la sonnerie était réglée sur 6. Elle la repoussa d'une heure en espérant qu'il ne se réveillerait pas avant, comme il le faisait souvent. Elle avait trois heures devant elle. Trois heures, si elle n'hésitait pas trop longtemps à sortir du lit.

Pourtant, elle avait envie de profiter de ce moment de grâce, douillet et chaud. Quelle idée de vouloir fouiller dans les papiers de Paul ? Une fois au courant, qu'allait-il se passer ? Rien, elle le savait. Au pire, elle lui en voudrait, une heure, plusieurs jours, pour toujours. Mais le quitter ? Sûrement pas, elle l'aimait profondément. Et il lui donnait tellement de plaisir, malgré leurs vingt-cinq ans de mariage. Elle sentait ses résolutions de la veille s'évanouir.

Pourtant, cette fois, elle s'était promis de savoir. La réflexion de son fils lui chatouillait la conscience : « Tu es bien noté chez nos amis allemands. Laval lui-même cite Chartres parmi les villes tenues, nettoyées ! » Paul avait rosi sous le compliment. Petit univers la Préfectorale, tout circulait vite.

Juliette était sur le point de se rendormir, quand sa lâcheté lui monta à la gorge, comme une envie de vomir. D'un bond, elle fut debout. Elle avait entendu trop de rumeurs. Les rafles, Pithiviers, les mères séparées des enfants, les convois vers la Pologne, vers la frontière allemande. Et les compliments assourdissants de son fils autour de la dinde.

Sous ses pieds, le carrelage glacé la fit frissonner. Elle attrapa sa robe de chambre en épais velours bleu nuit, cadeau de Louise avant la guerre. À chaque fois qu'elle la portait, elle remerciait sa sœur pour cette merveille. Que les couloirs étaient froids dans cette immense préfecture. La lampe électrique était à sa place, cachée sous les marches de l'escalier. Dans sa main, elle serrait fort la clé du bureau. Avant de s'offrir à Paul, elle avait pris bien soin de balancer loin du lit la veste de pyjama, pour prendre la clé dans la poche facilement.

Dans la pénombre, le bureau de Paul lui parut immense. Par où commencer ? Qu'est-ce qu'elle cherchait déjà ? La définition du mot nettoyage. Ah oui, c'était limpide ! Elle s'assit dans son fauteuil et frissonna à l'idée de violer le sanctuaire de son mari. Elle posa sa main sur son sous-main en cuir, sans oser l'ouvrir. Trahir n'allait pas de soi. Elle avait beau se persuader que savoir ne changerait rien, elle redoutait la vérité.

Au Mobilier national, il avait choisi un bureau Napoléon III, de pur mauvais goût. Les trop nombreuses dorures se reflétaient dans sa lampe électrique et donnaient l'impression à Juliette que quelqu'un allumait le plafonnier. Elle se retournait nerveusement vers la porte. Mais, ouf personne.

Les piles de dossiers étaient rangées avec méthode. Paul était un maniaque de l'ordre, du travail bien fait. Sa rigueur convenait à merveille pour répondre avec dextérité aux exigences de l'administration de guerre allemande. Il l'aimait ces mots, considérant qu'il leur devait sa carrière de préfet.

Dans rigueur, il incluait toute une batterie de bonnes pratiques comme la hiérarchie, la paperasserie, les ordres, les circulaires administratives, les notes de service numérotées, les fonctionnaires dévoués, l'absence de questions.

Petit à petit, Juliette commença à défaire les piles, à lire l'intitulé des pochettes. Dissimulés par une pile, elle découvrit de vieux cadres en argent, pas nettoyés depuis des lustres. La photo d'elle en mariée la fit sourire. Mon dieu comme elle avait vieilli ! En fermant les paupières, avec le plat de sa main, elle se caressa le visage, le menton et le cou, juste pour se rassurer sur leur fermeté. Dans l'autre cadre une photo jaunie de Paul recevant du maréchal Pétain la croix de guerre, quelque part à l'arrière du front de Verdun en 1918. La photo avait été dédicacée à Vichy le 19 février 1942, le jour où Paul avait prêté serment au Maréchal, au milieu de tous les préfets de la France occupée. Une cérémonie sur la mission, les valeurs et le respect de l'État français. Quelles simagrées ! Comment pouvait-il être sensible à ces honneurs en chocolat ? Pauvre amour. Elle lui en voulait de ses bassesses dès qu'elle sortait de son étreinte.

Bien sûr, elle fouilla partout. Bien sûr, elle était fébrile, tremblante même.

L'heure tournait. Il lui semblait n'avoir trouvé aucun document compromettant, aucune signature suspecte. Elle avait remué toutes sortes de piles, ouvert des dizaines de dossiers. Les parapheurs empilés, en attente des signatures de Paul, ne concernaient que des autorisations de circulation, des permis de construire, des plans d'occupation des sols, que des banalités d'autorisations administratives en tout genre. Bon, il était préfet de l'État français, mais n'avait pas participé aux rafles de l'été. Petit à petit, ses douloureux soupçons se faisaient plus légers. Le caillou était sorti de sa chaussure, elle pouvait reprendre son chemin tranquillement. Ce dont elle était persuadée lui semblait maintenant improbable. Peu à peu, la tension de son dos se relâchait. Elle feuilletait les feuilles volantes comme un livre d'images, sans but. Elle bâilla bruyamment, la lassitude prenait le pas sur la peur. Elle songea même à retourner se coucher, se blottir contre le corps chaud de Paul et lui murmurer des excuses, comme ça pour rien.

— Ce que tu cherches n'est pas là, naïve Juliette, pauvre fille !

Elle sursauta, son cœur s'emballait. Elle ne l'avait pas entendu arriver. Depuis combien de temps était-il appuyé à la porte ? Son ton était plus menaçant que son allure : les cheveux en bataille, pas rasé et avec des cernes bleus de fatigue sous les yeux, il portait une vieille robe de chambre à carreaux écossais. Pas la luxueuse robe de chambre offerte par Louise !

— Tu veux savoir… Eh bien nous allons compter ensemble.

Elle fit non de la tête. Non, non avec une vigueur insoupçonnable, sans parvenir à articuler le moindre son.

Paul lui faisait peur. Un reflet de lune éclairait son visage crispé, de façon étrange.

— Tu veux un chiffre, des noms, des adresses, des visages, des souvenirs, des preuves…

La voix de Paul était étrangement calme et déterminée. C'était son regard brûlant qui trahissait son émotion.

Juliette lissa sa robe de chambre avec sa main, pour se donner le courage de quitter les lieux. Non, elle ne voulait rien savoir de plus. Elle avait sa réponse, les détails lui importaient peu.

— Pourquoi tu ne m'as pas demandé sur l'oreiller ? Le plaisir d'abord ? Tu avais peut-être peur que ça me la coupe ? Est-ce que c'est bandant d'arrêter des juifs ? Tu aurais pu savoir comme ça ?

— Ça suffit, Paul ! La vulgarité ne sert à rien...

Elle porta ses mains sur les oreilles et courut, tête baissée vers la porte. Il l'attrapa au vol et lui tordit le bras pour l'obliger à s'agenouiller. Cette force physique redoutable qu'elle aimait tant.

— Et l'hypocrisie ? La duplicité ?

— Aïe, tu me fais mal...

— La guerre embrouille les sentiments. Tu vois bien que tu es capable de m'aimer et de me juger...

— Je veux savoir si ce qu'on dit de toi est vrai.

— Qui parle ?

Elle se tut.

— Oui, tu as raison de protéger ta pauvre sœur avec son mari qui l'entraîne vers la tombe...

Les mots claquaient contre les murs. Assourdissants. Juliette était pétrifiée.

— Tout le monde parle. En ville, on dit que tu en fais trop. Tu anticipes les demandes de l'occupant. Le préfet zélé, le « roi de la Beauce » qui traque les étrangers, les patriotes français, même dans les villages... Et Pithiviers, le camp du déshonneur ?

Il lâcha prise, attrapa une petite clé plate au fond de son sous-main et se dirigea vers un placard en fer dans le bureau de sa secrétaire. Sur la porte une étiquette d'écolier indiquait « Service des étrangers ». Il alluma le plafonnier, se moquant bien des instructions de la défense passive.

— Dans ce département, les rafles de l'été ont permis

d'arrêter cinquante-et-une personnes de confession israélite. Tu veux le nombre d'enfants ?

Elle cria. Un gémissement douloureux et strident venant du plus profond d'elle. Elle cria longtemp, jusqu'au bout de son souffle.

— Ce placard est plus dangereux qu'une Kommandantur, rempli de lettres de dénonciation. Tu veux voir ?

— Détruis-les... plutôt que de les mettre sous clé...

— C'est de la désobéissance... Tous ces braves gens qui se donnent le mal d'écrire pour protéger leur pays...

— Fais-le pour moi !

— Ne mélange pas tout...

Il se tut un long moment, comme si ses secrets le privaient de paroles.

— Pithiviers, tu veux lire mon rapport. Dimanche, on a accueilli deux mille personnes et on n'avait aucun couvert pour leur donner à manger. Tu veux savoir combien de vies j'ai sauvées ? Aucune. J'ai cherché dans cette effroyable misère, parmi tous ces pauvres juifs, des têtes connues, de la famille de Charles, mais je n'ai trouvé personne à sauver. Personne. Ils sont tous partis, à l'heure dite et sans incident, vers l'Est. Une immense misère humaine faite d'accablement et d'incompréhension. Des conditions de détention inadmissibles et indescriptibles. J'ai vu, je n'ai pas dénoncé, je suis complice et je continue ma petite vie comme si de rien n'était...

Juliette le regardait intensément.

— Que pouvais-tu faire ? l'excusa-t-elle.

— Commencer par sauver une vie, un enfant. Alerter le Maréchal, casser la baraque... mais j'ai choisi la lâcheté, maintenant je dois m'y tenir...

— Tu n'es pas responsable des arrestations. Tu ne diriges pas le pays à toi tout seul.

— C'est parce que tout le monde dit ça que des populations civiles souffrent. De toute façon, n'en parlons plus, j'ai choisi de faire mon devoir, et rien de plus, dans l'honneur et le respect de la loi, des ordres, de la hiérarchie. Je n'ai pas à rougir de mes actes... Mes non-actes, c'est plus discutable.

— On brûle les documents dans la cheminée. Sans témoin. Avec, on fait un feu de joie. Paul, je t'en supplie, pour la nouvelle année.

— À quoi ça sert ? Ça n'efface rien. Ça ne pardonne rien. Ils sont partis sans pleur, sans cri, sans révolte, sans bagarre... J'ai fait mon travail, ce pour quoi le Ministre m'avait sorti du lit.

30.

Megève, le 23 janvier 1943

Ma Juliette adorée,

Le froid est un compagnon redoutable et envahissant. La nuit dernière, le thermomètre est descendu jusqu'à -20° au Mont-d'Arbois. Ma crème Jolie était gelée dans son pot. Eh oui, quatre poêles à bois dans les chambres sont en panne. Notre réparateur habituel est caché pour éviter la relève ! À Sallanches, on a dit à Charles que les brûleurs étaient introuvables. Alors, imagine ! Les filles dorment dans le même lit pour avoir plus chaud. Et Dick avec Laurent.

J'ai acheté chez des récupérateurs des édredons. Je m'étais promis de ne jamais rien leur acheter, mais l'occasion était trop belle. Quand je me réjouis de la chaleur supplémentaire, j'essaie de ne pas gâcher mon plaisir en pensant à ces pauvres morts dont on a pillé les maisons pour revendre leurs affaires à prix d'or à des gens qui manquent de tout. Quelle époque tout de même. Tu dois savoir que j'ai négocié les prix, avec fermeté ! Après tout, c'est ma façon de résister au cynisme des profiteurs de guerre.

Charles s'ennuie moins. En plus de la lecture, de la relecture des collections d'encyclopédies ou des livres qu'il emprunte dans les chalets alentour, il écrit à nouveau des pages et des pages, pour des feuilles de chou locales ! Des choux qui devraient motiver « les grands garçons » pour des batailles à venir ! Il prend des risques incroyables en livrant sa production, mais tu sais à quel point il n'a peur de rien ! Alors, je tremble pour deux. Quand il part le matin, je ne vis plus jusqu'à son retour.

Léonard travaille comme un fou, c'est la dernière ligne droite avant son concours dans quatre mois. Sa logeuse est très attentive à son confort et je crois qu'elle l'aide beaucoup à rester concentré et à ne pas se disperser. Des camarades aimeraient bien l'entraîner dans leur bataille, mais il résiste et travaille, travaille et travaille. Je suis fière de sa détermination !

Émilie ne fait plus rien à l'école et ne représente pas un modèle pour ses petites sœurs ! Je laisse son père se débrouiller avec elle et ses absences,

Les chalets autour de nous se vident les uns après les autres. Certains matins, je me demande si nous ne sommes pas inconscients de rester dans notre pays. Si nous restons, c'est de ma faute. Je ne veux pas quitter la France, je suis catholique et nos enfants aussi et surtout Léonard doit poursuivre ses études. Si nous sommes arrêtés à cause des prises de position de Charles, ce sera aussi de ma faute. Cette pensée m'effraie. J'ai peur sans pouvoir l'exprimer. J'ai peur mais personne en dehors de toi n'en saura jamais rien…

J'ai peur aussi du manque d'argent. Tu sais celui que nous avons connu toutes les trois avec Maman après le départ de notre père. Celui qui vous réveille la nuit et vous empêche de rêver... La petite boîte de fer rouge dans laquelle Charles a rangé des économies est enterrée à Veulettes. Ma Juliette, je t'en supplie, va la chercher… Toi seule, dans la famille, peux prendre ce risque, parce que dans ta position, il est modéré ! Je sais que tu vas essayer, pour moi, par amour… Je t'indiquerai la cachette de vive voix… Merci, ma Juliette !

Parfois, je pense que c'est une bonne chose que tu fréquen-

tes les Allemands. Un jour, peut-être, aurons-nous besoin de ton aide, pour nous sortir de leurs griffes. Ce jour-là j'espère que tes fréquentations se montreront dignes d'intérêt ! Réfléchis bien à cela quand tu te trouves au milieu d'eux ! Fais-toi séduisante dans cette perspective qui je l'espère n'arrivera jamais !

Quelle folie de t'écrire cela... mais j'assume !

Je t'embrasse tendrement.

Louise

28 février 1943

Ma Lisette adorée,

Je suis écartelée, sans savoir vraiment pourquoi !

Quelque chose cloche... Ça sonne faux dans ma vie !

Mon mari a pour la première fois une situation qu'il considère à la hauteur de ses ambitions, mais elle lui est offerte par l'occupant. Enfin pas tout à fait, il est préfet de Vichy. Mais, dans la réalité, ses ordres les plus importants viennent de la Kommandantur !

J'essaie de comprendre ce qu'il accepte de faire pour l'occupant, et en quoi cela dépasse le cadre des tâches habituelles d'un préfet de région. Il me rassure quand nous en parlons et esquive le sujet si mes questions deviennent trop précises... Je n'y comprends rien et tout s'embrouille ! Moi qui suis toujours restée en dehors des activités de Paul, je joue les apprentis sorciers et suis meurtrie de devoir regarder par le trou de la serrure ! Il m'arrive de douter de lui, malgré mon amour, parce qu'il joue de ma crédulité !

Que la vie est mal faite... J'ai tout pour être heureuse. Souvent, je le suis d'ailleurs... Dommage que tu ne puisses pas voir l'appartement privé de cet hôtel particulier en plein cœur de Chartres, c'est une merveille ! J'en profite tant que je peux ! Les boiseries du XVIIIe, les parquets en pointe de Hongrie ravissent mon regard en permanence. Je joue à la dînette en recevant à ma table tous les notables du coin. Et on dit partout qu'il est très chic d'être invité à la préfecture. Je reçois avec faste comme j'ai toujours aimé faire. Nous n'avons pas de problèmes d'approvisionnement...On nous fait beaucoup de cadeaux en nature. Je ne vais pas m'en plaindre ! Je distribue autour de moi à ceux qui tirent le diable par la queue !

Mon fils est accaparé par ses activités politiques. Qu'il vive sa vie. Après tout c'est un grand garçon... Il ne raconte rien... De temps en temps, il se vante de victoires en chocolat... Je fais semblant d'être heureuse pour lui. Puis il repart.

Cédric a rompu avec sa fiancée. Imagine : les deux frères de la belle ont envie de se battre pour chasser l'occupant. Ça a créé des tensions... Ce n'est pas plus mal, j'avais peur qu'il l'engrosse... Elle avait l'air un peu facile et aguicheuse. Tu me vois, femme du préfet, en train de chercher une faiseuse d'anges ! Un crime d'État !

Pour la petite boîte de fer rouge, je vais essayer sans pouvoir te faire de promesse. Ce genre de service dépend aussi de la volonté de Paul...

Embrasse tout le monde de ma part.

Je t'aime tant.

Juliette

31.

5 mars 1943

Depuis plusieurs mois, Juliette était dans les cordes. Assommée. Comment remonter à la surface avec une armoire accrochée à la cheville ? Tout était pareil et tout avait changé. Elle donnait le change, tantôt présente comme si de rien n'était, tantôt absente, loin, avec les cinquante-et-une vies emportées. Les prénoms, les âges, les noms, les adresses… tout leur état civil imaginaire défilait dans sa tête, comme une chanson obsédante.

Après l'arrestation, il se passait quoi ? Que devenaient ces gens ?

Elle voulait savoir. Elle n'en finissait plus de se renseigner. Mais personne ne répondait. Malgré sa naïveté touchante, elle était la femme du préfet et ses questions étaient incongrues, proprement inconvenantes. Elle lisait tous les journaux, écoutait la TSF, essayait de capter Radio Londres, mais ne savait pas s'y prendre !

Elle aurait pu demander à Léonard, passer deux jours avec lui à Grenoble. Ce Léonard si doué, un soleil avait-elle l'habitude de dire à sa sœur. Un soleil ! Elle téléphonerait à Louise de Paris. Paul était convoqué à la Kommandantur et il avait proposé à Juliette de l'accompagner. Après son rendez-vous, ils pourraient aller au Cinéma Normandie sur les Champs – c'était plus chic que sur les Boulevards – voir *La Fille du Corsaire* avec Primo Carnera. Ça ou autre chose, ça lui était bien égal. Juliette acquiesça avec un sourire crispé. Neutre, passive, soumise, indifférente, absente, voilà ce qu'elle était devenue.

Elle ne posait aucune question, car elle ne posait plus de questions. Qu'allait-il faire à la Kommandantur ? Elle le savait plus ou moins et s'en fichait pas mal.

Que Paris était beau ! Juliette était heureuse de pouvoir flâner en attendant Paul. Il fallait bien tuer le temps… Elle fit plusieurs fois le tour de la place Vendôme, puis se dirigea vers les Tuileries. Rue de Rivoli, elle entra dans un bureau des PTT.

— Le 52 à Megève, Haute-Savoie, mademoiselle je vous prie.

— Entre une demi-heure et une heure d'attente. Vous pouvez vous asseoir…

Juliette ferma les yeux pour mieux revivre les doux moments de la naissance de Léonard. Quel bouleversement dans leur vie ! Dix-neuf ans déjà, et elle s'en souvenait, comme si c'était hier. Le bonheur de Louise, son coup de foudre pour ce splendide bébé avec ses immenses yeux bleus et une forme de tête parfaite. Charles avait engagé toutes les nourrices disponibles à Paris, mais Louise ne lâchait pas son enfant. Elle ne le confiait à personne, sauf à Juliette parfois qui pouvait prendre la relève, mais après avoir énuméré mille précautions ! Elle contempla longuement la photo de Louise et Léonard qu'elle avait toujours sur elle. Leur complicité occupait tout l'espace !

— Ma Lisette, vous me manquez. J'avais envie d'avoir des

nouvelles de notre Léonard... Peut-être pourrais-je lui téléphoner à Grenoble ?

— Que c'est bon de t'entendre, Juliette, comment vas-tu ?

Sa gorge s'était nouée. Juliette tenta de se calmer. L'émotion était trop forte, après quatre mois de solitude absolue. Elle fit des grimaces incroyables pour repousser le sanglot. Mais Louise avait entendu. Elle parla de tout et de rien.

Aucun gros mot ne vint parasiter la conversation des deux sœurs : guerre, Paul, papiers, Cedric, Vichy, Allemands, juifs, enfants orphelins, résistance, Charles...

— Léonard est à Grenoble. Il travaille sans voir le jour et sera bientôt à Paris pour passer ses examens.

— Je suis à Paris pour la journée. Ça me sort de Chartres.

— Que fais-tu à Paris ?

Imprudente Louise. Mieux valait ravaler ta question trop précise !

— Paul avait des rendez-vous ...

— Il est venu aux ordres ?

Louise s'en voulut immédiatement et Juliette ne releva pas. Ça n'avait aucune importance et en plus c'était vrai.

— Oui, tu sais bien. C'est un homme de devoir et de discipline.

La conversation s'éternisa un peu, elles étaient heureuses de s'écouter l'une, l'autre. Puis l'opératrice intervient.

— Madame, il faut libérer la cabine.

— À bientôt, ma sœur adorée. Je t'aime quoi qu'il se passe, articula Juliette en avalant une fois de plus ce foutu sanglot.

Entre elles, les mots d'amour venaient toujours de l'aînée. Louise appréciait de les entendre, mais ne savait pas les prononcer. L'écoute attentive, avec un petit gémissement d'acquiescement, était sa façon de répondre. De toute façon, elle ne pouvait plus parler librement, Charles venait de se planter devant elle en lui faisant signe de raccrocher. C'était trop dangereux de parler à Juliette, trop dangereux... Bon sang, ce n'était pas difficile à comprendre !

Juliette se mit en route. Il était grand temps d'aller chercher Paul.

Avenue de l'Opéra, elle s'arrêta un long moment devant la vitrine d'un magasin de chaussures. Pour 127 francs, une dizaine de modèles de scandales élégantes étaient proposées. Un peu chères, mais abordables. Elle eut envie d'en acheter une paire pour Louise. Sa sœur rêvait d'une paire de chaussures neuves, introuvable à Megève. Sophie l'avait demandé à sa tante sur une carte interzone. Mais comment lui faire parvenir le cadeau ? Il n'arriverait jamais à destination. Au milieu de la vitrine trônait le portrait du maréchal Pétain. Quelle idée ! Elle fixa le visage du vieillard, sans réussir à s'en défaire. Puis sans s'en rendre compte commença à lui parler.

Les passants la regardaient bizarrement.

Elle l'insultait maintenant. « Salaud, tu as fait de mon mari un traître ! Tu m'as pris mon fils, et après ? Toi tu es gâteux et tu crois encore que tu as le pouvoir. Tu es le pantin des fridolins, comme mon pauvre Paul. Vous êtes des pauvres types, à accomplir des ordres que vous ne comprenez même pas. C'est malheureux… »

— Circulez, madame, vous perdez la tête !

La dame de la boutique, sanglée dans une tenue qui soulignait ses bourrelets, vint lui demander de partir, d'aller crier ailleurs. Ici, si près de la Kommandantur, ce n'était pas trop prudent ! Elle lui montra les fenêtres des officiers allemands et, en levant la tête, elle crut même voir un voilage retomber.

— J'ai encore des choses à lui dire… cria Juliette.

Elle s'agitait, frappait la devanture avec son sac et ses poings.

— Circulez ou j'appelle la police… Vous dites n'importe quoi. Allez le dire ailleurs, devant une autre boutique.

— Une autre boutique… Il n'y en pas qui osent afficher le portrait de ce salaud !

Elle frappait avec une force insoupçonnable. Elle criait aussi de plus en plus fort, avec un coffre digne d'une soprano.

Puis, elle attrapa son rouge à lèvres et, devant la dame médusée, commença à dessiner un grand S sur la vitre.

— Salaud, salaud… Vendu aux chleus…

Un attroupement de badauds empêchait la circulation des vélos. On klaxonna, on pesta. Une personne osa applaudir et d'autres la sifflèrent. Un vacarme inhabituel sous les fenêtres de la Kommandantur.

Quand elle entama le dessin du A, une puissante main gantée immobilisa son poignet. Le tube de fard s'écrasa sur le trottoir, dans un son ridicule.

Devant l'uniforme les gens s'étaient reculés en silence.

— Sa…

Juliette s'arrêta net. Elle tremblait de colère.

***

Il claqua si fort la porte que le portrait de l'ancêtre bidon se décrocha.

— Et maintenant ?

À cause des bêtises de Juliette, il avait raté la cérémonie des médailles du travail. Le secrétaire général de la Préfecture avait assuré et ça l'énervait encore plus. La Kommandantur l'avait à l'œil. Un préfet qui ne savait pas tenir sa femme et dont une partie de la famille était recherchée, ça commençait à faire beaucoup !

— C'est blanc ou noir ! Tu choisis ton camp. Tu es devenue folle ou quoi ? On peut se faire enfermer pour moins que ça.

Paul éructait. Juliette attendait : de se réchauffer, qu'il se calme, de pouvoir en placer une, d'être moins fatiguée, d'avoir les idées claires, de comprendre son affreuse crise de nerfs.

Il balança tout. Tout ce qu'il taisait, depuis sa prise de fonction. Tout et surtout l'inavouable, même son dernier refus aux demandes de Charles. Il en oublia, forcément, mais il se sentit vidé, épuisé et soulagé.

Juliette écoutait, hagarde. De plus en plus petite, avec un visage pétri de douleur.

— Lire mes lettres à Louise… c'est du viol !

— Je n'ai rien lu. Je les ai juste interceptées à cause de la censure… Certaines, pas toutes…

— Pourquoi ne m'as-tu rien dit ?

Il se contenta de hausser les épaules. C'était tellement lui ce geste. Juliette détestait cette façon de clore les discussions, de faire savoir, sans avoir le courage de le dire, « je m'en fous et je suis passé à autre chose ».

— Pour te protéger… Moins tu en sais, mieux c'est…

— Encore des grandes phrases pour justifier tes bassesses.

— Tu exagères tout…

— Regarde ce que la guerre a fait de nous. Comment notre amour va-t-il pouvoir résister à tes amis fascistes ?

— Notre amour sera plus fort, si tu te disciplines… Juliette, tu as choisi ton camp, alors arrête de faire des marches arrière pour te donner bonne conscience.

— J'ai rien choisi…

— La porte est ouverte…Grande ouverte… Tu peux partir…

Il avait chuchoté la dernière partie de la phrase.

Juliette pleurait. Il sortit de la pièce, sans se retourner. Il n'aimait pas cette petite victoire, trop facile.

Elle pleura longtemps, en silence, larme par larme, avec résignation. Puis, vidée, Juliette décida de se coucher dans une chambre d'amis. Dans son premier sommeil agité, elle rêva de Louise. Puis, réveillée par un cauchemar d'arrestation, elle rejoignit, comme une somnambule, Paul dans leur lit.

Loin de lui, elle avait peur. Avant de sombrer dans un profond sommeil, accrochée à son mari, un bras autour de son gros ventre, elle murmura sans même s'en rendre compte : « Qu'allons-nous devenir, mon amour, nous sommes perdus, je t'aime… »

Dans le noir, elle n'avait pas vu le cercueil miniature posé sur la table de nuit entre la montre et les lunettes de Paul. Il l'avait trouvé sur son oreiller et l'avait déplacé comme un objet familier, pour pouvoir se coucher tranquillement. Menaces de pacotille…

***

Le lendemain à son réveil, Juliette fouilla partout, à la recherche de la boîte Boissier en fer turquoise. Depuis combien de temps ne l'avait-elle pas ouverte ? Toutes ces photos des temps heureux, elle avait un besoin impérieux de s'en abreuver. Au point où elle en était, autant tout mélanger, tout remuer. Vite, vite, les photos pour repousser un sanglot qui montait en elle comme un orage menaçant. Puis soudain, il éclata. Un sanglot assourdissant, démesuré, sans fond. Juliette pleurait, comme pleurent les enfants, à grosses, très grosses larmes, avec une sincérité désarmante.

Puis les pleurs cessèrent, comme ils étaient venus. La source était asséchée.

Elle regarda autour d'elle, perdue.

C'est à ce moment-là qu'elle aperçut, au milieu des chemises blanches de Paul, la masse turquoise, bien en évidence. Elle était là, tout simplement, mais dans sa panique, elle ne l'avait pas vue.

Elle l'ouvrit avec une grimace triste qu'on pouvait prendre pour un sourire.

Sur un premier cliché aux bordures dentelées, Louise tient Léonard dans ses bras, ils rigolent, seuls au monde. Louise ajuste la petite cravate de son fils en veste et bermuda gris, c'est la rentrée des classes, la 6e ! Louise fait coucou de la main, avec un large sourire en pénétrant dans la mer à Veulettes, la silhouette de guingois à cause de ces foutus galets qui vous tordent les pieds. Encore Louise qui se poudre le nez, en levant délicatement la voilette de son chapeau. Toujours Louise, en 1935, ajustant une capeline de velours noir, sérieuse, avec son lourd catogan, ses perles aux oreilles et sa bague de fiançailles qu'elle ne quitte jamais. « C'est mon habit de princesse », avait-elle l'habitude de dire. À Paris, à Saint-Germain, devant la nouvelle Citroën de Charles. À la clinique de leur père, assise sur son bureau, les jambes dans le vide, avec des gros nœuds blancs dans les cheveux, ça devait être un dimanche de Pâques, avant la Grande Guerre. Louise avec son neveu sur ses genoux, altière. Louise, Sophie et elle dans le jardin à Veulettes en train de profiter d'un rayon de soleil…

Juliette apprenait par cœur les photos. Elle les détaillait pour les aimer encore plus.

32.

20 mars 1943

C'était une journée à haut risque. On se quittait le matin, sans être sûr de se revoir le soir. Alors, Louise prenait un air hautain pour couper court aux effusions de tendresse. Elle embrassa Charles sur le front. Il n'eut même pas le temps de l'attraper par la manche pour demander un autre baiser... Il partait à Annecy, déposer deux articles pour le journal clandestin de la résistance et récupérer des faux papiers pour un aviateur anglais qu'ils cachaient dans un chalet voisin depuis une semaine. Elle accompagnait un groupe d'enfants jusqu'à Chamonix d'où ils devaient passer la frontière suisse, la nuit suivante.

Ils n'avaient pas bien dormi ni l'un, ni l'autre, prenant sur eux, pour ne pas bouger, ne pas déranger l'autre. Ils auraient mieux fait de danser une valse, de faire l'amour, de contempler la nuit étoilée, de regarder les enfants dormir, de profiter l'un de l'autre tout simplement. Au lieu de quoi, au réveil, ils étaient noués de l'intérieur et chiffonnés à l'extérieur.

Les enfants dormaient encore quand ils fermèrent doucement la double porte du chalet. Il avait neigé toute la nuit, pas de chance pour la dernière journée avant le printemps. L'hiver n'en finissait plus, alors qu'il était si difficile de se chauffer.

L'air était pur et vivifiant. Charles respira profondément. Il aimait ces matins de fin d'hiver, froids mais avec une luminosité plus intense.

Dick aboya, les deux pattes sur la grande fenêtre de la salle à manger.

Agathe, précieuse Agathe, le fit taire.

Tout était en ordre. Ils se donnèrent la main sans mettre leur gant, pour descendre vers le calvaire.

— Où as-tu mis les textes ? demanda Louise.

— Devine, on verra si tu fais un bon SS ?

— Dans ton caleçon…

— Tu as peut-être envie d'aller les chercher là…mais ce n'est pas ça.

— Dans ton sac ?

— Oui, tu chauffes.

— Je n'ai pas envie de jouer… Charles, j'ai peur.

— Moi aussi… On a chacun peur pour l'autre.

— …Oui, aussi, mais je pensais surtout aux enfants qui ne pourront pas tenir. Ils n'ont pas de vêtements assez chauds et imperméables.

Charles enlaça sa femme, la forçant à accepter son étreinte. Qu'elle était belle, ce matin, d'une beauté pure et rayonnante.

— Mes textes sont cachés dans mon sandwich… murmura-t-il, avant de l'embrasser avec passion.

Il s'en voulait d'être jaloux de ne pas être la seule préoccupation de Louise. Sa peur pour lui n'avait pas duré longtemps.

Pourtant l'étau se resserrait autour de Charles. Pendant qu'il descendait le calvaire, une voiture de la Gestapo montait vers le chalet. Agathe allait les éconduire avec talent, mais c'était une première alerte.

33.

2 avril 1943

Jacqueline ne respirait plus, son cœur s'était arrêté net. Elle avait d'abord entendu craquer la marche « pimpon », celle qui donnait l'alerte, puis les pas dans le couloir et maintenant les murmures derrière sa porte. Qui pouvait bien venir en pleine nuit ?

— Jacqueline, ouvre-moi…

Ne pas répondre. Une femme seule en première approche, c'était sûrement un piège de la Gestapo. Ils inventaient n'importe quoi pour terroriser les juifs.

— C'est Émilie. Ouvre-moi...

Jacqueline, hirsute, s'employa à replier le matelas, pour pouvoir ouvrir. Cela la rassurait, en ces temps incertains, de dormir contre la porte. On pouvait moins facilement la défoncer ! Encore la lubie d'un pot de terre !

— J'arrive. Deux petites minutes…

Le remue-ménage dura. Chut, tout pouvait dénoncer le brin de vie du septième. Mais, grâce à Dieu, les cliquetis assourdissants de la pluie sur le zinc résonnaient dans la soupente glacée.

La jeune fille se glissa dans la chambre, en marchant sur des couvertures et trébucha sur du linge pour s'effondrer sur une petite valise qui servait de table de nuit.

— Venir de Megève est plus simple… murmura-t-elle, amusée par ces embuscades d'objets.

— Qu'est-il arrivé ?

— J'ai fait une fugue pour venir me battre, avoua Émilie d'un ton neutre.

— Sans l'accord de tes parents…

— Ils doivent avoir lu ma lettre ! Mon père approuve, c'est le principal. Léonard m'a aidée à tout organiser. Cela calmera Maman.

Jacqueline grimaça.

— Ils ne savent pas où tu es ?

— Personne ne doit savoir. Toi, tu n'aurais rien su non plus si je n'avais pas eu besoin des clés de l'appartement. Tu me les donnes et après tu n'entendras plus parler de moi. Je reviendrai, peut-être, de temps en temps te faire coucou, mais le moins souvent possible.

— On peut se battre sans disparaître…

— On peut. Mais, j'ai choisi de me cacher pour ne pas mettre en danger la famille. À partir de demain, je m'appelle Mathilde Dupont.

Elle montra fiérote ses nouveaux papiers.

— Tu es bien protégée avec ça ! Sois prudente quand même. Tu n'as que dix-sept ans, c'est jeune pour s'exposer au danger… insista Jacqueline.

Encore une recommandation de vieille femme qui ne servait à rien.

— Je dois défendre mon pays et cela ne peut pas se faire sans prendre de risque…

Silence et frisson.

— Tu sais quoi… Le hasard est quand même un drôle de coquin !

— Quoi ?

— J'ai croisé Cédric dans le métro.

— Ton cousin germain ? Le fils de Juliette ?

— Lui, en habit de milicien… Pas gêné du tout ! Il m'a embrassée comme du bon pain, puis m'a présentée à d'autres types comme lui… C'est le portrait de son père, la même tête et ce corps trop grand dans lequel il s'empêtre.

— Et alors ?

— J'en tremble encore.

— Pourquoi ?

— Le premier instant, il a été gentil, même chaleureux, me demandant des nouvelles de tout le monde. Il m'a dit que sa mère souffrait de ne plus voir la mienne.

— Mais ?

— Tout d'un coup, son visage s'est durci, son regard est devenu fixe. Il s'est penché vers moi, m'a attirée un peu à l'extérieur du groupe et avec une tape sur les fesses m'a murmuré dans l'oreille : « Sauve-toi vite, avant que je t'arrête. »

— Non … Oh misère !

— Je ne me suis pas dégonflée. Je l'ai embrassé sur les deux joues, en faisant semblant d'y prendre goût, et j'ai serré la main de tous ces salauds. Un par un, tranquille, avec un sourire pour chacun… Il bouillait.

— Il t'a peut-être suivie ?

— Je suis descendue à la station suivante et les ai vus dans le wagon de tête. Je débute mais quand même…

Elles se regardèrent, épatées l'une de l'autre. Elles évoquèrent le danger, la guerre, la peur, les salauds, la solitude, le Paris des Allemands, la fatigue, la faim et la chance d'être ensemble cette nuit. Une nuit à écouter la pluie tomber, éveillées, collées l'une à l'autre pour avoir moins froid.

Cette petite avait du tempérament. Jacqueline redressait la tête en sa présence. Un sacré bout de fille, avec sa jeunesse en bandoulière, sa bravade puérile face au danger et ses grands yeux bleus en cadeau. Si elle avait eu un fils, elle lui aurait présentée. Quelle folie de voir cette jeunesse partir au combat et prendre de tels risques.

Elle s'étira comme une chatte au contact d'une source

de chaleur. Émilie trouvait cette femme belle avec son teint caverneux – elle ne sortait presque plus – ses rides indélogeables autour de ses yeux tristes, et avec sa tenue de nuit raccommodée mille fois.

— On dort ?

— Oui, je ne demande que ça, mentit Émilie.

Le ventre vide depuis son départ la veille, elle rêvait de manger n'importe quoi.

— On se met tête-bêche contre la porte et rien ne pourra nous arriver.

Le lendemain, Jacqueline décida d'accompagner Émilie pour son premier jour, dans son emploi de couverture. C'était tôt, mais tant pis. Au moment de partir, elle enfila son imperméable, à la hâte, craignant de retarder la jeune fille, déjà anxieuse. Le regard d'Émilie attrapa l'étoile jaune, qui avait été cousue avec du fil blanc. Ce détail la frappa.

— Tu ne peux pas sortir comme ça, observa Émilie en caressant du doigt le petit soleil, terni de noir.

— Pourquoi ?

— Tu vas te faire arrêter. C'est de la folie.

Jacqueline sourit. Un sourire triste et désarmant.

— Ce n'est pas la première fois... et peut-être pas la dernière... Bienvenue en zone occupée, ma belle !

Elle avait raison.

— Les premiers jours, je ne pensais qu'à ça. Chaque sortie était une humiliation, car le regard des passants change, sans même qu'ils s'en rendent compte. Tu épies leur réaction et donc la provoques. C'est compliqué la nature humaine, très compliqué. Puis je me suis habituée. Et tu vois, pour l'instant je suis passée entre les mailles du filet.

Émilie s'approcha de la vieille dame et la prit dans ses bras. Le câlin était la seule réponse possible. Elle remarqua que le vieil ours en peluche d'Éva avait aussi une étoile jaune cousue sur sa poitrine. L'étoile lui occupait presque tout le buste. Elle le pointa du doigt avec un sourire de questionnement.

— Une distraction, ma façon de considérer que tout cela est aussi irréel que les ours en peluche.

Sur le petit portant, Émilie attrapa une veste courte en laine sur laquelle était aussi cousue une étoile jaune.

— On y va ? questionna-t-elle en l'enfilant.

Jacqueline resta sans voix. Avec un air boudeur, elle disait non de la tête.

— On ne joue pas à qui perd... gagne. Ils sont trop dangereux, soupira-t-elle.

34.

10 avril 1943

La tête de bouddha était une pièce du XVe siècle. Une somptuosité pour les amateurs. Charles et Louise l'avaient ramenée de Chine. De tous leurs voyages, ils rapportaient des pièces de musée qui meublaient leur appartement et constituaient un « patrimoine pour les enfants ».

Comme Juliette était tombée amoureuse du bouddha, Louise le lui avait offert pour ses quarante ans, en 1935. Depuis, la tête de bouddha suivait Juliette partout. Elle était de tous les déménagements. À chaque fois, Paul râlait. C'était lourd, encombrant et tellement loin de notre culture. À chaque fois, Juliette trouvait une solution. C'était le plus beau cadeau qu'elle ait jamais reçu. Un bout de Louise et de sa vie. Pendant la guerre, elle lui parlait de temps en temps, quand Louise lui manquait trop. Le bouddha avait vraiment une bonne tête, rassurante.

Juliette ne s'aperçut pas tout de suite qu'il avait disparu.

À sa place sur la cheminée, Juliette avait trouvé le mini cercueil avec une corde de pendu glissée à l'intérieur. Paul l'avait caché derrière la tête de bouddha et puis oublié là avec la poussière.

D'abord, ils dînèrent en tête à tête. Un dîner de rond de serviette, comme Juliette les appelait. Ça voulait dire simple, aussi bien la nourriture que la conversation : on passa en revue la journée et les choses du quotidien. Juliette remarqua simplement que Paul était fuyant. Elle mit ça sur le compte du nouveau Feldkommandant de Chartres. Un Allemand, plus allemand que la moyenne, donnant des ordres dans tous les sens. Puis Juliette monta se coucher, alors que Paul retournait à ses papiers. Ses foutus papiers. Son refuge, sa perdition.

À peine dix minutes plus tard, de rage, elle traversa la préfecture, nu-pieds, en chemise de nuit. C'était une distance dans les couloirs sombres, glacés et hostiles. Échevelée, elle se planta devant Paul.

— On m'a volé bouddha…

— Ah…

Paul, impassible, ne lui accorda même pas un regard. Le moment était mal choisi, il était concentré sur les instructions FK824, concernant la campagne de propagande pour le STO.

— Il n'est plus sur notre cheminée.

— Et alors ?

— Et alors… et alors, mais c'est grave…

Elle en bégayait de stupeur.

— Et le petit cercueil ?

— De quoi parles-tu ? Juliette, j'ai du travail.

Elle se faisait éconduire comme une petite fille.

— Plus de bouddha et un cercueil !

Paul lisait en remuant les lèvres. De son index, il suivait les lignes du document. Il se foutait éperdument des remontrances brouillones de Juliette, en pleine nuit, dans son bureau !

En un courant d'air, elle était allée chercher le mini cercueil et l'avait planté devant Paul. Elle l'avait presque écrasé avec la paume de sa main.

— Ah ! C'est ça, mais c'est vieux, cette menace de pacotille. Je l'avais oubliée. Ne t'inquiète pas. Tout va bien. Je n'ai pas peur.

— Et le bouddha ?

— Aucun rapport entre les deux.

— Il a disparu…

— Non pas vraiment. J'avais oublié de te dire que je l'ai donné pour les malheureux.

Juliette suffoqua…

— Pour les quoi ? Tu l'as quoi…

— Donné pour la vente de charité organisée au profit des prisonniers du PPF. C'est un beau lot.

Paul ne voyait pas le problème. Juliette s'emportait. L'envie de casser la baraque, à défaut de cogner sur son mari, démultipliait ses forces. Il voulait lui flanquer une correction, avec ses airs hypocrites.

— Inacceptable, tu m'entends. Tu crois me punir à cause de ma crise de nerfs à Paris ?

Paul, stoïque, mit ses mains sur ses oreilles, pour signifier en silence qu'elle faisait trop de bruit. Puis il se leva et la prit dans ses bras. Elle se débattait, mais il était vraiment plus fort, le roi de la Beauce, si grand et si large.

— Ça ne sert à rien de hurler. De toutes les façons, tu es dans le camp de ton mari, pour le meilleur et pour le pire. Alors, associée, complice, solidaire comme on veut…

Juliette voulut l'interrompre. Il l'empêcha de parler en l'embrassant, puis tranquillement reprit sa leçon de discipline.

— Disons, embringuée par devoir, si ce n'est par amour. Par amour, ça sonne mieux !

— C'était un cadeau de Louise… Tu n'avais pas le…

— Chut… Silence dans les rangs. C'est un petit sacrifice soldat. D'autres perdent beaucoup plus… Dois-je te rappeler que…

Juliette se défit de son étreinte et s'en retourna vers leur appartement privé, la fureur apaisée et le cœur gros.

À la vente le lendemain, elle offrit au commissaire-priseur toutes ses économies. Quelques sous ramassés à droite à gauche sur ce que lui donnait Paul. Il accepta de ne pas mettre le bouddha aux enchères.

Pour faire plaisir à Madame... Son mari avait le bras long. Le bouddha reprit sa place sur la cheminée et on ne parla plus jamais du mini cercueil. Jusqu'au suivant.

35.

13 avril 1943

C'était l'heure où Charles faisait sa sieste.

Louise aimait bien ce moment calme de la journée. On changeait de rythme pour respecter le sommeil du chef de famille. Cette habitude d'avant-guerre était immuable. Louise en profitait, souvent, pour se poser. Dormir l'après-midi, ce n'était pas son truc. Ce qu'elle aimait par-dessus tout, c'était profiter de la torpeur pour faire du tricot et ne penser à rien, ou pour être plus juste, ne penser à rien de particulier.

Elle avait reçu la veille un colis de Juliette contenant des pelotes de laine et une paire d'aiguilles neuves. C'était un superbe cadeau. Elle se réjouissait de se mettre à l'ouvrage, cela faisait si longtemps qu'elle n'avait pas tricoté.

Elle se cala dans le canapé rouge du salon, pour feuilleter les *Modes et Travaux* et choisir un modèle de pull pour Léonard. C'était hors saison, mais tant pis.

— Vite, vite, ils montent ! Roland était essoufflé et en sueur.

Louise se précipita pour prévenir Charles.

— Ils montent…

— On peut dire Métropolitain…

— Pardon ?

Louise le regarda avec des yeux ronds. Il souriait et ne montrait aucun signe d'affolement.

— On peut dire Métropolitain, mais on ne peut pas dire : Pétain mollit trop !

L'humour était sa parade. Au danger, à l'émotion ou au chambardement, il répondait par une blague. Louise ne s'y était jamais habituée. À chaque fois, elle se laissait surprendre.

— Cache les feuillets de mon éditorial sous le matelas s'ils fouillent la maison.

— Que des mots, que des mots…

Louise plia les feuilles en quatre et les glissa dans son soutien-gorge. À l'endroit même où elle glissait toujours l'argent que lui donnait Charles pour nourrir la famille.

— Non pas sur toi…

— On va tous se faire arrêter avec tes pages qui ne servent à rien…

La phrase avait été dite sans qu'elle la pense vraiment. La précipitation, la peur n'aidaient pas à avoir les idées claires. Mieux valait se taire et se concentrer sur l'essentiel, fuir…

— Tu débloques, mon amour !

— Oui, pardon. On aurait dû prévoir…

— Comme nous n'étions pas encore broyés par les événements, nous nous devions de continuer à vivre normalement, dignement… l'interrompit Charles. À quoi bon se frapper d'avance pour des malheurs qui n'existeront peut-être pas.

— Ils sont en route cette fois… les malheurs…

Tandis que Charles et Roland se faufilaient par la porte de la cuisine, en contrebas du chalet, la Gestapo frappait à la porte du salon.

Louise prit sur elle pour se montrer aimable, presque accueillante. La tasse de thé était inutile, trop anglais, mais le cœur y était.

— Nous reviendrons ce soir, puis demain. Ces messieurs

vont bien finir par redescendre de la montagne et nous pourrons leur parler d'homme à homme.

— Venez quand vous voulez. Vous aurez peu de chance de les croiser. Ils sont partis loin !

Louise avait été parfaite.

Quand elle referma la porte sur les cinq hommes, elle se précipita dans les toilettes. Cinq minutes de plus, elle leur vomissait sur les chaussures. Grand Dieu !

***

Louise décida de téléphoner à Paul. Charles n'avait jamais mentionné son précédent appel au secours. Elle ne pouvait pas savoir qu'elle fonçait droit dans le mur… Elle se disait, assez fièrement, qu'après trois ans de guerre, ils ne lui avaient rien demandé. Ce « rien » méritait bien, maintenant, un petit service, un coup de fil au préfet de Savoie. Rien de bien compromettant si on essayait de se mettre à sa place.

La gifle que Louise reçut à la première phrase fut d'autant plus douloureuse.

— Avec la publication de l'éditorial d'Einstein en 1933, il a signé son arrêt de mort. Dix ans de sursis, ce n'est pas si mal !

D'une voix blanche, elle articula quand même sa requête.

— C'était la police française qui accompagnait la Gestapo. Tu dois pouvoir en savoir plus, Paul, je t'en supplie.

— Je ne connais pas bien le préfet de Savoie...

Louise eut une lueur d'espoir. Il entrouvrait la porte.

— J'avais promis à Charles de ne rien te demander. Mais maintenant, il est caché et je dois prendre les choses en main. Tu dois nous aider à sortir du Ghetto. Megève est devenu un ghetto avec les « Protégés du pape ». Nous sommes tous en grand danger.

— L'éditorial d'Einstein était un enfantillage ! Il le paie aujourd'hui.

Louise se demandait pourquoi Paul insistait tellement. Tout cela lui semblait si loin. Quel rapport avec la visite de la Gestapo, dix ans plus tard ? Charles avait plein d'autres raisons d'être recherché par la police allemande, alors pourquoi celle-là ?

L'entrevue avec le grand physicien lui revint en mémoire. Elle cherchait des indices. Le visage de la femme d'Einstein lui apparut comme si elle l'avait revu tous les jours depuis. Les avait-elle dénoncés ? Mais non, c'était impossible, elle vivait aux États-Unis... D'ailleurs le rendez-vous avec Albert Einstein avait été fixé par un intermédiaire de l'Ambassade des États-Unis. Ce détail qu'elle avait oublié lui apparut tout d'un coup mystérieux.

Une drôle de femme, l'égérie du physicien, mélange de mollesse et de détermination. En pénétrant dans la pièce, d'un pas traînant et bruyant, elle tenait du bout des doigts, de la main gauche, une feuille de papier noircie d'une écriture nerveuse et régulière. Elle les invita à s'asseoir en face d'elle sur un canapé qui avait dû être jaune un jour, encombré de livres et de cahiers. Ils furent obligés de se coller l'un à l'autre. Charles était assis en équilibre et croisa les jambes devant lui pour ne pas glisser. Elle se posa sur le fauteuil bleu face à eux, glissant sous ses fesses la feuille qu'elle tenait à la main.

Un désordre impressionnant régnait dans le salon encombré de la maison mal chauffée. Des malles ouvertes, des piles de livres et de dossiers, des habits sur des cintres, des objets de toutes sortes posés par terre, faute de place sur les meubles.

— En ce moment, il travaille dur et se retire du monde, expliqua-t-elle pour s'excuser de les recevoir seule. Je suis chargée de faire le petit télégraphiste. L'avenir de l'Allemagne le préoccupe beaucoup. Il a pris la décision de partir vivre aux États-Unis et de ne plus jamais remettre les pieds dans son pays. Vous savez cela n'est-ce pas ? demanda-t-elle en allemand.

Charles ne quittait pas des yeux la feuille manuscrite qui se froissait à vue d'œil sous le poids de la dame. Elle s'était assise sans délicatesse, avec un long soupir douloureux, comme assommée par une lassitude immense.

Du doigt, il pointa la feuille, ne pouvant articuler un mot, la bouche tordue par une grimace nerveuse. Peut-être le grand homme avait-il griffonné une formule mathématique essentielle sur cette feuille ? Charles était saisi. Louise souriait, amusée par le trouble de son mari et la désinvolture molle de leur interlocutrice. Elle les regardait sans les voir et continua son monologue en allemand.

— Les choses matérielles ne comptent pas pour lui. Il a besoin d'avoir un endroit calme. Du papier, beaucoup de papier, des feuilles blanches de qualité supérieure. De l'encre noire. Il noircit des milliers de feuilles et me demande ensuite de les classer. Je le fais avant qu'il ne les dérange à nouveau pour rechercher une idée, un raisonnement, une formule. Je cuisine les plats qui lui rappellent l'Allemagne. Très chère Allemagne, comme elle nous paraît loin maintenant. Des pommes de terre et des cornichons aigres-doux à tous les repas. Il se plaint de l'amertume de la choucroute, ici, mais l'amertume est au fond de son cœur. Elle a le même goût qu'ailleurs la choucroute, mais nous sommes des immigrés. Voilà d'où lui vient l'arrière-goût !

Un long silence s'établit dans la pièce. Charles et Louise ne savaient pas comment réagir. Ils s'étaient préparés à parler politique, engagement, grandes idées, combats... Ils parlaient choucroute et cornichons, terrain sur lequel ils étaient moins à l'aise, manquant d'arguments pour alimenter la conversation, surtout en allemand !

Tout d'un coup, ils entendirent des bruits sourds provenant du plafond. On bougeait de lourds meubles. On jetait des objets sur le parquet. On tapait du pied. Un vacarme digne d'une salle de jeux pour enfants. C'était comme un tremblement de terre, aussi subit et bruyant, avec une énergie, insoupçonnée une minute plus tôt.

— Il bouge, bientôt il va m'appeler, reprit leur interlocutrice. En disant cela, elle se redressa en mordillant ses lèvres pour leur redonner une couleur rose alléchante.

Elle vivait à son rythme, servante docile et aimante, pour lui.

Il apparut dans l'embrasure de la porte. Il semblait petit, en comparaison des bruits qu'il provoquait. Il portait un pull de laine en shetland, à la couleur indéfinie entre le gris et le marron, rétréci au lavage, surtout au niveau des manches. Sa moustache n'avait pas vu de barbier depuis longtemps et recouvrait ses lèvres, à la gauloise. Mais la grande surprise venait surtout des cheveux, qui semblaient ne pas être les siens. Mouillés et coiffés, ils étaient plats. Sans vie propre. Cela changeait l'homme.

Charles et Louise se levèrent brusquement pour l'accueillir, soulagés. Il tenait aussi des feuilles de papier noircies. Décidément, ces feuilles manuscrites étaient le sésame de la maison. Un lien essentiel, dans cet univers où la place des objets n'avait aucun sens, où tout semblait se bousculer, pour ne pas manquer le camion de déménagement.

Il se racla la gorge pour éclaircir sa voix, prononçant ses premiers mots de la journée. Il parlait en allemand, d'une voix douce qui contrastait avec son regard dur.

— Si on n'arrête pas les empiètements d'Hitler, il en coûtera à la France du sang et des larmes, dit-il sans introduire ses propos. Voilà ce que j'ai écrit ici.

Il tendit une feuille à Charles.

— Il faudra que vous traduisiez en français, c'est en allemand.

Charles saisit la feuille et serra avec chaleur et empressement la main du physicien.

— Je suis très honoré de vous rencontrer et je vous remercie de faire confiance à notre journal *La Gazette des Entrepreneurs* pour lancer votre appel en France.

Il regarda la feuille et constata qu'elle était surchargée de chiffres et de formules. Pour masquer sa gêne, il continua à parler tout en tournant et retournant la feuille qu'il tendit à Louise.

— L'allemand serait plus facile à traduire que des formules de mathématiques, finit par articuler Charles avec un large sourire de politesse.

Le physicien éclata de rire. On sentait un enjouement forcé, il semblait plus préoccupé qu'amusé.

— Suis-je bête ? Dans ce désordre, mes idées s'embrouillent elles aussi. Je tourne en rond depuis hier, près d'une solution sans la trouver cependant

— C'est moi qui ai le texte, intervint sa femme qui tira la feuille sur laquelle elle était assise.

Charles, agacé, murmura à Louise : « Je savais qu'elle s'était assise dessus ! » se précipitant pour saisir la feuille, un peu trop vivement. Enfin, il tenait l'« Appel d'Einstein au boycott des entreprises allemandes ».

— Voulez-vous que nous le lisions ensemble pour ne pas dénaturer vos propos, proposa-t-il, se réjouissant d'avance de cette bombe de papier.

— Non, j'ai confiance. À partir de mes idées vous trouverez les bons mots simples et forts. Vous devez aussi parler à votre Président. Aucune compromission possible avec Hitler, aucune. Aucune, comprenez-vous, aucune…

Il s'emporta et s'agita avec une force presque surnaturelle. Charles avait perdu le fil du raisonnement, les mots défilant à la vitesse d'un cheval emporté. Einstein alluma une cigarette pour se calmer. Mais le tabac lui faisait battre le sang au visage.

— Tout cela est si dangereux, je ne sais plus en parler avec calme.

Une fois encore, il éclata de rire. Un rire triste et sourd, comme un clown obligé de donner le change au public, mais accablé par la gravité de son propos. Puis, il s'éclipsa comme il était venu, traversant le salon pour se diriger vers la cuisine. La faim le tiraillait. Il se retourna, et ajouta sans changer de ton.

— Votre femme est d'une grande beauté. Félicitations ! Mais elle ne semble pas comprendre l'allemand. De nos jours c'est plutôt une qualité. Au moins on ne peut pas être suspecté d'être l'un d'eux !

L'Appel d'Einstein fut publié trois jours plus tard.

Charles et Roland devinrent des ennemis actifs du Troisième Reich. Alors leurs noms furent sur toutes les listes noires des nazis. Les premières, les actuelles, les futures.

***

Louise ne voulait pas rompre le silence la première. Paul devait se débattre au milieu de son embarras. À ses soupirs caverneux, Louise avait compris qu'il n'allait pas bouger. Pas un cil. Vive l'ordre nouveau !

Louise raccrocha la première. Vite, elle ne voulait pas lui laisser cette minuscule satisfaction. C'était dérisoire face à cette conversation inutile et humiliante. Elle s'affala sur le canapé, désespérée, ne sachant plus ce qu'elle devait faire. Pourtant, elle avait sa façon bien à elle de foncer dans les difficultés, de fendre les cumulus pour apercevoir le ciel bleu, mais là, plus d'idée.

Et appeler Juliette. La supplier de convaincre Paul, pouvait-elle refuser ? Pouvait-elle refuser ? Louise se surprit à murmurer un petit oui, un oui douloureux, ridicule et amer, mais un oui quand même. Juliette n'avait pas d'autre opinion profonde que celle du bouchon sur la vague. Pauvre Juliette, le réveil serait douloureux…

Pour conjurer le sort, comme d'habitude, Louise se signa, avec une main molle, la gauche même, décidément tout allait de travers. Elle était comme saoule de sa lucidité. Sa sœur était lâche, son mari caché, ses enfants menacés et elle sans force. Quel tableau !

Elle pensa au pari de Charles – la guerre ne devait pas durer plus de deux ans – une utopie. Il avait perdu. De toute façon, c'était un pari d'honneur, juste pour parler. Ou peut-être jouait-il le fanfaron, en pariant sur la défaite allemande pour remonter le moral autour de lui... Tous les faits contredisaient ses pronostics. Les Alliés n'avaient pas débarqué. La bataille de Russie donnait des coups de froid à tous les pays occupés. Affaiblis, les Allemands renforçaient la répression. Avec ses lunettes roses, Charles induisait tout le monde en erreur !

Juliette avait les mains glacées. L'humidité du soir pénétrait par la cheminée.

Elle n'avait plus la force de se lever pour attraper un châle, alors elle coinça ses mains entre les coussins. C'est là qu'elle trouva la feuille jaunie de papier journal avec l'éditorial d'Einstein, barré d'une phrase manuscrite en allemand, avec les noms de Charles et de Roland, et l'adresse du chalet. Comment la menace s'était-elle glissée au cœur du canapé rouge ?

Il fut décidé qu'Agathe porterait la nourriture aux deux repliés.

Ils restèrent cachés deux nuits. Au milieu de la troisième, Charles réveillé en sursaut par un mauvais rêve partit seul pour rejoindre sa famille, son lit, sa femme. S'il se passait quoi que ce soit, il voulait être près d'eux. Rester caché lui semblait grotesque. Dans le chalet endormi, il fit le tour des chambres comme un propriétaire heureux de retrouver ses biens. Il avait l'impression d'être parti des semaines. Puis il se glissa contre Louise qui murmura dans son sommeil, « ce n'est pas raisonnable » ... en se blottissant contre lui. Tout contre lui.

Il n'était pas rentré pour rien. Vive la vie !

36.

22 avril 1943

Avec le printemps et la fonte des neiges, on vit débarquer à Megève, des juifs qui arrivaient de Nice et dont on disait qu'ils bénéficiaient de la protection spéciale du pape. Le pape avait obtenu de Mussolini, en personne, la protection de mille juifs évacués de la Côte d'Azur et regroupés en Savoie.

Cette nouvelle inquiéta beaucoup les habitants de Megève, mais quand ils virent arriver ces juifs étrangers, la plupart misérables, ce fut un sentiment de pitié qui domina plutôt qu'un sentiment d'animosité. Charles se porta volontaire pour aider à les nourrir, à les héberger, à les occuper, à n'importe quoi pour que tout cela se passe au mieux. Chez lui le poste de TSF donnait son maximum, aussi à l'heure de Radio Londres, le chalet devint un lieu de rendez-vous des « Protégés du pape » qui devaient, pour des missions précises, écouter les messages personnels.

Il riait tellement qu'il en avait mal au ventre.

— Un peu de tenue, Charles, ne te donne pas en spectacle devant les « Protégés du pape »...

Il rigolait de plus belle.

Pourtant l'histoire n'était pas si drôle et surtout mille fois rabâchée.

Jugez vous-même ! Un homme se présente au commissariat de son quartier à Berlin. – Vous désirez ? – Changer de nom. – Ah comment vous appelez-vous ? Adolphe Levy ? Levy vous êtes, Levy vous resterez. – Mais je ne viens pas pour Levy, je viens pour Adolphe !

« Ici Londres, les Français parlent aux Français… »

— Charles, arrête de rire, on n'entend rien…

« Français, Françaises, aujourd'hui 997 jours de la lutte du peuple français contre l'oppression » …Pom, Pom, Pom… Cinquième symphonie de Beethoven.

— Éloigne-toi du poste, qu'on écoute.

Louise commençait à perdre patience.

— Mais pourquoi ils écoutent eux ? Ils ne parlent que yiddish…, questionna Charles entre deux hoquets.

— On ne montre pas du doigt, Papa, ce n'est pas poli, intervint Laurent tout content de montrer qu'il connaissait ses classiques.

Il pointait du doigt les « Protégés du pape », deux silhouettes sombres avec leur grand manteau noir, leur barbe de patriarche et leur large chapeau gansé de fourrure. Ces deux hommes, qu'on disait frères, venaient tous les soirs depuis une semaine écouter Radio Londres. Ils souriaient, sans dire un mot. Au moment des messages personnels, les traits de leurs visages se crispaient et un petit bout de leur langue apparaissait entre leurs lèvres.

« Frederick était roi de Prusse ; nous disons quatre fois. Grand-mère mange nos bonbons. Il faut avoir des pipes pour trier les lentilles. La Bénédictine est une liqueur douce. Tante Amélie fait du vélo en short. Les fraises sont dans leur jus. »

À la fin des messages personnels, l'un d'eux haussa les épaules et laissa retomber mollement sur ses cuisses ses deux mains ballantes.

Le message attendu n'avait pas encore été prononcé. Ils avaient montré à Charles la phrase griffonnée sur un bout de papier « Croix de bois, croix de guerre, si je mens je vais en enfer ».

Charles leur parla allemand, pour se rendre utile mais impossible de se faire comprendre. Il perçut même comme une raideur nouvelle dans leur posture. Ce n'était pas la bonne approche.

Alors, Charles présenta le Larousse, pour qu'ils indiquent leur pays, sur la carte du monde. Avec un doigt sale et écorché, l'un d'eux pointa la Pologne. Il avait les yeux humides quand Charles croisa son regard. Deux cents juifs religieux évacués de la Côte d'Azur étaient arrivés à Megève, quinze jours plus tôt. C'était une première fournée. Leur présence dans la station donnait un côté ruelles de Jérusalem aux sentiers de grandes randonnées. Les Italiens étaient censés assurer leur sécurité, les habitants leur logement et leur ravitaillement, les Américains le financement. Cet équilibre fragile reposait sur la capacité des dollars à calmer tout le monde. C'était le message annonçant le virement de l'argent qu'attendait le « visiteur du soir ».

— Ils en auront au moins sauvé quelques-uns… murmura Charles, finalement calmé et affichant une gravité surfaite.

Son interlocuteur inlassablement disait non de la tête et prenait un air de chien battu.

— Revenez demain et restez dîner avec nous, proposa Charles en parlant avec les mains aussi pour avoir une chance de se faire comprendre.

Le barbu lui décrocha un sourire lumineux, le premier.

— Va leur chercher un dîner, ils sont affamés…

Louise se précipita dans l'escalier.

— Agathe, Agathe, vite, vite…

Charles continuait son riche dialogue en leur proposant de s'asseoir à table.

Il sortit du buffet rouge deux pièces à conviction. À la vue des assiettes, les deux hommes décrochèrent un nouveau sourire et s'installèrent sans enlever leur redingote.

À l'heure de Radio Londres, le lendemain, ils arrivèrent à cinq ; puis à sept les surlendemains. Plus on était de fous, plus on se régalait. Agathe n'aurait qu'à faire des miracles, après tout !

37.

3 mai 1943

Tout s'était organisé dans son dos, tout ce qui était possible de faire sans qu'elle s'aperçoive des gesticulations de Charles ou d'Agathe pour organiser une fête malgré la guerre, une belle fête malgré elle. Quand Louise appuya sur le réveil, juste avant la sonnerie, Charles attrapa sa main pour l'inclure enfin dans la surprise.

— Aujourd'hui grasse matinée… Nous fêtons nos vingt ans de mariage ! Pas besoin de te précipiter pour faire la queue chez tes commerçants préférés…

— Ce n'est pas raisonnable en pleine guerre…

— Tout est organisé. Laisse-toi vivre… Les anniversaires sont les bornes kilométriques de la vie, j'y attache de l'importance.

— Sans les enfants ? se renseigna Louise.

Elle avait employé le pluriel pour faire plaisir à Charles. Elle voulait dire : sans Léonard ? Mais pour lui, la présence de sa fille comptait aussi. Alors, elle questionnait large.

— Les enfants sont là, répondit Charles avec un ton vantard, certain de son effet.

Louise se leva, soudain virevoltante tout à son bonheur, et une fois debout, s'inquiéta.

— Léonard ? Et ses examens ?

Elle se précipita devant la glace pour se coiffer. Dans le cabinet de toilette, elle prit soin de fermer la porte, avant de faire des bonds de joie. Quel bonheur, son fils était là ! Deux jours de répit. Quand il était loin, elle n'était jamais en paix. Taraudée par mille questions sur son confort, sa santé, sa nourriture, son sommeil, son humeur, son travail, la couleur du ciel…

Charles se gratta les yeux avec ses poings. Il rêvait. En vingt ans, rien n'avait changé. Rien et tout, tout sauf le grand amour, la puissance du grand amour de sa femme pour leur fils. Plus elle vieillissait, plus elle se ressemblait, plus elle l'aimait. Pourtant, il ne s'attendait pas à ce silence sur Émilie. Pas même une question, alors qu'elles ne s'étaient pas parlé depuis la fugue de la jeune fille, deux mois plus tôt. Elle lui en voulait de ses cachotteries. Mais tout de même, son engagement, la prise de risque, la menace permanente, valaient bien un petit élan, une question, un mot, une pensée, un signe.

Pour éviter de lui en vouloir, il mit cela sur le compte de l'émotion. C'était une bonne fille l'émotion, qui vous sortait de bien des situations. Charles ne trouvait pas ses mots pour formuler un reproche. Il aurait été trop gros.

Encore une journée où il en ferait beaucoup pour compenser, pour faire diversion, pour protéger les petits des écorchures d'un grand amour coupant comme un diamant, pour jeter un voile pudique sur la préférence. Cette préférence, cœur et douleur de la famille, cette préférence trop voyante, trop envahissante, trop injuste. Encore une journée à essayer de faire revenir le balancier dans l'autre sens. Et sans y arriver vraiment.

Cette nuit, il avait passé un petit moment avec Léonard dans sa chambre, pour parler de choses et d'autres. Il l'avait observé avec amusement. Il était adulte à l'extérieur ; petit garçon à la maison, venant se faire dorloter par sa mère, comme un chat ronronnant.

Léonard parlait politique, engagement, guerre, combat de l'ombre, réunions secrètes, production de tracts, sabotage, étudiants engagés au risque de leur vie. Il donna son accord pour rejoindre les Forces Françaises Libres dès la fin des concours. Même demain, même maintenant, si son père voulait !

Quitter la France pour aller se battre au plus vite lui semblait normal, évident, urgent. Et, dans le même élan de sincérité, il mesurait sa taille en se collant dos à la porte communicante entre la salle de bains et la chambre. Hop, voyons voir si j'ai grandi, devait-il se dire naïvement. Avec sa main aplatie dans ses cheveux, bien collée sur le haut du crâne, il crispait ses doigts de pied pour dépasser le dernier trait. Encore une fois raté, mais c'était sans importance. La prochaine fois peut-être.

À chaque arrivée au chalet, depuis qu'il se tenait debout, il venait se mesurer à la tranche de la porte, c'était sa toise à lui. Avec application, il avait marqué les progressions de taille, avec ses initiales, la date et un trait noir épais qui rendait illisible le tout. Certains repères avaient coulé. C'était sans importance, ils appartenaient au passé. L'important était de tendre vers le haut de la porte, le plus haut possible.

— Tu te mesures encore ? s'était amusé Charles.

— J'aime bien vérifier…

— La petite taille est comprise dans l'héritage…

— C'n'est pas pour ça ! dit-il un peu vexé. Je suis déjà plus grand que toi.

— Oui, mon grand. Oui c'est vrai.

Cette fois, c'est Charles qui était un peu vexé.

— J'ai plutôt la taille de Maman…

Pas de quoi se vexer, pensa Charles, alors, puisque Maman, superbe Maman était la référence.

À la cuisine, c'était l'effervescence des grands jours. Comme en temps de paix.

Agathe ne savait plus où donner de la tête. La famille au complet, c'était un événement planétaire. D'une autre époque. Une odeur de caramel presque brûlé flottait dans l'air. On entendait le bruissement léger de l'eau du bain-marie pour la crème aux œufs, grande passion de monsieur Léonard. Agathe connaissait ses classiques, elle n'avait pas besoin d'attendre les instructions de Madame. Elle faisait au mieux avec ce qu'elle avait comme ingrédients, basta.

Toutes les casseroles étaient de sortie, l'armée de cuillères en bois prête à l'attaque, le saumon étalé, les légumes lavés, les pommes de terre épluchées, le persil haché et les échalotes ciselées. La pâte feuilletée étalée sur deux torchons, farinée et tout.

— Trop de monde, personne ne pourra manger à sa faim… marmonnait Agathe dans son tablier.

— Qui vient ? demanda Sophie qui aimait être au milieu des préparatifs. Toute cette excitation la réjouissait.

— Ton père ne sait plus bien. Pour sûr, les « Protégés du pape », l'abbé Bernard, les amis du chalet d'à côté…

— Chacun aura une demi-part de tout… ce n'est pas grave, c'est la guerre !

— On servira les hommes et les enfants d'abord. Les femmes… comme d'habitude vous mangerez moins, s'amusa Agathe.

— Quand même, on devrait servir Émilie. T'as vu comme elle a maigri à Paris, dit Sophie.

— Je lui garde une petite surprise pour elle toute seule, c'est la plus courageuse. Mais chut, tu ne dis rien…

Agathe avait une tendresse particulière pour l'aînée des filles. Enfant, elle venait souvent se réfugier dans la cuisine. Amortie par les tabliers d'Agathe, la dureté de sa mère paraissait plus douce. Avec Agathe, elle pouvait discuter de choses de filles. Celles qui n'intéressaient pas Léonard, donc personne dans la maison. Mille fois Agathe avait voulu lui apprendre à faire la cuisine, mais malheureusement elle était tombée sur une handicapée de la recette.

— Pourquoi faire ? demandait Émilie naïvement, j'épouserai un homme riche comme Papa qui me paiera une Agathe comme toi. Et elle serrait très fort la domestique, tendre et dévouée dans ses bras. Entre elles, s'était glissée toute la tendresse du monde. En arrivant dans la nuit, Émilie était passée par la porte du bas. Elle voulait d'abord embrasser Agathe dans sa chambre et connaître les derniers ragots de la famille. Agathe ne parlait que de l'essentiel. Elle transperçait les sentiments et se trompait rarement. À elle, et à elle seulement, Émilie allait raconter ses secrets d'agent de liaison.

Des années de guerre, ce fut le repas le plus gai. Personne n'avait envie d'une conversation sérieuse. On était juste heureux de se retrouver.

À la surprise générale, les « Protégés du pape » arrivèrent avec un dictionnaire yiddish-allemand, une pièce de musée. C'était leur bouquet de fleurs, leur boîte de friandises, leur cadeau. Ils l'avaient trouvé dans les bagages d'une vieille réfugiée transportée comme eux de Nice, mais qui n'avait pas supporté le voyage. Très fiers de leur trouvaille, ils avaient décidé d'articuler des phrases en allemand, comble de l'effort, pour remercier leurs hôtes. Les remercier pour ces heures passées ensemble à écouter Radio Londres, les coups d'œil, les tentatives d'explication, les applaudissements aux bonnes nouvelles, les pouces baissés aux mauvaises, les repas abondants, les sourires de Louise, les accolades de Charles, les rires des enfants. Alors, tous les quarts d'heure, chacun leur tour, ils articulaient une phrase incompréhensible en allemand, en levant le nez de leur bouquin. On écoutait dans un silence quasi religieux. Puis la tablée essayait de traduire. Chacun, en chœur, donnant sa propre interprétation. Une cacophonie joyeuse au milieu de laquelle l'abbé Bernard essayait de garder son sérieux et de parler français. Puis Charles se leva pour le traditionnel discours de famille. Il tapa avec le manche de son couteau en corne sur le verre de cristal rouge. Pour une fois, Louise ne fit aucun commentaire sur la fragilité de l'objet. Elle n'était plus bien sûre que ce fût si fragile que ça.

Il se racla la gorge et déplia sa feuille. Comme d'habitude, ne sachant pas improviser, il avait tout écrit, pesant chaque mot.

— Même sous l'épée de Damoclès du danger d'arrestation et de déportation, le besoin de moments d'espoir, si possible de gaieté partagée est grand chez les repliés que nous sommes. C'est pour ça que j'ai voulu que nous soyons tous réunis pour un déjeuner de gala pour nos vingt ans de mariage. Merci à tous de votre présence. Merci, les enfants, Merci, le dictionnaire yiddish-allemand (le plus imprévu de nos invités) et merci, Ma Louise, Mon am...

Sa voix se brisa.

— Merci pour ces vingt ans de bonheur. C'est l'occasion de parler d'amour et je fais aujourd'hui une exception à la règle car j'ai toujours tenu à éviter un exhibitionnisme trop brutal, à observer cette retenue naturelle que l'on nomme pudeur, sans laquelle l'amour ne serait qu'une fonction physiologique, sans mystère, sans noblesse, sans poésie. Mais ainsi va la vie et nul ne peut savoir aujourd'hui, aux heures sombres, si le malheur vous atteint ou vous épargne. La chance passée ne garantit en rien la chance à venir. Alors, je raconte ! Les enfants, retenez une chose, vous êtes des enfants de l'amour. Ma plus grande, ma plus belle aventure a été la rencontre avec votre mère. Depuis vingt ans, Louise m'a accompagné dans le monde entier, m'a prodigué un amour d'une richesse indescriptible, une descendance qui m'enchante, une aide précieuse chaque jour, presque chaque minute. Aujourd'hui encore, dans les péripéties dramatiques de la guerre, un concours prestigieux, au prix d'une brisure peut-être définitive, avec sa propre famille. Merci, ma Lisette, notre Lisette à tous. Vous devez savoir aussi, bien que je ne souhaite pas faire part de ma décision, mais l'évasion est programmée pour l'été. D'ici là, Léonard doit réussir ses concours et nous tous passer entre les gouttes, avec prudence et dignité. À nos amis de Yiddishland, je dis Mazel Tov d'être des Mensch. Vous nous montrez l'exemple, plus besoin de revenir à Ki...

— Papa, stop, l'interrompit Léonard. J'ai parié avec Émilie que tu ne citerais pas Kipling.

Charles hésita sur l'attitude à adopter. Puis se décida à sourire, il aimait l'impertinence de ses aînés. Les mains sur les hanches, il interpella la tablée qui guettait sa réaction.

— Le débat peut s'ouvrir... L'ai-je cité ou pas ? On vote.

Il fut impossible de départager les compétiteurs. On décréta le pari caduc. Il fallait bien en sortir ! Et on trinqua à la double victoire.

Émilie qui chantait faux, entonna *la Marseillaise*. L'abbé Bernard vint à son secours avec sa belle voix grave. La seconde d'après, tout le monde chantait, debout, concentré, ému, dans une ferveur exceptionnelle, le ventre noué. Même les « Protégés du pape » bougeaient leurs lèvres. En être leur semblait essentiel !

Le ciel était bleu, on décida d'aller cueillir des fleurs sauvages dans le bois, du côté du téléphérique. Les conversations particulières et collectives allaient bon train. On avait tellement de choses à se dire.

Pendant deux heures, on fit semblant que l'anniversaire de mariage durerait toujours. Pourtant Louise était préoccupée. Le compte à rebours de la séparation commençait. Elle savait qu'elle ne pourrait plus rien faire pour empêcher l'inévitable. Charles avait pris sa décision, il partait avec Léonard. Elle était comblée par l'instant présent et inquiète de l'avenir.

38.

2 juin 1943

Il fallait faire tout un détour par la campagne à cause du mur de l'Atlantique. *Strictly Forbidden* de s'approcher de la mer. Entre les deux falaises, on avait construit un immense mur de béton gris, devant lequel des soldats parcouraient la plage au pas de l'oie, jour et nuit. Derrière le mur, s'intercalaient des chevaux de frise à perte de vue, des têtes de mort clouées sur des croix en fer noir et des pieux de bois minés dits « asperges de Rommel ». Du haut de la falaise, ce spectacle vous saisissait à la gorge. Les côtes de la Manche étaient devenues une immense zone interdite. Même pour la femme d'un préfet de l'État français. Pourtant Juliette avait promis à Louise d'aller chercher la petite boîte de fer rouge qui contenait les économies de Charles. Une véritable expédition, dangereuse pour le coup, mais c'était une promesse !

Le bus à gazogène qui arrivait de Rouen déposa Juliette à cinq kilomètres de Veulettes. Tant pis, elle marcha sous une petite pluie fine jusqu'à la maison de Blanchette. L'important, c'était d'arriver avant la nuit.

Blanchette l'attendait. Cette brave Blanchette, elles devaient avoir le même âge ! Dans tous ses souvenirs à Veulettes, Blanchette était présente, avec son accent de fille de la campagne et la clairvoyance de celle qui a connu jeune des difficultés… Tous les étés, elles les avaient passés ensemble. Blanchette à la cuisine, Juliette et Louise en vacances, côte à côte, depuis l'enfance. L'année où Charles acheta le Mesnil, le fiancé de Blanchette mourut d'une tuberculose. Ils devaient se marier après les foins, juste avant le 15 août.

Blanchette se consola en tombant amoureuse de la maison. C'était devenu son domaine, son réconfort, sa vie. Elle s'installa dans la petite chaumière en bas de la côte qui menait à la propriété. Ainsi elle pouvait surveiller les allées et venues de sa fenêtre.

Les hivers étaient un peu longs, alors elle adopta un chien.

Quand les Allemands réquisitionnèrent la maison, elle s'interposa, droite comme la justice, dès qu'ils bougeaient un meuble. Puis on l'avait convoquée à Fécamp à la Kommandantur pour lui expliquer qu'elle n'était plus en charge de surveiller la maison. Elle refusait de comprendre qu'ils étaient plus forts, plus nombreux, plus méchants et qu'ils voulaient s'installer dans la plus belle maison du village. Ce n'était pas cette paysanne qui allait faire la loi.

À son retour de Fécamp, sa petite chaumière avait été saccagée. Ce n'était pas trop grave, elle ne possédait rien. C'est après que les choses s'étaient gâtées sérieusement. Elle avait retrouvé le corps de son beau berger allemand sur son oreiller.

Affolée, meurtrie et perdue, elle s'était réfugiée chez son oncle, dans le village voisin. Il avait les mains baladeuses. Mais, à tout prendre, c'était quand même mieux que les tueurs d'animaux !

— Un terroriste… Monsieur Charles… c'est-y vrai ? Hein Juliette, tu sais, toi ?

Juliette grimaça. Elle soupira de travers et toussota. Toutes ces heures de cars depuis Chartres et ce flot de questions.

Les fameuses questions de Blanchette. C'était sa façon de rêver, de s'évader. Dès que les Parisiennes arrivaient, elle les bombardait de questions. Elles se regardèrent en silence, attendries l'une par l'autre.

Juliette fut envahie par un flot de souvenirs heureux. Les étés à Veulettes, les déjeuners sous les pommiers, les parties de pêche au « pousseu » dans la vase, les crevettes qu'on avalait crues et qui bougeaient dans la bouche, les rigolades dans les foins, la cueillette des bleuets et autres fleurs des champs, les tartes aux mûres de fin août, celles qui annonçaient le retour à Paris… la séparation, le temps qui tourne à la pluie, après le 15 août, les grandes marées et la mer qui part si loin, qu'on a l'impression qu'elle ne reviendra plus…

Elle soupira. Et si la guerre n'avait pas existé. Elle se mordit les lèvres pour retenir un soupir de plaisir. C'était bien agréable de vivre au milieu des « si ». Que c'était doux de remonter dans le temps, avec les « si » réguliers et stables, comme les marches d'une échelle.

Le lendemain matin, Juliette débarqua au Mesnil vers 6 h 30. La forêt d'hortensias en fleur au pied de la bâtisse à colombage était digne d'une carte postale. La maison ressemblait à une belle dame endormie tout habillée. C'était la Normandie dans toute sa beauté ! Juliette eut un pincement au cœur.

À sa grande surprise, la maison n'était pas fermée. Elle inspecta sur la pointe des pieds les pièces du bas, craignant à chaque seconde de tomber sur un Allemand en caleçon. Mais les habitants dormaient, sa présence ne perturba personne.

Tout était à peu près en ordre. Elle fut même surprise par la douce odeur d'encaustique, preuve que les meubles étaient cirés. La Cauchoise de Louise, son horloge chérie, était arrêtée, mais à sa place. Les livres avaient tous disparu de la bibliothèque, ils avaient dû servir d'allume-feu. Aucune croix gammée n'était dessinée sur les murs. Encore un délire de cette pauvre Blanchette ! Les photos dans les cadres en bois, sur la table basse entre les deux canapés verts, avaient été changées. Des enfants, des femmes, des familles inconnues souriaient, proches et pourtant si loin de l'univers de ce salon. On avait envie de répondre à leur sourire, ils semblaient sympathiques, un peu perdus dans l'intimité des Français...

Dans la cuisine, elle eut envie de toucher les objets coutumiers. Ils n'avaient pas bougé. Le sucrier en faïence rouge et le pot à farine dont le couvercle était ébréché. Le plat en vieux Rouen réservé pour la salade de pêches était terni par la poussière. La salade de pêches de Louise, le compagnon des repas d'été, servie avec la fameuse phrase : « Un peu de salade de pêches, il n'y a rien de meilleur pour la santé. » Juliette en eut l'eau à la bouche. Qu'est-ce qu'elle donnerait pour entendre cette phrase et sentir les fruits fondre dans sa bouche ? Pas touchée non plus, la photo de Léonard, collée au-dessus de l'évier. Son sourire radieux illuminait la pièce. Il devait avoir trois ans, le chapeau de paille de sa mère enfoncé sur sa tête lui décollait les oreilles, tellement il le tenait fort des deux mains.

Juliette avait l'impression de violer des lieux familiers.

Tout d'un coup, elle se figea, le regard vers la porte. Elle venait d'entendre des grincements dans l'escalier, ceux des marches du haut pour lesquels Louise avait questionné tous les menuisiers du coin.

Elle eut à peine le temps de se retourner qu'on claquait les talons face à elle. Elle ne vit d'abord que l'uniforme noir des SS, flambant neuf. Il était grand, le regard de Juliette lui arrivait au niveau des décorations et il y en avait beaucoup !

— Qui êtes-vous ? Qui vous a laissée rentrer dans la maison ?

— La maison n'était pas gardée… répondit Juliette avec calme, prenant sur elle, pour ne pas montrer son trouble.

— Helmut, Helmut…

Il avait hurlé sans bouger, même pas un muscle de son visage, même pas les yeux, toujours fixés sur Juliette.

Aucune réponse. Helmut avait disparu.

Il tendait l'oreille, mais n'entendait que le battement du cœur de Juliette.

Elle décida de prendre les choses en main.

Elle lui désigna une petite chaise de cuisine en bois clair.

— Ce ne sera pas long, je dois vous parler en attendant le retour d'Helmut.

L'uniforme noir posa une demi-fesse de travers sur la chaise.

— Je dois vous parler de la maison. Vous comprenez le français.

— De la maison ?

— Vous n'êtes pas chez vous. Vous devez bien vous comporter. Ne pas brûler les meubles, ne pas…

— C'est moi qui donne les ordres, l'interrompit l'uniforme noir.

— Sûrement… mais pas là, tout de suite…

— Qui êtes-vous ?

— C'est une maison de famille qu'on aime, vous devez…

— Vous êtes le propriétaire… J'ai vu votre visage sur des photos… Je vous arrête. Helmut, Helmut, *schnell.*

Il s'était remis à hurler et avait sorti son arme.

— Votre mari est un terroriste.

Juliette tremblait. Il pointait son arme sur elle.

— Helmut, Helmut…

— Calmez-vous, et posez cette arme.

— Posez vos mains sur la tête. Taisez-vous !

— Je ne suis pas Louise, je suis sa sœur ! Mon mari est préfet de l'État français. Vous n'avez pas le droit de m'arrêter.

— Nous allons vérifier. *Papiere...*

— Je vais les chercher dans mon sac, dans le salon…

— Vous ne bougez pas, s'énerva l'uniforme noir. Des terroristes ont fait sauter un blockhaus. Et vous êtes là ! Bizarre non !

— Pur hasard… souffla Juliette.

— Il ne faut pas me prendre pour un idiot…

Helmut apparut enfin, la veste en bataille, les cheveux en pétard et tout essoufflé. Il semblait revenir du front. Il était suivi de trois soldats qui se précipitèrent sur Juliette.

Tous parlèrent en allemand. Juliette n'y comprenait rien. Ça avait l'air sérieux. Les soldats lui tordaient les bras de plus en plus fort et l'uniforme noir avait blêmi. Il semblait même ne plus respirer.

L'arrivée inopinée de la soubrette, toute pomponnée comme si elle allait au bal des pompiers, lui sauva la vie. Elle chantonnait en allemand, en balançant son sac. Ça ne devait pas être facile de faire le ménage avec des ongles rouge vif aussi longs. Le spectacle de Juliette encadrée de trois soldats calma sa bonne humeur.

— Madame Juliette. Ça alors !

Bonne fille, elle se précipita sur Juliette pour lui claquer le bécot, pas impressionnée du tout par les trois vert-de-gris enragés.

— Lâchez-la, vous lui faites mal, dit-elle aux soldats en leur balançant son sac dans le torse.

— Qui est-ce ? hurla l'uniforme noir en pointant Juliette du doigt.

— Madame Juliette… ne t'énerve pas comme ça, mon petit chat.

Elle fit un clin d'œil à Juliette qui remercia la Sainte Vierge. Quelle chance que les Allemands couchent avec le personnel de maison…

— Une terroriste ?

— Tu rigoles. Elle est dans notre camp. C'est l'autre, la

brune, la hautaine, la juive qui est une terroriste. Pas Madame Juliette !

— Marie... Tu n'as pas le droit, voulut intervenir Juliette sonnée d'entendre parler de Louise comme ça.

Marie travaillait pour Louise, depuis la naissance de Léonard.

— Madame Juliette... Faites pas votre chochotte... Il faut choisir. Je dis un mot et ils vous emmènent.

Juliette avait le regard fixé sur la photo de Léonard.

— Ma sœur a toujours été bonne avec vous...

— J'en ai rien à foutre de sa pitié. Elle nous écrasait tous avec son argent.

— C'est faux... À croire que la jalousie...

— Chut, je dis ce que je pense. Maintenant, c'est moi qui commande. Ils ne sont pas près de revenir les juifs. Cette maison sera la mienne, bientôt.

Juliette s'écrasa. Elle en avait la chair de poule. Enfin, on la lâcha. Pour atténuer la douleur, Juliette se frotta les poignets, en cherchant du regard son sac. Il était grand temps de déguerpir. Marie, la première, aperçut le sac. Elle se précipita pour le ramasser et le tendit à Juliette avec un œil complice, insupportable. Juliette le lui arracha des mains, cassa la bandoulière, se précipita vers l'allée bordée de platanes pour partir au plus vite attraper son bus à gazogène. Elle trouverait bien dans le village quelqu'un qui la déposerait en carriole à cheval.

Tant pis pour la petite boîte de fer rouge, on ferait sans. Juliette décida de ne pas avouer à sa sœur qu'elle n'avait pas pu trouver l'objet. Avec tous ces Allemands surexcités, c'était inenvisageable de s'enfoncer avec une pelle à la main dans la forêt de pins parasols. Il aurait fallu qu'elle revienne la nuit et prendre ce risque était au-dessus de ses forces. Elle préférait mentir. Sans rien dire à Paul, elle puiserait dans leurs économies pour dépanner Louise de quelques sous !

39.

27 juin 1943

Émilie était à Paris pour se battre contre l'occupant, Léonard pour passer son concours d'entrée à Polytechnique. Chacun muni de sa fausse identité, ils habitaient ensemble une petite chambre d'un hôtel pouilleux, rue de la Montagne Sainte-Geneviève. C'était plus discret que dans leur quartier où n'importe qui pouvait les reconnaître et les dénoncer. C'était un drôle d'attelage. Léonard pensait plus à protéger sa sœur qu'à réviser ses épreuves. Émilie pensait plus à dorloter son frère qu'à être à l'heure à ses rendez-vous secrets. C'était leur premier séjour en adulte à Paris. Pour le week-end, ils avaient prévu une petite virée pour permettre à Léonard de s'aérer avant l'épreuve de maths de lundi. Coefficient 8, angoisse démultipliée d'autant. Mais Louise s'employa à changer leurs plans.

— Tu dois aller à Chartres, chercher la petite boîte de fer rouge. Juliette est allée jusqu'à Veulettes la prendre. Vous pouvez bien faire cet effort.

— C'est hors de question, objecta Léonard. Je n'irai pas chez ces collabos…

Louise supplia pendant plusieurs jours, en cachette de Charles. Il aurait désapprouvé. Elle voulait récupérer la boîte de fer rouge, et lui en faire la surprise. C'était une façon de dire, « ne t'inquiète pas, je vais bien me débrouiller sans toi », avant son grand départ pour rejoindre la France Libre.

Léonard accepta après d'intenses discussions avec sa sœur. Tirons-en profit, avait proposé Émilie, avec une idée en tête.

La boîte de fer rouge, c'était leur caverne d'Ali-Baba. Un trésor enterré à Veulettes, une nuit de pleine lune, au mois d'avril 1934. À l'époque, Charles voulait prémunir sa famille, en cas de malheur. Et il voyait le malheur se préciser, se transformer en cumulus menaçant, juste au-dessus de leurs têtes. Hitler chancelier d'Allemagne, l'incendie du Reichstag, les émeutes fascistes place de la Concorde, les premières disparitions d'opposants politiques, l'Amérique occupée à sortir de la crise... Des semaines durant, il rassembla tous les trésors du moment qui traînaient : des bijoux, des lingots d'or, des bons au porteur... En pleine nuit, Louise et Charles réveillèrent Léonard pour qu'il connaisse, lui aussi, la cachette derrière la maison, au pied d'un pin parasol, le cinquième de la cinquième rangée, en comptant à partir de la mer. Charles aimait le chiffre cinq, comme ses cinq enfants, et la mer était une évidence. À Veulettes, c'était le meilleur point de repère.

Pour Léonard, c'était une douleur. Un secret pour grand, trop lourd pour un enfant de dix ans. Il aurait dû être fier d'être mis dans la confidence, et ses parents comptaient là-dessus, mais c'est le contraire qui arriva. Souvent, dans ses rêves, il revoyait l'image de son père en train de creuser, râlant contre les racines de l'arbre, voulant un grand trou pour enterrer durablement sa petite boîte de fer rouge. On en avait parlé mille fois, on avait évalué, réévalué le butin, c'était devenu comme une lubie. Charles si peu préoccupé du matériel, n'attachant aucune importance à la valeur des choses, n'évaluant l'intérêt de la vie qu'à travers les êtres humains et leurs idées, s'était métamorphosé en propriétaire avide de la petite boîte de fer rouge. Il se donna toutes les peines du monde pour faire tenir au plus serré, dans cette grande boîte à biscuits – représentant un tirailleur sénégalais vantant les mérites du Banania – toute sa fortune, toute son assurance vie. L'avenir de sa famille.

Et voilà qu'elle resurgissait la boîte de fer rouge au milieu des équations de Polytechnique, comme une pièce à conviction que rien n'avait changé ou comme si elle avait le pouvoir de masquer le grand désordre familial, changer le goût amer de la ratatouille rance des sentiments et des engagements patriotiques irréconciliables. Un trait d'union symbolique entre Louise et Juliette.

Juliette avait longtemps hésité devant son miroir, avant de choisir une robe chemisier gris perle, sa couleur préférée, datant d'avant-guerre. Porter une tenue neuve, achetée en pleine débâcle, lui aurait paru indélicat. La veille, le coiffeur n'avait pas pu masquer les cheveux blancs qui galopaient dans son chignon, il n'avait plus d'eau oxygénée. Elle craignait d'apparaître vieillie. Après tout ça plaiderait peut-être en sa faveur ! De toute façon, elle avait décidé de feindre, de faire comme si la guerre n'avait rien changé. Elle devait adopter une légèreté presque désinvolte et un ton mielleux et doucereux, celui qui ne provoque pas d'explication inutile. Elle décida qu'il n'existait aucune méprise, aucune anomalie pouvant bousculer ce déjeuner dominical.

Elle arriva à la gare, trente minutes avant l'heure du train, le temps de repérer les lieux qu'elle connaissait par cœur. Elle s'installa sur un banc en bout de quai, ses mains glacées crispées sur son sac, délicatement posé sur ses genoux. Dieu, que cette attente lui parut longue ! Enfin, le train approcha, son cœur s'emballa.

Elle vit Léonard et Émilie s'engager sur le marchepied et s'approcher d'elle. Ils souriaient, eux aussi, incontestablement émus. Beaucoup plus qu'ils ne l'auraient souhaité. Un Allemand, qui marchait juste devant eux, s'approcha de Juliette en lui donnant un « Mes hommages, madame la Préfète ». Il claqua les talons, avec grandiloquence, et s'éloigna content de lui. Émilie s'accrocha à la veste de Léonard, le stoppant net dans son élan. Ça commençait fort leur petite escapade…

— T'as vu. On repart. C'est trop dangereux…

— Sûrement pas. On fait comme on a dit. On ne va pas se dégonfler au premier uniforme.

La jeune fille faisait un effort pour garder son sang-froid, mais ses lèvres blêmes et ses sourcils froncés trahissaient son tourment. Juliette, qui n'avait rien perdu de leur hésitation, se sentit comme un enfant pris en faute.

— Quelle joie de vous voir ! articula-t-elle avec des trémolos qui lui donnaient une voix grave.

— Bonjour, tante Juliette, balança Léonard d'un ton neutre.

— Salut, dit Émilie avec agressivité.

Dans la traction à essence, comble du luxe, Juliette s'autorisa à demander des nouvelles de Louise. Elle voulait savoir ce que ses lettres taisaient. Mais la conversation tourna court, les jeunes tremblaient de révéler un secret. Juliette s'intéressa à la première partie des épreuves de Léonard, il était confiant. On ne parla plus jusqu'à la préfecture. Un silence pesant. Léonard eut envie de demander la boîte de fer rouge et de repartir aussitôt. Mais sa mère lui en aurait voulu. Émilie quant à elle avait les mâchoires crispées. Pourtant pour accomplir sa mission, elle aurait dû séduire, être chaleureuse pour endormir la vigilance de ses hôtes, mais le salut de l'Allemand l'avait révoltée.

Dans le jardin de la préfecture, elle s'émerveilla devant un chêne centenaire. L'arbre semblait protecteur. Chauffée par les rayons du soleil de midi, Émilie se détendit. Après les dédales de sous-sol fréquentés depuis plusieurs semaines, cette lumière lui réchauffait le cœur et le corps. Elle se libérait de toute cette humidité accumulée dans l'abri souterrain établi dans d'anciennes carrières, à proximité des Catacombes, derrière la place Denfert-Rochereau. Dans ces galeries offrant de multiples sorties, le réseau de clandestins auquel appartenait Émilie avait établi son PC. Elle écoutait le silence avec plaisir, c'était un contraste reposant après les bruits sourds, menaçants de Paris. Et le chant des oiseaux aussi... Tiens, ils chantaient encore. Dans les jardins parisiens, elle surveillait tellement l'ennemi qu'elle n'était plus attentive aux sons de la nature. Passer une information, transmettre une enveloppe, donner un journal, échanger un livre, récupérer une clé demandaient une concentration soutenue. Elle avait vu des camarades se faire arrêter. La veille encore, Henri – elle ne connaissait que son faux prénom – venait de lui remettre un pli qu'elle serrait dans la poche de sa veste. En voyant approcher les hommes de la Gestapo, elle avait eu la présence d'esprit de s'accroupir près d'un enfant qui jouait dans le bac à sable. Dans un jardin où on ne pouvait disparaître, il ne fallait surtout pas accélérer le pas, ne pas courir, mais se mêler à la population avec le plus de naturel possible. Son chef avait bien insisté sur ce point.

— Vous prévenez Monsieur que nous prenons l'apéritif dans le jardin, qu'il nous rejoigne, dit Juliette à Marie qui apportait une citronnade bien fraîche. Cette phrase était destinée à indiquer à ses hôtes l'éminence de l'affrontement avec leur oncle « collabo » ! Émilie et Léonard ne réagirent pas. Ils s'étaient préparés, en acceptant de venir à Chartres. Les jambes de Juliette ne la portaient plus. Pour masquer son trouble, elle se posa à demi sur le banc de bois vert devant la table. Elle craignait le besoin de justification de Paul et ses envolées verbales...

— Il est parti juste après vous. Pas besoin de l'attendre pour commencer, précisa Marie.

— Parti où ?

— Arrêter des terroristes qui mettent le feu aux récoltes de blé...

Marie avait répondu avec un naturel déconcertant comme s'il s'agissait d'une habitude de la maison...

Émilie jeta un regard affolé à Léonard.

— Tu nous fais visiter la préfecture, demanda ce dernier pour faire diversion. Nous allons donner le temps à Oncle Paul de nous rejoindre. Son ton était neutre, presque enjoué, comme si on était un dimanche d'avant-guerre, quand le temps langoureux du déjeuner n'en finissait plus.

— C'est dimanche. Tout est vide… répondit Juliette, surprise par cette demande. Elle y voyait un signe de détente.

— Ce n'est pas grave…

Léonard voulait profiter de l'absence de Paul, pour permettre à Émilie de voler les tampons et les imprimés. C'était le bon moment, restait à trouver le bon bureau.

Ils se mirent en route, en commençant par l'appartement privé. Léonard accélérait le pas et regardait sa montre. Pour rejoindre le bureau de Paul, pièce maîtresse du dispositif, ils traversèrent le long couloir des bureaux ouverts au public, avec le nom des services inscrits sur la partie vitrée des portes. On était sauvé. Émilie hésitait entre État civil et Service des étrangers. On verrait plus tard.

— Attendez-moi là, dit Juliette dans le couloir, j'ai oublié de descendre la valise que j'ai préparée pour votre mère…

— Je viens avec toi. Émilie, attends ici. De toute façon, aujourd'hui tout l'ennuie ! dit Léonard en faisant un clin d'œil à sa sœur.

— On se retrouve dans le jardin, tu passes par le bureau de Paul, sa fenêtre est toujours ouverte sur le jardin. La porte capitonnée au fond.

— Ne t'impatiente pas, j'ai besoin de parler en tête à tête à Juliette, cria Léonard en s'éloignant.

Émilie fit semblant de poursuivre son chemin et revint sur ses pas. Dans le bureau de l'État civil, elle ne fouilla pas longtemps avant de trouver le tiroir des tampons et des imprimés. Il fallait faire vite. Elle craignait surtout le retour de Paul. Ses gestes étaient précis et rapides, une vraie panthère ! Elle rafla tout ce qui était possible. Elle glissa même des cartes d'identité numérotées dans son chemisier, son sac explosait. Elle trouverait bien une petite place dans la valise pour Louise.

Quand Léonard réapparut, il était livide, les mâchoires crispées, les yeux remplis de colère. Émilie questionna du regard mais n'obtint qu'un rictus nerveux pour réponse. Peu lui importait, elle avait repéré la valise en carton imitation cuir que Léonard tenait. À vue d'œil, l'agrafeuse à photo pouvait y tenir. Elle retournerait la chercher. C'était une pièce rare. Tous les faussaires de papiers d'identité en réclamaient, car à l'agrafe de la photo, on pouvait reconnaître les vrais des faux.

Le déjeuner commença sans Paul. Émilie menait les débats, elle avait du mal à contenir sa joie. Tous ces trésors dans son sac !

Paul arriva en même temps que le clafoutis aux cerises. Ils avaient d'ailleurs à peu près la même tête. Le clafoutis parce qu'il était trop cuit. Paul parce qu'il venait d'arrêter des résistants et que cette belle prise lui donnait des couleurs. Tout un réseau, qui lui avait échappé plusieurs fois, serait démantelé dans les prochains jours, car ces jeunes inconscients allaient parler. Il le savait. Il l'avait vu à leur tête dans le camion des soldats allemands. Ses pronostics s'avéraient presque toujours justes. Dommage, qu'il n'ait personne avec qui parier… Au moment de l'arrestation, il observait des signes infimes, comme une rigidité dans les gestes, un affolement dans le regard, une contraction du corps qui révélaient la résistance à la torture. Mais là, ce n'était plus sa partie : il laissait ça à la Gestapo.

— Alors les jeunes, content de vous voir. Vous aimez Chartres ?

La formulation surprit tout le monde. Juliette le regarda avec les yeux ronds. La bonne humeur était de mise.

On parla de tout et de rien, du jardin, du chêne, des examens de Léonard, de la vie au chalet, de Dick, d'Agathe, des recettes sans ingrédients, du ciel, du temps, des souvenirs à Veulettes… avec parfois des blancs un peu longs. Juliette avait obtenu de Paul qu'il ne fasse aucune provocation, qu'il ne se vante pas de ses exploits contre les patriotes, qu'il ne dresse pas une couronne de lauriers à l'occupant… Il avait promis à cause du nouveau cercueil miniature qu'ils avaient reçu la veille. Il était temps de moins fanfaronner.

Malgré l'odeur du vrai café qui remplissait l'air, Émilie se leva pour aller, soi-disant, se reposer à l'ombre. Avec le plus grand naturel, elle emporta la valise. L'agrafeuse à photo y trouva sa place, entre la bouteille de Shalimar, les sandales à semelle de bois, des tickets d'alimentation de charbon, des vêtements pour l'hiver, un pot de crème Jolie et une lettre pour Lisette.

Tellement à son affaire, Émilie ne remarqua pas l'absence de la boîte de fer rouge. Juliette n'avait pas osé avouer son mensonge à Louise. Comme la valise était presque vide, Émilie dévalisa le bureau d'état civil, tout pouvait servir, même le papier à en-tête. La langue entre les lèvres, elle s'appliqua pour tout faire tenir, avec une avidité équivalente à celle de son père, à l'époque pour la petite boîte de fer rouge. Tout devait rentrer coûte que coûte.

À l'ouverture des bureaux, le lendemain, Paul fut soupçonné tout de suite, avant même qu'il sache de quoi il s'agissait. Qui d'autre pénétrait dans la préfecture le dimanche ? Et preuve de plus, s'il en fallait, le cuisinier avoua au Secrétaire général que monsieur le Préfet avait eu de la visite. Il avait préparé un déjeuner pour quatre. Il n'en fallait pas plus pour être désigné. Il fut convoqué, sans délai, à la Kommandantur et on lui donna vingt-quatre heures pour retrouver les documents. Faute de quoi, cinq otages, parmi le personnel de la préfecture, seraient fusillés.

40.

27 juin 1943

Toute la soirée, elle avait espéré un coup de fil. Les enfants allaient lui raconter leur escapade à Chartres. Mais rien. Si bien, que le lendemain midi quand le téléphone sonna, Louise se précipita pour répondre. Charles avait décroché en même temps. Ensemble, ils écoutèrent la voix blanche de Paul.

— Ou vos enfants me rendent les documents, ou je les dénonce… Charles, tu m'entends ? Tu as compris ou je répète ?

— De quoi parles-tu ?

On peut croire que la haine est un sentiment d'un bloc, brutal et souverain qui s'impose comme une évidence, un matin au réveil. En fait, il se construit, brique par brique, avec un ciment préparé dans les rancœurs accumulées et ressassées.

— Trop de juifs dans la salle d'examen de Polytechnique…

— Où veux-tu en venir ?

— Il me suffit d'un coup de fil pour faire arrêter Léonard avec sa tête de faux jeton…

Atterrée, Louise retenait sa respiration.

La voix de Charles tremblait pour demander des explications. Pourtant, il avait une capacité hors normes à recevoir les coups, sans rien laisser paraître. Mais là, le danger claquait dans ses oreilles comme un tambour dans le silence.

— Je ne laisserai pas fusiller des innocents pour leurs enfantillages. Je t'aurai prévenu. Tu as deux heures.

Il raccrocha.

Louise se précipita dans le bureau de Charles. Celui-ci essayait de joindre l'hôtel de la Montagne Sainte-Geneviève.

La jeune fille ? Oui, elle était rentrée, il y a peu. Oui, si c'était une question de vie ou de mort, on la prévenait tout de suite.

Émilie ne dit rien de plus à son père, que : « Je m'en occupe, ne t'inquiète pas. » Le proprio de l'hôtel tendait l'oreille, ce n'était pas prudent de faire des confidences. Je m'en occupe, répéta-t-elle plusieurs fois, laissant Charles et Louise dans l'angoisse. Ils trompaient le supplice de l'attente par une agitation calculée. Charles décida d'aller voir l'abbé Bernard, il aurait peut-être une idée. Louise l'encouragea à partir au plus vite. Une fois seule, elle appellerait Juliette. Elle seule pouvait calmer Paul, c'était son seul espoir. L'heure était grave comme jamais, depuis le début de la guerre. Elle ne s'était jamais senti l'esprit aussi embrouillé.

— C'est moi…

Silence. Elle entendait la respiration de Juliette, rythmée par de petits soupirs aigus.

— Je sais…

C'était une conversation au bord du précipice ou plutôt des mots lâchés, comme un parachute pour amortir la chute. À l'intonation de Juliette, Louise comprit que c'était foutu. Juliette était dépassée par les événements. La roue de secours était elle aussi crevée ? Louise se taisait, pétrifiée, ne sachant pas quoi dire. Mais le destin se joue des silences.

— Explique-moi au moins… murmura Louise après un long soupir.

— Tu n'es pas au courant ? Le ton de la question était soupçonneux.

Louise était glacée par la froideur, la distance de sa sœur, devenue soudain une étrangère. Ce qu'elles se racontèrent fut oublié dans l'émotion.

***

Émilie se précipita au collège de Navarre, plus haut dans la rue de la Montagne Sainte-Geneviève. Elle y trouverait Léonard, enfermé pour la journée en examen. On ne voulut pas la laisser entrer. Elle s'installa devant la porte cochère, persuadée qu'un camarade de Léonard passerait bien par là. Au bout d'une demi-heure, Jean-René, avec qui ils avaient dîné la veille, sortit, la mine déconfite. Son oral avait été une catastrophe. Il accepta d'aller prévenir Léonard. Le motif devait être d'une extrême urgence. En sortant, le candidat grand admissible pouvait perdre son rang. C'était assimilé à de la tricherie, un motif d'élimination pure et simple. Émilie devait être bien consciente du risque.

Elle se caressa le lobe de l'oreille, signe chez elle d'un grand tourment intérieur. Elle songeait à sa mère. Déjà qu'elles étaient en froid à cause de son engagement patriotique, maintenant son frère pouvait se faire arrêter d'une minute à l'autre et en plus elle le faisait éliminer de l'École polytechnique en lui parlant pendant les épreuves. Tout cela à cause d'elle et de ces tampons ! Sa mère ne lui pardonnerait jamais cette cascade de catastrophes. Elle serrait ses poings si fort que ses mains étaient rouges. Elle aurait dû réfléchir, aurait pu imaginer les conséquences de ses actes, ne pas trahir sa tante et donc sa mère, se comporter en adulte, pas en adolescente impulsive et bête. Elle n'avait pas besoin d'accompagner Léonard à Chartres…

Jean-René perçut son hésitation douloureuse, le raz de

marée de ses pensées. Ravissante la sœur de Léonard, avec ses grands yeux bleus et sa peau laiteuse, pensa-t-il. Dans l'affolement, les boutons de son chemisier s'étaient ouverts, il avait la vue plongeante sur la naissance de ses seins. En échange de son service, elle pouvait bien accepter un dîner. Émilie lui décocha un sourire qui ressemblait à une grimace, en guise de refus. Qui pouvait savoir où elle serait ce soir, peut-être dans les locaux de la Gestapo. Alors, le dîner ?

— Dites-lui que la Gestapo arrive dans une heure.

— Vous avez l'air bien renseignée ! Ces Messieurs vous font des confidences ?

— Pas eux…

— Vous me rassurez, jolie demoiselle.

— Attendez-moi là, je vais prévenir Léonard. Il décidera de ce qu'il veut faire.

Le petit Jésus sollicité par Louise, après sa conversation avec Juliette, avait dû se sentir en charge. Quand Jean-René se présenta devant la salle d'examen, c'était le tour de Léonard. Une colique nerveuse avait terrassé le candidat précédent. Vingt minutes plus tard, il serait libéré. La Gestapo ne pouvait arriver qu'après coup !

Émilie se jeta au cou de Jean-René pour le remercier. Il fut surpris et heureux. Il réitéra son invitation à dîner, comme une idée fixe, indépendante des événements. Cette jeune fille lui plaisait. Elle dissimulait une force d'homme, sous ses bouclettes brunes. Elle négocia sa complice bienveillance.

— Vous attendez les résultats pendant que nous prenons la fuite. Donnez-moi votre numéro de téléphone, nous vous appellerons demain.

— Cette solution n'arrange pas mes affaires mais je l'accepte à condition d'une promesse…

— Un dîner d'accord… pour fêter la Libération. Avant, ce n'est pas la peine de prendre le risque de se plaire, la guerre ne permet pas les belles histoires ! expliqua-t-elle avec persuasion.

Une demi-heure plus tard, Léonard sortit enfin. La tension

de l'examen avait creusé les traits de son visage, donnant à sa flamboyante jeunesse quelques années de plus.

— Alors ? se précipita Jean-René.

Un sourire radieux illumina les yeux de Léonard. Avec orgueil, Émilie observait sa distinction. Cette façon si particulière qu'il avait de dominer la vie, sans écraser personne, juste par sa présence. Il rayonnait.

— L'examinateur m'a laissé entendre que je pouvais partir le cœur léger…

Il venait d'apercevoir sa sœur qui se tenait en retrait. Elle voulait lui donner quelques minutes de répit. Brûlant de connaître la raison de sa présence, il se dirigea vers elle, laissant sur leur soif les camarades qui s'attendaient les uns les autres, pour se mesurer, jauger leur performance, se rassurer. Son expression n'était plus qu'interrogation.

— L'oncle Paul nous a dénoncés à la Gestapo…

À cet instant, il ressentit une immense fatigue. Il respira un grand coup, pour gagner du temps et de la prestance. Les copains l'observaient toujours, le trouvant un peu fier ! Ils ne voyaient pas que le héros du jour était, soudain, tout ratatiné.

En chemin vers l'hôtel, pour récupérer leurs affaires, ils décidèrent de ne pas rendre les tampons. Au diable, les otages, tous collabos ! En tournant dans la rue des Écoles, ils aperçurent trois voitures de la Gestapo qui s'arrêtaient devant le collège. On fuyait d'abord, on tremblerait après. Ils détalèrent.

Le lendemain, ils apprirent par le propriétaire de l'hôtel que les Allemands recherchaient deux espions anglais. Ils avaient visité toutes les chambres. L'oncle Paul n'avait rien à voir avec toute cette agitation. C'était le roi de la menace, mais il n'avait pas osé ! Et puis surtout dénoncer ses neveux revenait à se dénoncer lui-même. Ne s'était-il pas engagé à prévenir les autorités allemandes de la venue en zone occupée de son beau-frère ? N'avait-il pas promis de révéler sa fausse identité ? Recevoir ses enfants revenait à avouer qu'ils étaient en contact. Même si c'était faux. La vérité n'avait aucune vraisemblance, elle plaidait en sa défaveur. Alors, autant ne rien dire. Il accusa le cuisinier de mensonges et le renvoya sans délai. C'était un simplet, qui n'osa pas se défendre contre monsieur le Préfet. Il s'écrasa comme une crêpe, même si un sentiment d'injustice le tenait éveillé la nuit. Après tout, Juliette se mettrait à la cuisine, ça l'occuperait. Son ami, préfet d'Orléans, qui cherchait une occasion de le remercier, depuis Pithiviers, lui prêta du matériel qu'il avait en double. Tout s'arrangeait avec des gens de bonne volonté !

Au soupçon, il imposa la force du silence. À la menace, la force de l'innocence ! Juliette pouvait dormir tranquille. Il ne toucherait pas un cheveu du grand amour de sa sœur.

Mais cet épisode laissa des traces dans l'histoire familiale. On avait trop tremblé de chaque côté. Peurs et rancunes accumulées érodaient les sentiments les plus profonds.

41.

14 juillet 1943

Louise découpa un pull de Léonard pour le bleu, un torchon pour le blanc et une serviette de table pour le rouge. Elle put ainsi réaliser sept mini-drapeaux, à coudre, à la place des étoiles jaunes. Toute la famille en porterait un… Enfin, ceux qui étaient présents. Sans oublier le drapeau, pour l'entrée du chalet. Il était plutôt petit, mais on l'accrocherait comme on pourrait. Impossible de trouver un bout de ficelle dans tout le village : toute la ficelle disponible avait servi à pavoiser la gare routière de Megève. De grands drapeaux français qui n'avaient pas pris l'air depuis quatre ans avaient été étalés sur la façade. Ils étaient un peu jaunis, mais vous tiraient une larme quand même, une larme qu'on essuyait discrètement, du revers de la main, de peur d'être surpris et dénoncé.

Les consignes de Radio Londres étaient claires. Un 14 juillet avec lampions et drapeaux bleus, blancs, rouges.

— Waouh, madame, du rouge, du blanc, du bleu… Mais quelle audace… s'exclama Charles en apercevant sa femme.

Elle souriait, avec un air sérieux, assez contente de son effet. Depuis combien de temps n'avait-elle pas esquissé une profonde révérence, comme on lui avait appris à l'école des religieuses ? Des années et le mouvement lui parut pourtant naturel.

— Bravo, madame… applaudit Charles.

Il s'approcha d'elle pour la serrer dans ses bras. Il aimait ses élans patriotiques et espérait un petit moment de tendresse. Voir sa femme dans toutes ces couleurs, alors qu'elle ne s'habillait qu'en noir depuis la déclaration de guerre, lui donnait soudain des envies. Il admirait sa force de caractère : n'être jamais tenté par une couleur, par un petit changement pour une journée, une soirée, une heure. Il fallait en vouloir tout de même. Alors là, le choc était grand… La jupe rouge à volants avec des gros pois blancs était ravissante. Elle l'avait empruntée à sa fille aînée et elle était trop courte découvrant la courbe harmonieuse de ses genoux. Louise se déroba et fit signe aux enfants qui attendaient, en haut de l'escalier de la mezzanine.

Le défilé se poursuivit. Laurent apparut, le visage tordu par une grimace de concentration. Il s'appliquait pour marcher normalement malgré l'inconfort provoqué par son short à bretelles, rouge trop petit. Il n'arrivait plus à le boutonner et le revers laissait une trace rose sur la peau de ses cuisses potelées. Puis ce fut le tour des filles. Elles devaient être l'une à côté de l'autre pour rassembler les trois couleurs. On n'avait pas assez d'habit rouge.

Au même moment, le téléphone sonna, venant interrompre le défilé des forces familiales.

— Aucun réfractaire n'est caché chez vous ?

— Non, répondait immanquablement Charles.

C'était le signal. La gendarmerie de Megève prévenait toujours qu'une patrouille était en route. Comme ça, ils avaient le temps de se débiner, sauf Louise, qui attendait une fois encore les gendarmes. Aujourd'hui c'était jour de fête, ils profiteraient de sa tenue. Ensemble, ils trinqueraient à la France Libre, et à leurs déplacements inutiles dans des chalets désertés par leurs habitants. Les ordres sont les ordres… hein ma petite dame...Dites-lui bien à votre mari qu'on reviendra lui donner la lettre du préfet... Mais Louise devait les prévenir, plus d'eau-de-vie. C'était leur dernier verre de l'amitié. Impossible de mettre la main sur une bonne bouteille. Alors la prochaine fois, on trinquerait à l'eau.

Au même moment, à Chartres, Juliette hésitait à aller étendre le linge. De lourds draps de lin, des serviettes de coton et des bandages qui pesaient une tonne quand ils étaient mouillés. Seule, elle ne pouvait pas porter la bassine. Demander à Paul de l'aider lui semblait inconcevable. Et puis, il faudrait lui expliquer pourquoi elle avait lavé le linge, alors qu'elle avait promis à son fils le secret. Avant ce soir, elle irait ranger le savon de Marseille et la brosse en crin qui traînaient dans la baignoire. Et rincer l'eau rouge, il devait en rester des traces. Trop épuisée, elle avait un peu bâclé le rangement.

La corde à linge était loin, cachée derrière la maison du gardien, au fond du jardin. Elle redoutait cet endroit, connaissant l'hostilité du couple à leur égard. Le temps était lourd. Ça tournerait sûrement à l'orage avant la nuit. Les trois à quatre heures de grosse chaleur seraient suffisantes pour le linge, si elle se décidait. De toute façon, elle n'avait pas le choix, il fallait aller jusqu'au bout. Transporter les draps un par un lui semblait la bonne solution et ce serait plus discret. Elle s'exécuta. À son troisième aller-retour, la femme du gardien lui proposa de l'aide, elle sursauta.

— Merci, mais j'ai presque fini... mentit Juliette qui ne voulait rien laisser paraître de son étonnement.

— De nettoyer les bêtises de votre fils...

Juliette déglutit bruyamment, la bouche sèche, la gorge douloureuse. Elle amortissait le coup comme elle pouvait. Heureusement qu'elle s'accrochait aux pinces à linge...

— Pardon...

— C'est sérieux, il a reçu un vrai coup. Vous devriez faire venir un médecin, continua la femme du gardien.

Juliette était incapable de soutenir son regard. Elle enfouit sa tête dans le drap. La fraîcheur et l'odeur du propre lui firent du bien. Elle aurait pu rester ainsi toute la vie. Il lui semblait qu'elle n'aurait jamais la force de s'extraire de cet écran blanc.

— Nos fils sont tombés dans la même embuscade. Les jeunes patriotes se sont bien moqués d'eux... C'était leur bal... Votre mari avait raison de tout interdire, ça ne pouvait que tourner à l'affrontement.

La voix de la gardienne était plus douce, comme une plainte.

— Votre fils est un meneur, alors il a pris les coups. Le mien est toujours en retrait, à distance de la bataille, du danger, de la tête, c'est un faible...

Juliette se redressa mais ne répondit rien, se contentant de hocher la tête, avec un regard triste.

Les deux femmes finirent d'accrocher le linge sans un mot, unies dans les mêmes gestes rapides et adroits.

Juliette était ébranlée. Alors cette femme était dans leur camp ? La dernière à laquelle elle aurait pensé dans le personnel de la préfecture.

— Votre mari ne doit pas savoir que son fils a participé au bal du 14 juillet qu'il a interdit à coups de grandes affiches dans la ville. C'est ça votre problème...

— Oui.

— Alors, on peut être dans le même camp et s'opposer, continua la gardienne qui était d'humeur bavarde. – Elle aimait bien Juliette, lui trouvait un air gentil malgré le fait qu'elle soit du côté des méchants. – Ça devient compliqué à suivre cette guerre. Moi, mon mari fait de la mini résistance, je dis mini parce qu'il prend des petits risques. Il s'agite plus en paroles qu'en actes. Et mon fils est milicien avec le vôtre. Alors, ils ne se parlent plus. Je suis toujours à faire le lien entre les deux.

— Vous y arrivez ?

— Non, je mens aux deux, en fonction de ce qu'ils veulent entendre.

— C'est une façon de faire.

— Je sais pas si ça marchera, on verra après la guerre si les ruines peuvent être reconstruites… Les sentiments, c'est pareil, il faut préserver les fondations.

— Pas facile…

Juliette était touchée par les paroles de cette femme, mais n'arrivait pas à lui faire des confidences. Le double jeu était devenu monnaie courante, alors… Elle la remercia pour son aide et s'éloigna sur la pointe des pieds. Elle n'était pas inquiète pour Cédric. Sa blessure était superficielle. Et puis, cloué au lit, il était calme et ne mettait pas sa vie en danger. Trois jours pour se faire oublier des gens d'en face, c'était bon à prendre.

Que sa soirée en amoureux avec Paul la veille lui semblait loin ! Oubliée la nuit de danse dans un cabaret à la mode « Au vieux Berlin » à Paris. Paul lui avait proposé de fêter le 14 juillet tous les deux, en amoureux. Elle avait été si surprise, qu'elle avait accepté immédiatement. « Au vieux Berlin », avenue Marceau, comptait le tout-Paris du moment, des vedettes de cinéma, des célébrités de la littérature, de la presse, des officiers allemands, beaucoup d'officiers allemands, qui faisaient danser leurs conquêtes. Le champagne et le mauvais cognac y coulaient à flots. Paul avait dû casser sa tirelire, pour une soirée sensée être inoubliable. Mais Juliette, sur le moment, n'avait profité de rien. Un sombre pressentiment l'avait empêché de goûter à cet instant, suspendu dans le temps. Rien qu'à eux, en dehors de la guerre. Elle avait tu ses craintes. Paul ne les aurait pas prises au sérieux. Encore des « intuitions de bonne femme ».

42.

30 juillet 1943

Ma Juliette,

Je choisis la date de ta naissance pour te dire ce que j'ai sur le cœur depuis notre dernière conversation. On est quitte ! L'absence de la boîte en fer rouge, contre trois pauvres tampons. Un gros mensonge contre un petit vol. Où est le bien, où est le mal ? Peut-être sais-tu répondre à cette question avec certitude, moi pas. Je te concède que c'était un peu te trahir, toi leur tante, mais ils n'ont pas réfléchi dans ce sens. Ils te placent en dehors de toutes ces considérations politiques. Les bureaux de la préfecture, ce n'est pas chez toi ! Et puis, tu avais l'air si introduite avec les Allemands, qu'ils ont pensé que ça ne pouvait pas avoir de conséquence. Ils ont oublié que vous n'étiez pas allemands ! Donc suspects possibles comme les autres…

Tu vas trouver ces explications un peu courtes, pourtant je les pense sincères. À toi de voir. Moi je te propose que nous décidions toutes les deux de pardonner des deux côtés des combats, des deux côtés des engagements, pour sauver notre famille, notre amour. Je sais qu'entre toi et moi ce sera tou-

jours possible ! À nous de choisir, ce n'est pas la responsabilité des enfants.

Maintenant que nous savons que Paul n'en subira aucune conséquence, oublions cette erreur de jeunesse. Jeunesse rime avec fougue et tant mieux... Charles m'a raconté sa peur au moment du coup de fil de Paul. Son ton était inquiétant. Il a pris la menace au sérieux. Tellement au sérieux que je ne dois plus prononcer le nom de ton mari devant lui. C'est fini, dit-il. Mais sa colère passera. J'espère !

En ce qui me concerne, je dois t'avouer qu'au fond de moi, je n'y ai pas cru. J'ai paniqué sans y croire... Ton mari ne dénoncera jamais mon fils ! C'est dans l'ordre des choses. Ma Juliette, tu le sais aussi...

Un grand merci de m'avoir autant gâtée. Je suis confuse. J'ai ouvert le flacon de Shalimar pour le respirer à pleins poumons, mais je n'ai pas encore osé en mettre sur moi. C'est si rare et précieux. Les chaussures sont parfaites. Elles me tiennent le pied et je peux les porter pour descendre le calvaire. Un luxe ! je commence à détester ces chaussures de montagne qu'il faut lacer pendant dix minutes, et avec lesquelles la démarche n'est pas très féminine. Quant aux tickets d'alimentation, ils m'ont valu les regards courroucés des autres mères de famille qui attendaient derrière moi chez les commerçants. Ça va encore jaser dans mon dos, mais là elles ne pourront pas m'accuser d'être juive : cela ne me donnerait droit à aucun ticket supplémentaire ! Elles devront trouver autre chose. Je suis curieuse de savoir ce qu'elles vont bien pouvoir inventer.

En attendant ta prochaine lettre avec impatience, je t'embrasse avec toute la tendresse d'une sœur qui t'aime.

Un dernier mot pour te souhaiter un joyeux anniversaire, même si c'est dérisoire comme tu dis. J'essaie de te gâter de mots, à défaut de cadeaux. J'espère pouvoir me rattraper après la guerre.

Je t'embrasse aussi fort que possible.

Louise

Chartres, le 20 août 1943

Ma Lisette,

Serons-nous tous en vie à la fin de la guerre ? C'est une question essentielle pour pouvoir présager de l'avenir. Si l'un de nous meurt, aucune réconciliation ne sera possible. Il aura été tué par l'autre camp ! Tu vois, mes propos ne sont pas politiques, juste logiques. Rien ne nous séparera, sauf la mort... Une promesse d'enfant, qui reste valable, ne revenons pas sur tout le reste. On ne pourra faire les comptes qu'au bout de l'aventure !

On sent bien que la guerre est en train de tourner et que la puissance des Allemands trouve de la résistance. Cela ne change rien dans l'attitude de Paul. Tu connais sa droiture, ce n'est pas un opportuniste. Il n'écoute personne que sa conscience qui est une « méchante fille », bien trop sûre d'elle-même ! Alors quand je pense à l'avenir, en cas de défaite, je me fais peur toute seule. Mais bon, je te l'écris pour que tu ne me croies pas inconsciente. Je suis impuissante, mais lucide. J'ai les yeux grands ouverts, enfin je crois. J'ai peur mais cela ne nous protège de rien. Face au ravin, Paul appuie sur l'accélérateur et je suis à la place du mort. Doux Jésus !

Cédric a été blessé dans une bagarre de jeunes. Il est resté trois semaines à la maison. J'étais heureuse de profiter de lui et surtout de ne pas le savoir dans de mauvais coups. Il a meublé ma solitude. Depuis son départ, hier, c'est le grand vide. Petite forme ta sœurette, immense solitude. Problème de privilégiée, me diras-tu ! Tu auras raison. On entend tellement de malheur que la séparation d'une mère avec son fils, engagé dans la milice, n'émeut personne. Sauf peut-être toi ? Le mot séparation te fait trembler, comme moi. La grande séparation, celle qu'on sait être sans retour...

Bravo, pour la réussite à l'X de Léonard. C'est un grand motif de fierté. Je serais très heureuse de recevoir une photo en uniforme. Je la poserai sur la commode aux souvenirs où vous êtes tous. Quant à moi, je n'ai aucune photo à t'envoyer.

Les clichés les plus récents, comme Cédric en milicien ou Paul au milieu des uniformes allemands ne sont pas regardables par tous les publics !

À propos de photo, j'ai retrouvé dans un vieux sac celle de Marguerite. Tu te rappelles de Marguerite ? Cette bonne vache normande que tu avais fait venir de Veulettes à Passy, pour avoir du lait de bonne qualité pour Léonard. Charles l'avait surnommée la « mamelle de Léonard ». Tu te souviens de cette ferme miteuse, à l'entrée du bois de Boulogne. Et la tête du fermier face à notre fou rire parce que la vache refusait de marcher à reculons, pour descendre de la remorque… Que c'est bon de repenser à tout cela...

Je t'embrasse, ma Lisette,

Ta sœur qui t'aime et qui tremble.

Juliette

43.

2 septembre 1943

— À quoi va me servir une immense écharpe en grosse laine, en Espagne au mois de septembre, puis en Algérie, où il fait 30° ?

Louise tournait le dos à Léonard, continuant à plier ses chaussettes. Elle se taisait laissant son fils prendre la mesure de sa désapprobation, et arriver tout seul à la conclusion, que pour elle il devait prendre l'écharpe tricotée avec les pelotes envoyées par Juliette. Encore une histoire de superstition, de lien porte-bonheur, de protection à laquelle il ne comprenait rien. Une histoire de mères, de sœurs, de femmes, avec des mots, des symboliques, des objets inutiles qui heurtaient son pragmatisme masculin, son besoin de montrer au monde qu'il avait grandi. Qu'est-ce qu'une écharpe tricotée par Maman venait faire au milieu de l'évasion, des FFL, puis de l'école de guerre américaine à laquelle il se destinait, au milieu de sa formation de pilote, de l'US Air Force... Vraiment, Maman, vraiment !

Il boucla avec vigueur les sangles en cuir de son sac à dos, laissant sur le lit l'écharpe repoussée comme une pauvre peluche abandonnée. Louise ne renonça pas. Elle plaça l'écharpe dans sa petite valise, préparée avec le strict minimum pour les accompagner au pied des Pyrénées. Pour pouvoir la loger, une paire confortable de chaussures de marche fut balancée dans le bas du placard. Il fallait partir, on n'avait plus le temps de tergiverser.

Au Fayet, 50 francs glissés dans la poche du porteur le convainquirent de retirer, dans un des compartiments de seconde, une étiquette « réservé à la Wehrmacht ». Louise s'installa entre Charles et Léonard, s'appuyant sur l'un pour câliner l'autre. C'était une nuit chaude de fin d'été. Charles ne laissait rien paraître de ses tourments. La peur de la dénonciation lui nouait le ventre. Il avait préparé ce départ au grand jour, en ne cachant pas ses intentions. Il était silencieux et écoutait Léonard qui avait du mal à contenir son excitation. Le jeune homme racontait toutes les histoires héroïques qu'il avait entendues, à droite, à gauche. Lui aussi, serait bientôt aux côtés des courageux « hein, Maman ». Oui, répondait Louise avec des regards attendris. Dans ces moments-là, ses yeux noirs paraissaient bleus. Elle l'admirait de n'avoir peur de rien. Plus il se sentait invincible, plus sa mère était gonflée d'orgueil. Léonard était puissant, à ses côtés tout semblait possible. C'était un don qui pouvait faire peur. Il avait peu de camarades, se liant difficilement aux autres. Il avait trop de force, dans un corps ordinaire, plutôt délicat même. Trop d'intelligence et de lucidité pour son jeune âge, aux traces encore apparentes de l'enfance. On avait envie de le protéger, mais c'est lui qui vous rassurait. L'évasion préparée avec minutie par son père n'était pour lui qu'une formalité. Tout irait bien, il le savait et n'éprouvait aucune appréhension, incapable d'imaginer une catastrophe, une arrestation, un contretemps, une dénonciation, une blessure, une maladie, une mort. Pour lui, la vie était toujours plus forte, il suffisait de lui faire confiance.

Les faits lui donnèrent raison malgré de grosses frayeurs.

Le voyage jusqu'à Toulouse se passa sans encombre et sans un contrôle.

Le passage vers l'Espagne, à travers les Pyrénées, devait s'effectuer à partir de Saint-Girons dans l'Ariège, à plus de cent kilomètres de Toulouse. Annette, une ancienne collaboratrice de *La Gazette des Entrepreneurs*, réfugiée avec ses deux enfants dans la ville rose, s'était occupée de trouver les bons contacts. Du passage, elle ne savait pas grand-chose, sauf qu'il était sûr et difficile. Cela voulait dire une marche sans arrêt de plus de vingt heures. Si on tenait, sans faiblesse, on passait.

De son poste d'observation privilégié, Annette avait étudié les différentes filières et celle qu'elle offrait à Charles lui semblait la plus fiable. La journée, elle était femme de ménage chez un riche négociant en vin, fournisseur de l'occupant, et la nuit elle travaillait dans une imprimerie clandestine, sachant monter le texte au marbre comme personne. Elle cachait les lignes de plomb dans ses socquettes, pour forcer les contrôles. L'une des machines avait été récupérée au cul du camion du déménagement du journal de Charles en 1940. Les ouvriers du livre de *La Dépêche* avaient eu l'idée de cacher dans une ferme isolée une imprimerie en état de marche. On y accédait en bougeant des bottes de foin, au fond d'une étable d'au moins vingt têtes.

En accueillant Charles sur le quai de la Gare, Annette lui réclama des éditos, en lui remettant un bloc de feuilles vierges aux lignes grises horizontales pour écrire bien droit et un stylo Parker qui ne laissait pas de doute sur sa provenance. Avant de le déposer sous un faux nom dans un hôtel rempli d'Allemands, choisi pour cela – considérant à juste titre qu'ils étaient plus en sécurité au milieu de l'ennemi – elle lui montra l'imprimerie, s'assurant qu'ils n'étaient pas suivis. Fière et attentive au jugement de son ancien patron, elle lui soumit la maquette du prochain numéro à paraître mi-septembre. Il ne put s'empêcher de faire deux corrections de maquette, pour donner plus de respiration aux titres de Une. Il améliorait le premier coup d'œil, celui qui invite à poursuivre la lecture. Il corrigea aussi les articles.

— Ce n'est parce qu'on est clandestin qu'il faut être illisible…

— Votre signature donnera de la crédibilité à notre *Franc-Tireur de Toulouse*…

— Mais personne ne signe de son vrai nom. C'est trop me demander, ma petite Annette, s'indigna Charles.

— Une fois en Espagne, quel sera le risque ?

— Ma femme et mes enfants seront toujours en France, rappela Charles.

Tout d'un coup, de grosses gouttes de sueur perlèrent sur son front, sa respiration s'accéléra comme s'il manquait d'air. Il déboutonna le premier bouton de sa chemise, il étouffait.

— Ça va, monsieur Charles ?

Il secouait la tête pour dire oui, mais n'arrivait plus à parler. Il se laissa tomber sur une botte de paille et attendit plusieurs minutes que le malaise passe.

— Vous êtes pas assez nourri… commenta Annette.

— Non, j'ai peur. Peur pour mes enfants restés seuls au chalet. Louise n'aurait jamais dû nous accompagner. S'il se passait quelque chose, je m'en voudrais…

— Votre Louise, elle ne changera jamais. Elle a toujours eu ses priorités à elle, sous ses airs de vous obéir…

Charles sourit.

— Rentrons à l'hôtel, suggéra Annette. On pourra téléphoner pour vérifier que tout va bien.

Il était grand temps de prendre contact avec le passeur. Le lendemain, ils se présentèrent à l'adresse indiquée. Une pauvre cuisine de maison de village, avec une odeur aigre de pièce jamais aérée. Une lourde table de ferme occupait tout l'espace. Au bout de la table, un vieux monsieur, avec un béret du même âge, plutôt obtus, triait des pommes sur une toile cirée. Il leva à peine la tête quand Charles se présenta, continuant à mettre de côté les fruits abîmés dans un profond chaudron de cuivre. Il se méfiait, fit l'étonné. Charles lui laissa le temps de se décider. On l'avait prévenu que l'impatience pouvait tout faire échouer. C'était essentiel de laisser le temps au Grand-Père de renifler le candidat à l'exil. Il ne prenait pas le risque de passer des gens qu'il ne sentait pas.

Quelques minutes plus tard, un homme d'une trentaine d'années apparut. La façon de porter le béret, avec un angle d'accroche identique sur les crânes dégarnis, indiquait qu'ils étaient de la même famille. Il parlait net, pas de mots inutiles pour se mettre d'accord.

— Un convoi part tous les samedis à 23 heures…

— Ce soir alors ?

— Oui, par une nuit de pleine lune. C'est plus facile. On risque moins de glisser sur des gros cailloux pendant l'escalade.

Le marché fut conclu rapidement et la question d'argent aussi. Il était tombé sur de vrais patriotes, appartenant à une organisation gaulliste. On payait en fonction de ses moyens. Les riches prenant en charge le passage des plus démunis, souvent des jeunes qui voulaient s'engager. Ça rassura Charles complètement.

Il fallait maintenant tuer le temps et l'anxiété jusqu'au départ.

Ils dînèrent au restaurant de l'hôtel au beau milieu des Allemands. Ils déployèrent une énergie insoupçonnée pour manger de bon cœur, comme des touristes ordinaires. Surtout ne pas jeter des coups d'œil anxieux à chaque nouvel uniforme. La salle à manger était immense, avec de grands lustres en verroterie et des tables à perte de vue, qui n'en finissaient pas de se remplir d'uniformes… Des petits, des grands, des gros, des minces, des noirs, des vert-de-gris… On ne savait plus où donner de la tête. Un ballet qui donnait l'impression qu'il était impossible de leur filer entre les doigts… Ils étaient si nombreux, si sûrs d'eux, si bruyants et gais. Charles donnait le change parfaitement, mais Louise était plus crispée. Il lui arrivait même de porter à sa bouche une fourchette vide et de mâcher le rien.

— C'est bon ? l'interpella Charles.

— J'ai l'estomac noué par le spectacle…

— Seulement ? Et notre séparation qui approche ?

Charles cherchait toujours des occasions d'entendre des mots d'amour. Elle en disait si peu. Elle les éprouvait, les vivait, les affichait, mais ne savait pas les mettre en mots.

— Votre départ… bien sûr.

Elle lui jeta un regard agacé. Pourquoi avait-il besoin de parler des évidences ? Elle continuait à se servir nerveusement de sa fourchette pour occuper ses mains.

— Tu dois quitter Megève. Vous n'êtes plus en sécurité.

— Je suis inquiète pour Léonard.

— Étonnant… sourit Charles.

Il aurait voulu organiser la vie de Louise après leur départ, mais ce n'était pas le moment. Elle n'écoutait rien, toute concentrée sur son sujet favori. Il n'avait plus qu'à lui faire confiance, qu'à faire confiance à la vie. Ils avaient eu beaucoup de chance jusqu'à présent. Ça pouvait continuer…

— Avec cette méchante grippe, j'espère qu'il aura la force de marcher dans la montagne. Et surtout que son rythme ne ralentira pas le groupe. Les guides insistent beaucoup sur la nécessité de ne pas s'arrêter et de garder la cadence…

Léonard était malade depuis la mi-août. Une méchante grippe l'avait épuisé, avec une semaine de forte fièvre. On avait déjà repoussé deux fois la date du départ. Charles avait même proposé de partir sans lui, mais le jeune homme s'y était violemment opposé, avec l'appui résolu de sa mère.

— Tu ne devrais pas venir avec nous… suggéra Charles. C'est dangereux et les enfants t'attendent à Megève…

— C'est inimaginable ! dit Louise.

— Et s'il nous arrivait quelque chose, qui s'occuperait d'eux ?

— Il fallait y penser avant. Roland et Agathe sont avec eux…

À 21 h 45, on frappa à la porte de leur chambre. C'était l'heure. Il fallait se glisser hors de l'hôtel sans se faire remarquer des encombrants voisins. Les soldats avaient le sommeil léger. La traction attendait, phares éteints. Charles regarda le ciel étoilé et lumineux de pleine lune. Le fond de l'air était doux.

En sortant de l'hôtel à son tour, Léonard fut pris d'une quinte de toux, longue, douloureuse et bruyante. Une chambre au premier étage s'éclaira, un plafonnier à la lumière blafarde projeta un dangereux clair-obscur et on entendit des jurons en allemand. Tous se collèrent contre le mur de l'hôtel. Un homme en maillot de corps, de mauvaise humeur, ferma la fenêtre bruyamment. Il se recoucha, et la nuit revint protéger le départ des randonneurs.

Dans la voiture, personne ne parlait. On roulait dans la nuit légèrement argentée par le clair de lune, les yeux rivés sur le pare-brise et l'espace lumineux éclairé par les phares. On pouvait croiser une patrouille allemande à tout moment, le long des huit kilomètres à parcourir pour rejoindre le sentier d'escalade.

Personne dans les rues déjà endormies. Mais c'était un leurre, les Allemands savaient que les nuits de pleine lune étaient propices aux évasions, ils étaient ces soirs-là aux aguets.

Soudain, au bout d'environ trois kilomètres, des ombres, un signe, on arrêta. Des hommes de l'organisation chargèrent en silence les sacs de ceux qui avaient fait le chemin à pied, faute de place. On repartit, le ventre noué. Le silence, la précision des gestes et la crispation des visages intensifiaient la présence du danger.

Louise portait un foulard de soie sur les cheveux. Elle espérait ainsi masquer la pâleur de ses joues et la tension des muscles de ses mâchoires qui laissaient une trace bleutée sous la finesse de sa peau. Charles lui prit la main. Elle était glacée à travers le gant de cuir.

— Les boches, s'écria le guide assis à la droite du conducteur.

Au détour d'un virage en effet, un camion était arrêté. Deux uniformes feldgrau dont l'un remuait lentement de gauche à droite un fanal demandant, pleins phares, d'arrêter.

— Fais semblant de t'arrêter…

La voiture ralentit en dépassant les deux sentinelles qui s'approchèrent, fusil au poing. Le guide entrouvrit la porte, le revolver en main.

— Passe en seconde et repars à toute vitesse …

Le chauffeur s'exécuta, apparemment coutumier de la manœuvre. La tension était à son maximum, chacun tendant l'oreille pour entendre les coups de feu, le bruit de la tôle percée, ou le sifflement du pneu touché… Mais déjà un nouveau virage protégeait la voiture. Que faisaient les soldats ? Sans doute étaient-ils déjà en train de démarrer leur camion et d'une seconde à l'autre leurs phares perceraient la nuit. Le destin voulut, ce soir-là, qu'ils ne tombèrent pas sur des acharnés ! Deux soldats en patrouille, qui surveillaient mollement la route et qui trouvaient que la journée avait été épuisante, que la guerre était trop longue, qu'il était grand temps de rentrer à la maison et d'arrêter de tirer sur tout ce qui bougeait…

Alors rien ne se passa. Les minutes suivantes éloignèrent le danger.

— C'est là… articula le guide, en déglutissant. Sa voix résonna dans la voiture comme une trompette. On était en vie, il ne fallait pas perdre le fil des choses. Le moment de la séparation était arrivé.

Des silhouettes s'agitaient sur un pont de chemin de fer en pierre, sous lequel le sentier montagneux commençait sa montée. Ceux qui repartaient en voiture vers Saint-Girons devaient faire vite, les Allemands rôdaient.

Louise serra Léonard dans ses bras. Il la dépassait d'une tête maintenant. Le sens des baisers était inversé. Il embrassa tendrement ses cheveux, tout comme elle l'avait fait si souvent quand il était plus petit.

— Au revoir, mon amour, murmura-t-elle avant que sa voix ne se brise. Tu pars en fils, tu reviendras en héros... Je t'aime, c'est ta meilleure protection.

Elle sortit alors de son sac à dos l'écharpe de laine qu'elle glissa autour de son cou. Léonard ne protesta pas, l'écharpe arrivait à point nommé pour le protéger de l'humidité montante de la nuit. Les écarts de température étaient impressionnants en montagne !

44.

24 septembre 1943

C'était la panique. Les Allemands étaient arrivés à Megève. Cette invasion, mille fois annoncée, mille fois redoutée, bouleversait l'univers. Leurs menaçantes Citroën noires sillonnaient les routes de montagne. Ils étaient partout, s'agitaient dans tous les sens, obtenaient les meilleurs renseignements. Sur la liste des juifs établie par les Italiens et laissée en cadeau de bienvenue sur le bureau de M. le Maire, Charles et Roland se trouvaient à la lettre S. En milieu de page, protégés par ceux du haut et du bas. Trois jours, une semaine de répit, au mieux…

Louise avait repris sa vie, au Mont-d'Arbois, mais le cœur n'y était plus ou plutôt le ressort. Elle qui n'avait jamais eu peur de rien tremblait tout le temps, surtout la nuit. Elle craignait le cri des chouettes, les grincements des parquets, le vent dans la cheminée, les cris des enfants, leur silence l'instant d'après, le téléphone, le courrier… Elle éprouvait un sentiment étrange de grande solitude, sans être seule. Les nuits étaient courtes dans son grand lit de plus en plus froid avec l'arrivée de l'automne. Tous les jours, on apprenait de nouveaux départs, de nouvelles arrestations.

Son plus grand choc fut l'arrestation des deux médecins de son petit dispensaire pour enfants, dans le village, sous prétexte de pratique illégale de la médecine par des juifs. Comme si ils avaient besoin d'un prétexte !

L'arrestation se déroula sous ses yeux. Elle se précipita sur les soldats, en criant, il y a sûrement une erreur. L'un d'eux la repoussa violemment. Ils n'avaient pas l'habitude qu'on les interpelle. C'est quand elle se releva qu'elle vit les signes de David, son médecin préféré, qui faisait non de la tête et mit son doigt sur la bouche pour lui suggérer de se taire. Dans son regard, on comprenait qu'il voulait la tenir à distance. Il n'y avait rien à faire, ce n'était pas la peine de se faire arrêter avec eux. Il lui adressa un sourire généreux et calme, avant de monter à l'arrière de la voiture. Elle resta figée sur place, debout sur le trottoir, les jambes tremblantes. N'osant plus rentrer gaiement, comme elle le faisait si souvent, dans cet endroit familier, devenu tout d'un coup si menaçant.

— Vous serez dans la prochaine voiture !

Louise sursauta. Le ton était glacial. Le garde champêtre faisait semblant de balayer la chaussée. Elle comprit que la dénonciation venait de lui et qu'il était venu vérifier, l'air de rien, que le travail était bien fait. C'était un concentré de haine. À le regarder, on en tremblait de rage, quelle misère !

Elle rassembla ses dernières forces pour lui décocher un superbe sourire et planter ses yeux noirs dans les siens. Elle s'était redressée pour ne rien laisser paraître de sa peur.

— J'y serai plus en confiance qu'au milieu des ordures !

— ...

— Beau travail, vous balancez qui maintenant ? poursuivit-elle, la voix blanche.

Il s'éloigna, la tête rentrée dans les épaules, le balai de paille traînant derrière lui. Tu n'aurais pas dû, sale juive, pensa-t-il en s'éloignant vers l'hôtel des Flocons, quartier général des Allemands depuis leur arrivée à Megève.

Ça tombait bien, la visite des chalets du Mont-d'Arbois était prévue pour le lendemain matin, à l'aube. Il ne manquerait pas d'indiquer le bon chemin pour visiter en premier le chalet de Louise. Il garantissait une bonne pioche, juifs avec femme et enfants !

Quand la colonne de camions bâchés monta sur la route déserte du Mont-d'Arbois, devancée par les tractions noires, tout le village s'en aperçut. Par les petits sentiers de montagne, on avait le temps de prévenir les chalets qu'on savait encore occupés. Les Savoyards aimaient faire des bras d'honneur aux Allemands, ils s'y employaient au risque de leur vie.

Quand elle entendit grincer la porte d'entrée, Louise s'était rendormie, redoutant d'affronter la fraîcheur du petit matin. Sur la pointe des pieds, mais bruyamment, le frère de la femme de chambre se dirigea vers la chambre de Louise. Ses godillots grinçaient sur les lattes du parquet. Il connaissait le chalet comme sa poche, pour y avoir réalisé, depuis des années, du bricolage de tuyauterie, de menuiserie, d'électricité. Il était dévoué corps et âme au docteur Socquette, et s'était improvisé meilleur agent de liaison du village, se faufilant partout avec une dextérité hors du commun. En plus, il avait en horreur les boches qui violaient sa montagne chérie.

— Madame Charles, ils montent…

— Que des Allemands ?

— Oui, ils cherchent votre mari et son frère.

— Je ne risque rien donc.

— Mais si, ils embarquent tout le monde pour semer la terreur… Je peux rester pour donner l'alerte s'ils vous arrêtent… Ils voudront vous faire parler, vous risquez de passer un mauvais quart d'heure.

— Non, je vais me débrouiller. Continuez de prévenir les autres.

Le messager repartit et, haletante, Louise se dirigea vers

son cabinet de toilette. Vite le chignon, elle n'allait quand même pas recevoir ces messieurs en cheveux. Elle se coiffa en un éclair, et dut se tenir des deux mains au lavabo pour ne pas tomber. Son cœur s'était emballé. Du calme, du calme, se dit-elle pour trouver la force de se diriger vers la chambre de Roland.

Il dormait comme Charles sur le dos, les mains sur le ventre, ce détail l'attendrit, mais ce n'était pas le moment de se laisser distraire. Elle le réveilla avec douceur et fermeté, sans allumer la lumière pour ne pas donner d'indication.

— Roland, ils arrivent, tu dois partir par la cuisine, vite, vite.

— Il faut maintenant rester cachés !

— Nous en parlerons plus tard... Vite...

Il s'habilla à la hâte, attrapa son sac de montagne toujours prêt comme celui d'une femme en fin de grossesse et se précipita dans l'escalier pour rejoindre son refuge au Fayet.

Dans la chambre d'Agathe, au milieu du linge de maison, Louise trouva une blouse en tissu beige rugueux et un tablier en dentelle blanche d'un autre style, acheté avant-guerre au Grand Bazar de Genève pour servir à table quand Charles recevait. L'emballage de soie n'avait jamais été défait. Un achat de Noël 1938, dans la lumière et le bruit du grand Magasin de Genève. Elle aimait faire ses courses de ménagère à Genève. On y achetait des couteaux et du linge de maison introuvables ailleurs. Pour parfaire son déguisement, Louise noua autour de sa tête un torchon à carreaux rouge et blanc.

— Cache-toi, ordonna-t-elle à Agathe, terrifiée. Cache-toi bien. Une planque inimaginable pour un fritz.

Elle eut juste le temps de remonter dans le salon, respirer un grand coup, écouter les bruits, s'étirer pour calmer le tremblement de ses mains, reprendre ses esprits, adopter la tête de circonstance avec la vue basse et attendre ces messieurs. Ce n'était pas une nouveauté. Ils étaient déjà venus cinq fois chercher Charles et Roland. Pas eux bien sûr : des gendarmes français, des officiers italiens, de la petite frappe de gestapiste. Là c'était une autre affaire, des SS… des cracheurs de feu, des cannibales à juifs…

On frappa. Elle se signa deux fois. On n'était jamais assez prudent.

— Il n'y a personne, juste moi la femme de chambre.

— Fouillez la maison, ordonna le plus petit de la bande. Sûrement un capitaine, il avait l'habitude de commander.

— Ne perdez pas votre temps, il n'y a que moi…

— On fouille quand même, ce n'est pas ce qu'on nous a dit…

— Vous perdez votre temps… balbutia Louise qui sentait ses forces l'abandonner, il fallait faire vite, elle passa à l'offensive.

— Il n'y a pas de juifs ici. Si vous croyez qu'ils vous ont attendus.

L'Allemand s'étouffait. Elle ne manquait pas d'aplomb la dame…

Le petit la bouscula, avec force. Cinq soldats entrèrent dans le salon, arme au poing en faisant un vacarme pas possible.

Elle crânait mais à l'intérieur elle sentait son sang refluer vers son cœur et son cœur tambouriner dans ses poignets. Une pensée l'obsédait : Laurent pouvait être réveillé par le bruit et se précipiter dans ses jambes en criant « Maman ».

Tout d'un coup, le petit capitaine sembla hésiter. Il leva la main droite, pour arrêter la troupe, et pour se donner le temps de réfléchir à l'aboiement suivant. Tout était suspendu à son bon vouloir. Il avait promis à ses supérieurs de revenir avec son quota, cela ne lui servait à rien de fouiller une maison vide. Tout était trop calme dans ce chalet, même l'accueil. Il n'avait perçu aucune fureur dans le regard de la dame. Il savait les reconnaître les affolés qui avaient des choses et des gens à cacher. C'était même sa spécialité. Là, il sentait qu'il perdait son temps. Autant revenir.

— On reviendra avant la fin de la matinée, dit-il en tournant les talons et en sortant d'un pas déterminé, ne laissant à personne le temps de s'étonner de sa versatilité.

Louise se replia pour laisser sortir l'ouragan.

Ouf, il n'y avait plus qu'à se cacher d'urgence. À cet instant précis, elle prit la décision de rentrer à Paris. Oui, ils seraient plus en sécurité à Paris. La grande ville lui faisait moins peur que ce ghetto, un ghetto qui s'était vidé, certes, mais un ghetto que les Allemands allaient fouiller de fond en comble, des fois qu'un petit juif resterait caché dans un coin !

45.

Paris, le 3 février 1944

Ma Juliette adorée,

La neige en abondance nous a suivis de Megève à Paris. Pas de chance... Mais au moins nous ne sommes pas dépaysés ! Eh oui nous sommes tous les quatre à Paris. Pourquoi quatre ? Charles est à Alger, Léonard en Amérique et Émilie vit sa vie loin de nous pour nous protéger. Les enfants vont à l'école chez les bonnes sœurs à Neuilly, grâce à l'abbé Bernard devant qui toutes les portes s'ouvrent. Le plus compliqué a été de trouver un uniforme à leur taille. Les filles râlent que la laine les gratte mais c'est le cadet de mes soucis...

Léonard, soumis à une discipline de fer, doit réussir le test éliminatoire qu'ils appellent « Primary Training ». Une fois cette étape importante franchie, la porte du ciel lui sera ouverte et il deviendra un pilote de chasse, prêt au combat. Comme je suis fière ! Je l'imagine changé avec ses cheveux en brosse et des rides nouvelles sur son large front qui doivent accentuer son air sérieux. Ses fossettes ont dû se creuser, à cause du sport pratiqué à outrance. Tu connais son courage physique, il ne doit reculer devant aucun effort...

Je suis retournée à la Bonne Étoile, le dispensaire de

Montmorency a été transformé en hôpital pour soldats allemands. Pas de place pour moi donc. Il paraît que notre présidente chérie a quitté la France pour ne pas voir le saccage de ce qu'elle a mis tant d'années à construire. Que sont devenus tous les orphelins d'avant-guerre ? La Bonne Étoile n'a pu apporter aucun secours dans la misère de cette guerre. C'est une désolation, il faudra nous rattraper quand la paix reviendra !

Nous devrions réussir à nous voir. Pour me dire quand tu es à Paris, tu passes par le 52 à Megève... Un peu aberrant, j'en conviens... Mais nous devons redoubler de vigilance ! Agathe est restée dans le chalet pour éviter qu'il soit réquisitionné ! Charles ne veut pas que je te communique mon adresse... Je ne dois pas te dire où j'habite. Je dois me cacher de toi, de vous, de ton camp, de leur censure, de leur défaite proche. Tu conviendras qu'il m'est impossible de venir à Chartres. Oui, je sais que tu n'es pas d'accord. Ma venue pourrait décider ton mari à nous protéger ? Non, ce n'est pas le sens de votre histoire, et surtout parce que même s'il le voulait, il ne le pourrait pas. Décide-t-il encore de quelque chose ? Les collabos sont les marionnettes des Allemands, le faux nez de l'occupant. Alors ton pauvre Paul dans tout ça... Il a trahi son pays et après... Et après ?

À très bientôt, ma sœur adorée, nous sommes en danger toutes les deux pour des raisons bien différentes. Et je suis confuse de devoir me protéger de toi... C'est le plus incroyable ! Le plus bouleversant pour notre petit univers familial. J'ai beaucoup de mal à l'accepter... mais quel est notre choix ?

Heureusement, enfant, je t'ai dit que je t'aimais !

Je t'embrasse tendrement. Essaie de nous faire signe vite, très vite...

Ta sœur.
Lisette

46.

6 juin 1944

Le ciel se dégageait. Le vent poussait les nuages. Entre deux nuances de gris, on pouvait apercevoir, à condition de regarder au bon moment, un coin de ciel bleu. Le mauvais temps venait tout droit des côtes de la Manche. Juliette et Louise s'étaient donné rendez-vous à Versailles, café du Roi, place du Marché. Louise arrivait de Paris en vélo, trempée, dégoulinante même, mais heureuse d'être à peu près à l'heure, de n'avoir pas crevé, d'avoir fait les vingt kilomètres sans difficulté. Elle aperçut Juliette attablée qui attendait, sans montrer de signe d'impatience. Louise l'observait sans être vue. Elle était étonnée de ne pas se précipiter vers sa sœur, dans un élan de bonheur. Elle accrocha son vélo à la grille de l'arbre, sans hâte, l'esprit embrouillé par des sentiments désordonnés. Elles ne s'étaient pas revues depuis juin 40. Mon Dieu, que c'était loin, un siècle !

Pouvait-elle se faire arrêter alors qu'elle venait voir sa sœur ? Juliette jouait-elle un double jeu ? Paul était-il au courant de cette rencontre ? Pourquoi Versailles et pas Paris, où il était plus facile de s'enfuir en métro ? Cette fois Charles ne lui avait rien interdit : d'Alger il n'était au courant de rien, même pas du retour à Paris de sa famille ! Louise s'ébroua comme un chien mouillé pour faire tomber l'eau de son chapeau et de son imperméable.

Ce fut à ce moment-là que Juliette tourna la tête. Leurs regards se croisèrent sans qu'elles bougent, ni l'une, ni l'autre. Chacune figée dans leurs douleurs secrètes, dans leurs interrogations contradictoires. Puis, doucement, Juliette se leva et vint enlacer sa sœur sur le trottoir. Sans rien dire, mais avec des gestes tendres, les gestes familiers de leur enfance. Elles étaient ensevelies sous un flot de souvenirs. Chacune les siens, sans savoir si c'était les mêmes. Il y en avait assez pour deux, elles pouvaient partager. Plus rien de ce qu'elles avaient prévu de se dire ne leur revenait à l'esprit.

Alors Juliette ne se justifia de rien, face à Louise qui ne l'accusait de rien.

Juliette racontait mille choses de la vie, de la famille, des enfants, des domestiques, du ravitaillement, des fêtes, des contraintes de la fonction, des tensions avec Paul, de ses copines. Elle évitait les descriptions choquantes, car trop liées à l'occupant et à sa place de choix dans leur vie. Parfois, ça donnait des incohérences à son récit, que Louise remarquait, sans les relever. Elle écoutait, toute en retenue, habituée au silence enseigné par l'abbé Bernard, comme première règle de protection. Dans ses lettres, elle avait raconté l'essentiel de sa vie, elle ne voyait rien d'important à ajouter, et puis la méfiance était bien installée, là au milieu d'elles, une madame Sans-Gêne qui écoutait aux portes. Au bout d'un moment, sous les bavardages de Juliette, elle sentit poindre une tristesse profonde.

— Que me caches-tu d'important ? demanda Louise, soudain saoulée des futilités de madame la Préfète avec son nez poudré, ses cheveux trop bien crantés et son bibi hors de propos.

Juliette souriait, comme d'autres respirent. C'était sa façon de se protéger, son autodéfense. Son sourire était désarmant de bonté et elle en jouait. Mais Louise connaissait ses ruses mieux que personne… Pour casser les faux-semblants, elle donna des ordres à sa manière, avec tendresse et fermeté, sans échappatoire. Juliette céda.

— Nous sommes des « K » …

La voix claire de Juliette s'altéra.

— Des K comme la lettre ?

— K comme Kollaborateur…

— Rien de nouveau sous le soleil…

Louise faisait du Charles : vite l'humour à la rescousse du drame. La lumière avait changé, et le soleil de juin pointait son nez pour donner un air de printemps à ce café sinistre, avec ses banquettes en vieux skaï défoncé et ses suspensions lumineuses recouvertes du papier bleu de la défense passive.

Juliette poursuivit ses confidences. Comme elle farfouillait dans son sac, les yeux baissés, elle ne vit pas la lueur de pitié qui venait de poindre dans les yeux de Louise bien malgré elle.

La main de Juliette tremblait quand elle tendit une feuille à Louise, n'osant pas affronter son regard. Du rouge lui monta aux joues, comme une enfant qui redoute les remontrances.

« Au nom du peuple Français,

La Cour Martiale de la Résistance,

Vu le réquisitoire porté au nom du Comité d'Action contre la déportation

Attendu que le Préfet régional d'Eure-et-Loir est déféré à la Cour Martiale de la Résistance…

Attendu qu'il est constant que le Préfet a pris une part prépondérante à l'exécution de mesures de déportation dans la région de Chartres… »

Louise s'arrêta de lire. Elle avait pâli.

— C'est vrai ?

— Quoi ?

— Qu'il a participé ? Qu'il a pris une part prépondérante ?

Juliette baissa les yeux. Louise poursuivit sa lecture.

« Attendu qu'il n'a pas craint de prendre lui-même des initiatives criminelles destinées à faciliter la capture des Français recherchés par l'ennemi [...]

Attendu qu'il a entretenu des intelligences avec l'Allemagne, puissance en guerre avec la France, que ces faits sont constitutifs du crime de trahison ; qu'il ne saurait être couvert par des instructions que le Préfet aurait pu recevoir ;

Par ces motifs déclare le Préfet régional d'Eure-et-Loir, coupable de crime de trahison prévu à l'article 73 du Code pénal et le condamne à la peine de mort.

Mande et ordonne à tout Français patriote de le rechercher en quelque lieu qu'il se trouve et d'exécuter la présente sentence rendue à Paris, en audience secrète le 12 mai 1944. »

— Je ne pensais pas que ça arriverait si vite, murmura Louise.

— Tu imagines si chaque résistant se sent autorisé à abattre Paul, sans sommation...

— Ça fait du monde... mais ils ne sont pas tous à Chartres...

— Il n'ose plus sortir seul, bien qu'il s'en défende. Il ne veut plus sortir avec moi... bien qu'il s'en défende aussi...

C'était un instant cruel où personne ne pouvait rien pour personne.

Tout d'un coup, un homme entra en trombe. Il poussa si fort la porte en verre, qu'un bang sourd résonna. Il sautillait en montant presque ses genoux à sa poitrine, il perdait l'équilibre et se rattrapait aux tables en chantant *la Marseillaise* à tue-tête, avec un visage ravi. Le patron déboula de son comptoir pour le faire taire. Malheureux ! Il se croyait où ce guignol ?

— Les Américains ont débarqué en Normandie, des milliers de bateaux et d'hommes ! Vive la France...

Les gens firent cercle autour de lui. Il fut bombardé de questions bien qu'il ne sache rien de plus. Il répétait une phrase de la rue. Une conversation entre officiers allemands en visite au château que lui avait traduite une guide interprète, qui n'en croyait pas ses oreilles. L'homme était le gardien de la chambre de la Reine. Tous les Allemands en visite à Versailles commençaient par cette chambre, c'était la pièce préférée de leur visite. C'est dire si le gardien et l'interprète avaient du temps pour échanger.

Louise et Juliette étaient restées à l'écart, indifférentes à l'agitation. Elles semblaient n'avoir rien entendu. Louise replia la feuille avec lenteur et précaution, comme avec un couteau tranchant. Juliette la rangea dans son sac, avec un mouvement sec et dédaigneux, le nez pincé comme devant un tas d'immondices.

— Alors les dames, vous en faites une tête… ça fera cinq francs pour les deux cafés, dit le patron qui s'était approché de la table, intrigué par les deux momies. Leur accablement les rendait suspectes. Il n'avait pas envie de voir débarquer la Gestapo pour intelligence avec les Alliés. Ils étaient nerveux ces temps-ci. Fallait se méfier.

— Vous auriez un petit rien d'alcool fort, demanda Louise.

— C'est le débarquement qui vous fait cet effet ?

Louise avait parfaitement entendu la nouvelle. Mais, ce n'était vraiment pas le bon moment pour laisser exploser sa joie. À l'intérieur c'était le feu d'artifice, mais elle ne laissa rien paraître, même pas une étincelle. Elle renvoya le patron dans ses buts.

— Merci. On savait déjà. On a besoin de parler en tête en tête.

Elle dévisagea Juliette pour guetter sa réaction, mais n'obtint qu'un petit sourire crispé, mais avec un regard tranquille. Il suffisait d'un mot pour dédouaner Juliette, mais Louise ne le formula pas. Alors à quoi aurait servi l'hypocrisie ?

— Qu'allez-vous faire ? s'inquiéta Louise.

C'était une question essentielle, mais inutile. De celles qu'on pose sans vouloir de réponse.

— On va se cacher. On lui reproche surtout l'arrestation l'année dernière de dix-huit jeunes qui ont été fusillés pour avoir mis le feu aux blés. Le reste, je ne sais pas trop...

Louise en avait le souffle coupé. Dix-huit ans, l'âge de Léonard probablement et quoi encore...

— Il vaut mieux que tu en saches le moins possible, souffla-t-elle. Elle était paralysée, démunie face à ces aveux grotesques et insupportables. Elle attrapa son sac pour se remettre du rouge à lèvres et calmer ainsi le tremblement de ses lèvres.

Le verre d'alcool fort, au goût indéfini, arriva comme par miracle. Elle l'avala d'une traite, c'était la première fois de sa vie ! Toutes ces nouvelles valaient bien une première ! La traînée chaude et douloureuse qu'elle sentit dans sa gorge, puis dans ses artères lui fit du bien.

— Un autre, patron... hurla Louise à travers le café.

— Arrête... la supplia Juliette. Tu dois tenir sur ton vélo pour rentrer. Ne t'inquiète pas pour moi. Je ne me rends pas bien compte de la situation. Pour l'instant, tout est en place dans ma vie.

— Comment puis-je t'aider ?

— Tu ne peux pas. Tu dois aussi te cacher et attendre le retour de Charles. C'est étrange cette guerre, dans des camps opposés mais dans la même situa...

— Pas tout à fait... l'interrompit Louise.

Mais elle regretta cette méchanceté spontanée. À quoi bon ! Pour prouver quoi et à qui ? Que c'était compliqué d'être épouse, mère et sœur à la fois ! Les sentiments s'embrouillaient, comme dans les jeux d'enfants où le chemin pour retrouver son jumeau est tout emmêlé, et qu'on emprunte plein de fausses routes avant de trouver la bonne.

— Nous avons une chambre vide, à côté de celle de Jacqueline. Elle est à ta disposition, proposa Louise en sachant que Charles y serait farouchement opposé. Il lui avait répété, encore et encore : « Plus jamais je ne serrerai la main de Paul ton beau-frère, et si je meurs qu'il ne vienne pas à mon enterrement... »

— Ça va devenir dangereux de cacher des K. Tu sais, les FFI sont intraitables. Des justiciers purs et durs.

— À vous de voir. C'est une solution.

— Pourquoi fais-tu cela ?

Louise ne pouvait pas répondre. Elle ne le savait pas elle-même. Elle l'avait dit comme ça, sans réfléchir. Oui, sans réfléchir, maintenant qu'elle y pensait plus sérieusement, c'était une folie. Une folie.

— C'est une folie...

Louise dévisagea sa sœur. Elle lisait dans ses pensées... Non, c'était du bon sens, tout simplement, le seul mot qui convienne.

— Folie ou pas. La chambre est à votre disposition. Point à la ligne.

Louise regarda sa montre. Il était l'heure de se séparer, autrement elle allait louper Radio Londres.

— Je dois partir pour être à l'heure pour le bain des enfants. Depuis le départ de leur père, quand je suis en retard, ils paniquent.

— Moi aussi, j'ai rendez-vous avec Paul devant le Palais de Justice dans dix minutes. Il me croit à la galerie des Glaces, à contempler les jeux de miroirs !

Pour Louise, les mois à venir allaient être porteurs d'espoir. Chaque jour la rapprochait du retour de ses hommes, et des heures de gloire à venir. Pour Juliette, c'était l'inverse. Chaque jour qui passait l'emmenait irrémédiablement vers le drame de sa vie. L'humiliation et la misère étaient à portée de main.

47.

16 août 1944

Les Allemands faisaient leurs valises de carton-pâte. C'était un sacré déménagement après quatre belles années d'occupation. Depuis la veille, Hitler avait autorisé l'évacuation de toutes les forces non combattantes, y compris la Gestapo. Partout dans Paris, on croisait les nouveaux repliés dans toutes sortes de véhicules, y compris des voitures mitrailleuses sur lesquelles étaient arrimées des valises. Les colonnes ininterrompues de camions, voitures, side-car qui se dirigeaient vers l'Est allaient provoquer les premiers embouteillages des rues de Paris depuis l'Occupation.

Cette évacuation massive pouvait réjouir certaines personnes, mais affola Louise qui avait l'intuition terrible que les Allemands préparaient un mauvais coup. Ils ne pouvaient pas lâcher Paris, sans une bataille. Qu'allait-il donc advenir de sa ville adorée ? Pour la première fois de sa vie, elle tremblait pour un lieu, pour l'histoire, pour l'éternité. Pas pour des gens. Hitler était assez fou pour faire de la Ville lumière un tas de ruine, c'était évident !

La rumeur se faisait insistante sur l'imminence de bombardements massifs. Chaque nuit calme alimentait l'inquiétude pour la prochaine.

À 6 heures du matin, quand Louise monta à bicyclette, une agitation bruissait dans le quartier, d'habitude encore endormi à cette heure matinale. Elle emprunta la redoutable rue Lauriston qu'elle évitait souvent. Quasiment en face de l'immeuble maudit, elle se fit arrêter par trois soldats allemands. Son cœur s'emballa. Elle se reprocha d'avoir emprunté ce sinistre chemin. La guerre n'était pas finie. Quelle imprudence ! Elle descendit de son vélo, les jambes tremblantes. Puis elle remarqua que quelque chose clochait. Les soldats ne ressemblaient à rien. Ils avaient perdu leur arrogance. Ils étaient dépenaillés. L'un d'eux avait même la veste d'uniforme ouverte et les cheveux en bataille. Ils souriaient sans raison apparente.

— Nous vidons les locaux de l'intendance… commença à lui expliquer le plus jeune des trois.

— Nous rentrons chez nous, et nous jetons la nourriture, pour ne pas encombrer les camions, poursuivit le second.

— Venez… Vous avez de la chance de passer par là…

Louise passa du froid au chaud en un éclair. De quoi lui parlait-on ? Elle regarda les soldats, interloquée, la bouche entrouverte par la surprise. Pouvaient-ils savoir qu'elle allait justement comme chaque matin aux commissions pour payer rien un prix d'or ? Avait-elle été suivie ? Aujourd'hui, on lui avait annoncé un arrivage de fromage, pas du normand, ça ne risquait pas… mais du comté, de la tomme… Elle voulait être la première dans la queue. Paris avait faim. Les routes d'approvisionnement étaient coupées par les Allemands qui espéraient ainsi réduire la ferveur des combattants de rue. Le ventre vide, on courait moins vite.

— Je suis pressée, bredouilla-t-elle, s'apprêtant à pédaler à toute vitesse pour sortir de cette blague idiote.

Devant sa perplexité, son hésitation et son désir manifeste de passer son chemin au plus vite, le plus jeune des trois lui fit un geste large, rassurant et mit sa main devant la bouche pour murmurer, sans être entendu des autres.

— Aucun risque, c'est un cadeau de Hitler...

— Un cadeau de Hitler… Un cadeau de Hitler…

Ces deux mots côte à côte, c'était comme une énorme faute d'orthographe. Une monstruosité à rougir de honte. Ça sonnait tellement faux que Louise entra dans le garage, poussée par sa curiosité. À quoi pouvait bien ressembler un cadeau de Hitler ?

Le garage était une véritable ruche. Des Allemands s'agitaient dans tous les sens pour vider les lieux et partir au plus vite. La présence de Louise n'étonna personne. Le jeune Allemand l'entraîna à l'écart de l'agitation dans un coin sans éclairage du garage. Là, il lui donna en vrac et à la va-vite deux mottes de beurre, deux kilos de farine, douze œufs, deux kilos de sucre et un litre d'huile. Louise eut envie de l'embrasser. Elle bourra les sacoches de son vélo et s'éloigna à toute vitesse, avec son trésor !

En empruntant l'avenue Kleber, Louise aperçut une épaisse fumée noire au-dessus de l'hôtel Raphaël. Elle ne pouvait pas savoir que là comme ailleurs dans Paris, à l'abri des regards indiscrets, les Allemands brûlaient les archives de quatre ans d'occupation. Le déménagement s'était précipité. Dans les chaudières du palace parisien, ils avaient entassé tellement de documents que la fumée contenait des minuscules particules de papier. Impossible de tout brûler en même temps !

L'odeur âcre de la fumée provoqua chez Louise une petite toux d'irritation, vite oubliée.

La concierge était en train de poser l'écriteau « ascenseur en panne » quand Louise se présenta dans le hall, les bras bien chargés. Sans même un soupir ou un commentaire elle commença l'ascension des cinq étages. Soudain, elle entendit un murmure dans l'escalier et sentit comme une présence derrière elle.

— Maman…

Sans lâcher son trésor, elle s'arrêta pour écouter et revint sur ses pas mais, un étage plus bas, n'aperçut personne et n'entendit que la minuterie de l'éclairage.

— Maman…

Elle lâcha tout. Ce susurrement plaintif et angoissant était celui de sa fille, dont elle était sans nouvelles depuis bientôt une semaine. Elle monta en courant vers l'appartement, mais la double porte était bien fermée et le calme semblait régner à cet étage. En un éclair, elle redescendit au premier et là, couchée contre le mur, elle trouva Émilie en sang, le visage cireux de trop de douleur. La jeune fille entrouvrit ses yeux gonflés par les ecchymoses et esquissa une triste grimace en guise de sourire. La limite de ses forces était atteinte. Elle s'évanouit, rassurée par la présence tant espérée de sa mère.

Louise tenta, en vain, de la faire revenir à elle. En la réveillant, elle avait une petite chance de la hisser jusqu'à l'appartement. Mais c'était impossible de la traîner sur cinq étages ! Elle comprenait, entre les blessures et les croûtes de sang, que sa fille avait dû se faire arrêter et torturer par la Gestapo, mais la suite de l'histoire lui manquait.

— Mon Dieu, une solution vite… souffla-t-elle. Elle était totalement démunie.

Une nouvelle fois, elle tenta par de douces petites claques de faire revenir à elle son enfant. C'était impossible. Elle décida d'appeler Monique et Sophie. Les filles porteraient chacune une jambe et elle le buste. Il fallait faire vite, l'appartement du second était réquisitionné par un officier de la Wehrmacht et l'homme pouvait emprunter l'escalier d'un instant à l'autre. Quelle allait être sa réaction en y trouvant une résistante presque morte ? Achever le travail de ses compatriotes ou poursuivre son chemin, comme si de rien n'était ?

Dans l'appartement, les enfants dormaient, comme s'il s'agissait d'un jour ordinaire. Au moment de réveiller tout le monde, Louise se souvint que Juliette, depuis la veille, s'était réfugiée dans une chambre de bonne. Comment n'y avait-elle pas pensé avant ?

En moins de deux, Louise et Juliette se retrouvèrent dans l'escalier pour porter ensemble le corps mutilé d'Émilie. On la déposa sur son lit et Louise entreprit de soigner ses plaies. La jeune fille revint à elle quand Louise nettoya son visage à l'eau fraîche. Une à une, elle dégagea les meurtrissures sur lesquelles les cheveux, la sueur et le sang formaient de fines croûtes fragiles.

Quand elle ouvrit les yeux, elle aperçut Juliette. Elle tressaillit et, malgré ses blessures dans le dos, se dressa d'un coup brusque.

— Juliette… Que fais-tu ici ? demanda Émilie sans détour. Son regard fut traversé d'une lueur d'effroi.

— Depuis hier soir, nous sommes cachés dans la chambre de bonne, à côté de Jacqueline. Nous n'avions nulle part où aller…

Émilie retomba sur son lit. Bien sûr, elle pouvait pardonner puisqu'on lui avait sauvé la vie ; bien sûr, jeter Paul et Juliette dans la rue c'était les condamner à mort ; bien sûr, ils n'étaient pas les seuls responsables de toute cette folie ; bien sûr, ses blessures la faisaient horriblement souffrir ; bien sûr, elle garderait le silence en présence de sa tante.

— Ah, enfin tu es réveillée ! soupira Louise en revenant dans la pièce avec de l'eau fraîche et des compresses retrouvées au fin fond d'un tiroir de la cuisine.

— Tout va bien, Maman, je suis en vie, c'est un miracle !

— Raconte-moi…

— Plus tard !

— J'ai le droit de savoir.

— Plus tard, Maman, je dors un peu d'abord.

Louise caressa le visage et les cheveux de sa fille. Une caresse douce et langoureuse qui ne lui ressemblait pas. Sur le visage tuméfié d'Émilie, Louise avait remarqué des airs d'enfance, des ressemblances touchantes avec Léonard.

— D'accord… céda-t-elle, redoutant d'entendre une banale histoire de héros qui n'était pas celle qu'elle souhaitait.

— Un Allemand a ouvert la porte de ma cellule en me disant de partir vite… Il me trouvait trop jeune pour mourir !

La jeune fille ferma les yeux pour signifier la fin de la conversation.

Louise pesta. Elle n'aimait pas ne pas savoir. Elle en voulait à sa fille d'avoir pris trop de risques, de ne pas lui obéir, d'être indépendante, d'être forte et trop courageuse. Oui sans se l'avouer, elle en voulait à sa fille d'être le héros de la famille. Ce rôle ne lui était pas destiné. Léonard serait pilote de chasse, formé à la grande école américaine, mais la bataille la vraie, où on risquait sa vie chaque minute, n'était pas la sienne. Lui, le pauvre, arriverait après la victoire. Elle ressentit une profonde douleur pour son fils ! Il manquait son rendez-vous avec l'Histoire. Oui, il n'était pas sur le champ de bataille, dans son pays et dans sa ville. Jusqu'à aujourd'hui, elle s'en était réjouie, secrètement, en voyant les corps des FFI sur les trottoirs de Paris. Mais aujourd'hui, Émilie lui montrait qu'on pouvait se battre et survivre. Alors elle déplorait l'absence de son aîné. Il aurait fallu faire confiance à la vie, plutôt qu'éviter les affrontements. Oui, cela avait toujours été sa tendance. Pourquoi avoir cru qu'elle préférait le contraire ? Elle s'était bercée d'illusions. À cause de Polytechnique, Léonard était parti au combat trop tard. C'était de sa faute, ne s'était-elle pas trompée d'ambition ? Elle croyait bêtement que les diplômes comptaient plus que les médailles. Elle avait mauvaise conscience de n'avoir pas anticipé la fin de la guerre, d'avoir réfléchi à l'avenir comme s'il s'agissait d'une époque ordinaire… À la veille de la libération de Paris, Louise savait qu'elle s'était trompée. On sentait une telle force, un élan unique et historique. Le jour d'après, il y aurait une différence entre ceux qui y étaient et les autres. Et Léonard n'y participerait pas.

— Tu devrais quand même la montrer à un médecin, suggéra Juliette.

— Elle est résistante, elle cicatrisera vite… Le ton de

Louise était beaucoup plus dur qu'elle ne l'aurait voulu. Juliette la foudroya du regard.

— Pourquoi tu me regardes comme ça ?

— Pour rien…

Ce n'était pas le moment de larmoyer, de juger, de comprendre. Juste celui de se cacher et de survivre. Mais c'était plus fort qu'elle, Juliette repensait à leur arrivée surprise, au milieu de la nuit précédente. Louise avait ouvert sa porte, fidèle à sa promesse. Juliette espérait ne jamais avoir besoin de cette main tendue. Mais elles étaient rares ces mains, envolées avec la percée des Alliés. Chaque ville reprise aux Allemands valait une nouvelle porte claquée dans la figure ! Depuis leur fuite de Chartres, le jour de l'anniversaire de Juliette, fin juillet, les refuges successifs s'étaient révélés dangereux, les uns après les autres. La dénonciation rôdait. Paul en connaissait bien les ressorts. C'était la même engeance que celle qui dénonçait les juifs et les résistants, dans son bureau, quelques semaines auparavant. Qui dénonce une fois, dénonce toujours. Qui dénonce une personne, dénonce tout le monde… Et ainsi, à l'infini, pouvait se prolonger le piteux défilé des braves gens dans leur bon droit…

Louise avait accueilli sa sœur avec une compassion généreuse et efficace, mais Paul à contrecœur. Le saluant à peine, sans un mot, sans un regard, comme si la guerre l'avait rendu fantôme, transparent, presque mort. Il avait murmuré, au prix d'un effort surhumain, un faible merci que Louise n'avait pas voulu entendre, le balayant d'un revers du menton et d'une moue de dédain, avec cet air hostile et boudeur, que Juliette trouvait ravissant quand elle n'était pas concernée.

— Pas prudent que je sois là. Je remonte, dit Juliette après un long silence.

— Buvons d'abord une chicorée… Oh ! là, là j'ai oublié dans l'escalier mes « cadeaux de Hitler » …

Louise se précipita, anxieuse ! Personne n'y avait touché. Ils étaient comme des trésors échoués sur une plage déserte, posés au bord des marches. Juliette prépara un quatre-quarts pour le réveil d'Émilie. C'était nourrissant et ça fondait dans la bouche. Puis elle attendit, toute la journée, le retour de Paul. Puis toute la nuit. Dans la matinée, n'y tenant plus, elle descendit pour parler à Louise. Elle avait besoin de la présence rassurante de sa sœur. C'est là que l'incident se produisit.

Depuis l'arrivée de Juliette, Louise ne fermait plus à clé la porte de l'escalier de service. C'était sa façon de joindre la parole à l'acte. Ça signifiait, « tu es chez toi » ! Juliette pénétra donc, dans l'appartement, en confiance. Elle ne dérangerait pas, puisqu'elle y était bienvenue. Il y régnait un silence inhabituel. Ils devaient être tous sortis, prendre l'air au bois de Boulogne, il faisait si chaud ! Elle pensa se diriger vers la salle de bains pour se rafraîchir. Là-haut sous le toit de zinc, c'était irrespirable ! Elle fut surprise de l'obscurité qui régnait aussi dans l'appartement. Tous les doubles rideaux des fenêtres donnant sur la rue étaient tirés. Elle hésita. Cet appartement désert et sombre l'angoissait. Elle était venue chercher la présence de Louise, pas son absence.

Mais Louise n'était pas là. Elle montait la garde au coin de la rue, comme à chaque réunion secrète du CNR qui avait lieu chez elle. Rencontrant Georges Bidault par l'intermédiaire de l'abbé Bernard, elle avait proposé son appartement pour leurs réunions. Récemment, le rythme de ces réunions s'était accéléré, car le comité devait réévaluer chaque jour l'opportunité de déclencher l'insurrection parisienne.

Juliette ressemblait déjà, à cette époque-là, à la vieille femme qu'elle allait devenir, le maintien en moins. Elle portait une robe froissée, à la propreté douteuse, preuve de son errance. Son chignon avait perdu de son gonflant et son visage s'était creusé de rides nouvelles autour des yeux et de la bouche.

C'est dans le couloir pour aller vers les chambres qu'elle entendit des voix animées d'hommes en grande discussion.

Charles était-il rentré d'Alger ? Intriguée, elle s'approcha de la porte entrouverte. Le quatre-quarts non entamé trônait au milieu de la table. Qui étaient ces Messieurs pour que Louise leur offre le gâteau des enfants ? Ce détail l'intrigua et la fit trébucher. Elle se rattrapa à la poignée de la porte pour ne pas tomber. La conversation s'arrêta net et Juliette fut bientôt menacée d'un revolver. Elle ne distinguait plus rien autour du trou noir du canon.

— Qui êtes-vous ? demanda l'homme qui la menaçait.

Juliette tremblait. Elle ne pouvait pas répondre. Le cerveau en compote, impossible d'articuler un mot, paniquée. La cavale, l'absence de Paul, la froideur de Louise, les blessures d'Émilie, sa tenue négligée de sans-abri et maintenant ce pistolet pointé sur elle, ça faisait beaucoup pour son vieux cœur. Passé les premières minutes, Juliette se surprit à penser calmement à sa mort. Elle éprouva presque un soulagement à cette pensée. Mais l'un des hommes se leva et haussa les épaules, tentant de calmer le jeu.

— Elle n'a pas l'air bien méchante. Reprenons notre discussion, nous devons voter maintenant.

— Nous ne sommes plus en sécurité tant que nous ne savons pas qui est cette femme. Baisse ton arme pour l'aider à retrouver ses esprits.

— L'un de nous va chercher Louise dans la rue. Tirons au clair cette intrusion qui ne peut pas être un hasard…

— Je suis la sœur de Louise, articula Juliette, la voix éraillée.

Les mauvais coups de la vie lui avaient appris la prudence. Il valait mieux ne pas décliner son identité. Si l'un d'eux avait entendu parler du préfet de Chartres… Ils n'avaient pas l'air de K, c'était une évidence !

— Aucune présence dans l'appartement pendant nos réunions. Louise ne vous a pas prévenue…

— J'étais dans la chambre du septième. Je n'ai pas vu Louise depuis deux jours. Peut-être…

— Ce quiproquo ne tient pas la route, s'énerva l'homme au pistolet. On déguerpit vite fait... avant de voir arriver la Gestapo.

— Je vais chercher Louise, mentit Juliette sans savoir où sa sœur se trouvait.

Elle tourna les talons mais fut vite rattrapée par l'un des hommes. Il lui serait fort le haut du bras et l'immobilisa.

— Vous ne bougez pas, commanda-t-il... Et d'abord comment savez-vous où se trouve Louise si vous n'étiez au courant de rien ?

Le visage de Juliette se vida de son sang.

— Vous me faites mal, dit-elle pour faire diversion.

L'un d'eux se précipita dans l'escalier, tandis que les autres attendaient silencieux, graves et préoccupés. Juliette se laissa tomber par terre, ses jambes ne la portaient plus.

Quelques minutes plus tard, Louise pénétra dans l'appartement.

— Je réponds de Juliette comme de moi-même, dit-elle après avoir refermé avec précaution la porte d'entrée, les deux mains posées bien à plat sur le bois verni, pour calmer leur tremblement.

Elle s'avança vers les hommes, tous les cinq maintenant prêts à partir, et leur suggéra de garder leur calme, de reprendre leur place autour de la table, de prendre même un morceau de gâteau. Elle évita de parler du cadeau de Hitler, jugeant inutile d'ajouter une dose de confusion.

Malgré son trouble, elle se défendait bien. Elle avait ce ton mondain, presque insouciant, comme s'il s'agissait d'un *Tea Time* à la Cour d'Angleterre. Ça marcha, parce qu'on avait déjà perdu trop de temps, parce que Louise en imposait et qu'il était difficile, même pour les chefs de la résistance, de lutter contre son intelligente sollicitude. On avait bien d'autres batailles à livrer.

D'un regard noir fusain, elle pensa aussi à gronder Juliette. Un peu de tenue, disait le regard. On ne s'assied pas, ainsi par terre... On allait où là ? Ce que Louise ne savait pas, c'est que Juliette s'était écroulée. Ce n'était pas tout à fait pareil. Mais Juliette avait compris. Entre elles, pas besoin de mots, certains signes avaient aussi leur signification.

À peine ces Messieurs s'étaient-ils remis au travail et Juliette debout, qu'on sonna à la porte. Un coup de sonnette strident et menaçant qui retentit avec la puissance d'une alerte dans l'appartement silencieux. Louise et Juliette se figèrent comme les habitantes de Pompéi. Elles n'osaient même plus respirer, de toute façon elles ne pouvaient plus, leurs cœurs s'étaient arrêtés de battre !

Un des hommes surgit de la salle à manger et signifia, par des signes, qu'il ne fallait pas bouger. Un doigt sur la bouche, l'arme au poing, il se posta près de la porte, sans la toucher. Un deuxième coup de sonnette retentit. Juliette ouvrit d'immenses yeux et manifesta de l'inquiétude. Et si c'était Paul ? Le troisième coup de sonnette fut le plus long, puis on entendit un soupir exaspéré derrière la porte, un bruit sourd, le paillasson, le glissement d'une enveloppe, le paillasson encore et des pas s'éloignant dans l'escalier.

On soupira. Quelle trouille ! Louise força un sourire pâle.

Sans un mot, avec des gestes précis et maîtrisés, l'homme rangea son arme, ramassa l'enveloppe, la tendit à Louise et ils s'enfermèrent de nouveau à huis clos, comme si de rien n'était. Quel sang-froid ! Cette façon qu'il avait de surfer sur le danger, d'avoir une peur bleue et de l'oublier la minute d'après, forçait l'admiration. Louise, pour la première fois, pensa qu'avec des hommes comme ça, on avait des chances de s'en sortir.

— Oust… Oust.

— Quoi ?

— J'ai rien dit…

— Si, tu as raison, il vaut mieux que je parte…

— Je n'ai rien dit. Tiens, la lettre est pour toi, dit Louise en tendant l'enveloppe à sa sœur, sur laquelle elle avait reconnu la petite écriture serrée de son beau-frère.

Un sourire rayonnant apparut sur le visage de Juliette. Elle se détourna pour déchirer l'enveloppe, ses doigts étaient fébriles.

— Paul… souffla-t-elle.

« 42, rue Raynouard. Ne donne cette adresse à personne et détruis ce papier après l'avoir lu. Je t'attends, mon amour. »

Juliette s'en alla comme elle était venue, silencieuse et résignée. Pour affronter les épreuves qui s'annonçaient, ses seules armes étaient son amour et sa confiance dans la vie. Pour le reste, elle était plutôt démunie. Louise ne posa aucune question, mais l'embrassa avec une tendresse infinie.

48.

18 août 1944

Louise avait promis à Émilie, encore faible, de l'accompagner à Drancy. Auprès de certains gardiens, on pouvait glaner des informations sur les prisonniers et Émilie voulait avoir des nouvelles de ses camarades. Au moment de leur arrestation, ils étaient trois agents de liaison. Qu'étaient devenus les deux autres ? Avaient-ils été fusillés ? Dans la cellule avant d'être libérée, elle avait entendu parler de Drancy pour les juifs. Étaient-ils partis dans un convoi pour l'Allemagne ? C'était imprudent comme démarche. Dans la Résistance, on ne faisait pas de sentiment. On ne revenait pas sur ses pas, c'était une règle d'or. Mais la jeune fille ne supportait pas de ne pas savoir.

Louise était persuadée qu'elles n'apprendraient rien, mais elle céda pour aider Émilie à surmonter ses démons ! Être la seule en vie lui donnait l'impression d'avoir trahi. Encore une idée folle, des enfantillages. Elle était en vie, il fallait s'en réjouir et ne pas se culpabiliser... Des états d'âme de roman à quatre sous...

On irait en métro jusqu'à la place Clichy et de là en vélo.

Pour faciliter cette expédition, Louise avait demandé de l'aide à Georges Bidault. Quitter le centre de Paris, en vélo, dans la confusion qui y régnait, était une folie. Un grand nombre d'occupants étaient partis, mais les soldats, les forces combattantes étaient toujours là. Il était préférable d'éviter les balles perdues au milieu des combats de rue, des sabotages, des prises d'otages.

La chaleur torride des deux jours précédents s'était transformée en un orage d'été bruyant et impressionnant. Avant de s'engager sous cette pluie abondante, on scrutait le ciel pour évaluer ce qu'on allait se prendre sur la tête.

— Ça va aller ?

— Oui, on séchera ce soir.

Les deux silhouettes frêles longèrent les murs des immeubles, jusqu'à la bouche de métro. Même taille, même démarche en canard. À les observer, leur lien de parenté était évident. Cependant, la plus jeune marchait avec une raideur particulière du buste, chaque pas était un supplice et tirait sur les cicatrices... Les torrents de pluie et la ville déserte donnaient une impression de fin de monde. On entendait des coups de feu, des explosions, des bruits de chenilles de chars sur les pavés.

Le métro était bondé. Avec un culot inhabituel, elle n'aimait pas les passe-droits, Louise demanda à un jeune homme de laisser sa place à Émilie sous prétexte qu'elle était enceinte. Sa voix résonna dans le compartiment silencieux. Tous les regards se portèrent sur le ventre plat de la jeune fille, mais personne n'osa faire de commentaire. Comme toujours, Louise en imposait. Amusée par les regards interrogatifs qui cherchaient les rondeurs de sa fille, elle s'accrochait des deux mains à la barre de fer des sièges, pour ne pas éclater de rire. Elle ferma les yeux et respira profondément. Puis elle sentit la tête de son enfant se poser contre son ventre, avec un petit gémissement d'animal blessé. À la moindre secousse du métro, le dossier des banquettes en bois appuyait sur ses cicatrices du dos. Dans sa chair, Émilie sentait chacun des coups de fouet sauvagement donnés pour la faire parler. Son silence se payait cher aujourd'hui ! Elle frissonna de dégoût. Louise lui caressait tendrement les cheveux. Peut-être que la crème Jolie dont elle recouvrait les cicatrices deux fois pas jours ne suffisait plus ? Pourtant, elle avait remarqué un léger mieux. Mais elle n'était plus très sûre. On n'était pas sur des petits bobos d'enfant ! Et puis, c'était une « crème Jolie » de guerre. Deux ingrédients manquaient dans la composition, dont une plante cicatrisante. Juliette avait prévenu lors de sa dernière livraison, par un petit mot enroulé autour du pot, glissé dans la valise, à défaut de la boîte de fer rouge !

Cette crème Jolie, quelle affaire ! Toute la guerre, Louise avait eu peur d'en manquer. Et maintenant, s'il arrivait malheur à Juliette, elle n'avait pas la recette. Elle aurait dû lui demander. Pour la première fois, elle pensait à la mort possible de sa sœur. Soudain, elle se sentit très fatiguée, à bout de forces.

— Si on rentrait, suggéra-t-elle à sa fille.

— Non, maman. On y va.

Émilie ne pouvait pas savoir que cette volonté farouche de suivre la trace de ses camarades allait les entraîner au cœur de la première journée d'insurrection parisienne.

La pluie avait cessé quand elles arrivèrent place Clichy, devant la Brasserie Wepler. Le soleil chaud du mois d'août brillait, insolent et fort.

— Les vélos de Saint-Louis sont-ils bien gonflés ? demanda Louise au jeune homme à l'air inquiet qui les attendait.

Le grand Georges avait bien fait les choses puisque pour Émilie il avait prévu un vélo taxi. La jeune fille s'installa heureuse de ne pas avoir à pédaler vingt kilomètres.

Elles arrivèrent à Drancy sans rencontrer de difficulté sur le chemin.

— Regarde les voitures avec les drapeaux bleus et jaunes. Ça change du rouge et noir… C'est quel pays ?

— Je ne sais pas, répondit Émilie.

Elles se présentèrent à la guérite. Avant même qu'elles formulent leur demande, elles remarquèrent que la large grille recouverte de barbelés était entrouverte.

— C'est ouvert. Ils sont tous en train de descendre dans la cour. Les gardiens se sont enfuis... leur annonça une silhouette indéfinie qui fouillait partout dans la guérite.

Louise et Émilie se retrouvèrent au milieu de centaines de prisonniers rassemblés dans l'immense cour au milieu de la barre d'immeuble. Elles furent séparées l'une de l'autre par cette foule dense, silencieuse et pathétique. Des centaines de silhouettes misérables, de corps faméliques, mutilés, n'osant pas bouger ou parler. Que se passait-il encore ? Un gigantesque convoi se préparait qui emmènerait tout le monde en Allemagne ? Une fusillade générale ?

Soudain, une voix avec un accent s'éleva, dans un silence de plomb.

— Vous êtes libres...

La foule était saisie, muette et égarée. Cette phrase simple de trois mots qui répondait d'un coup de baguette magique à toutes les espérances ne fut pas entendue ou pas comprise tout de suite. Le choc était trop violent. C'était tellement incroyable !

Plus fort, la voix reprit, avec émotion :

— Vous êtes libres... libres...

Alors, la foule hurla de joie, de gratitude, de soulagement. Pour eux, il n'y aurait plus de souffrance, de convois, de tortures, de fusillés... Une vague de fond fit mouvement vers le petit monsieur qui avait parlé. Il fut englouti dans une mêlée heureuse. Une clameur indescriptible monta dans le ciel bleu limpide, tel un bouquet de feu d'artifice, lumineux, brillant, spectaculaire !

— Les étoiles... Les étoiles, cria une voix de femme puissante et tremblante.

Un brusque silence s'établit au cœur de la prison, glissant comme une caresse sur les hauts murs gris. Les mains crispées sur leur poitrine, les juifs arrachèrent leur étoile jaune. Pour celles trop bien accrochées, des prisonniers leur venaient en aide avec leurs dents. Certains, dans un même mouvement, avaient arraché l'étoffe de leur vêtement usé. Par terre, les étoiles furent piétinées avec la rage et la haine accumulées depuis quatre ans. Et tellement de douleurs et de morts.

Puis, la cour se vida. Tous avaient hâte de quitter ce lieu maudit. Au cas où les Allemands changeraient d'avis et auraient l'idée de revenir en nombre.

Louise et Émilie se retrouvèrent quasiment seules au milieu de la cour.

Des centaines d'étoiles jaunes, pauvres bouts de tissus effilochés jonchaient le sol comme un « tapis de feuilles mortes ». Au fond de la cour, le petit monsieur rajustait les plis de son costume croisé, pour se remettre doucement de ses émotions. La foule venait enfin de le lâcher, après une ovation interminable. Son visage rayonnait, il savourait le plaisir de sa première victoire diplomatique sur l'Allemagne nazie. Louise s'approcha. Elle voulait comprendre tout ce chambardement. Paris était encore occupé, quand elles s'étaient engouffrées, deux heures plus tôt, dans le métro place Victor Hugo ! Que s'était-il passé entre-temps ?

— Je suis Raoul Nordling, le consul de Suède à Paris, dit-il en échangeant une poignée de main vigoureuse. Votre nom me dit quelque chose ?

Louise lui décrocha son plus beau sourire. L'homme était tout en rondeur et ressemblait à Charles, par la taille, d'abord, les cheveux gominés et les yeux bleus pétillants, ensuite.

— Mon mari a beaucoup écrit contre Hitler…

— Mais oui, bien sûr… Suis-je bête ! Je l'ai rencontré dans mon pays, avant la guerre, il préparait un reportage pour *L'Illustration*.

On était en famille.

Louise le bombarda de questions naïves. Il était amusé de trouver cette superbe femme, si chic, au milieu de cette cour misérable de Drancy. C'était sa distraction, son rayon de soleil du jour. Il n'était pas insensible à cette beauté brune, sur laquelle l'âpreté de la guerre n'avait laissé aucune trace. Louise n'avait pas pris une ride. Elle avait la quarantaine triomphante.

Avec une fierté non dissimulée, l'heure n'était pas propice aux faux-semblants, les yeux brillants, les muscles du cou tendus, Raoul Nordling raconta son parcours du combattant. Quatre jours de négociations acharnées entre le Militärbefeklshaberin Frankreich et l'État-major des Alliés pour arriver à une libération des prisonniers, en échange de la libération de soldats de la Wehrmacht, un contre cinq.

— Nous venons d'ouvrir cinq prisons, trois camps et trois hôpitaux. Drancy était le dernier. Le général von Choltitz, Commandant du Gross Paris, est un soldat qui tient parole. C'est un Monsieur !

— Comment ma fille peut-elle savoir ce qu'il est advenu de ses camarades arrêtés, il y a cinq jours ? Comme ils étaient juifs, ils ont été transférés ici…

— En consultant les registres… Les Allemands ont une comptabilité des malheurs humains très bien tenue. Mais, dans cette confusion générale, cela me semble compliqué. Ils ont dû les détruire avant de partir.

La conversation se prolongea quelques minutes. Puis on vint chercher le Consul. Il était attendu à l'hôtel Meurice, résidence de l'État-major allemand à Paris. Il se dirigea vers la sortie avec Louise et Émilie sur les talons. Une fois sur le trottoir, elles s'aperçurent que le vélo-taxi était parti, sans doute emporté par la foule sauvage qui venait de quitter le camp… Ça avait dû être tellement surprenant tous ces prisonniers, dans leurs premières secondes de liberté tant espérée…

Le Consul remarqua leur confusion. Il leur proposa de les raccompagner, au moins jusqu'à la Concorde. Elles acceptèrent sans se faire prier. Cela faisait longtemps qu'elles n'avaient pas roulé dans Paris en voiture particulière…

Pendant le trajet, l'humeur du Consul tourna. Il devint mélancolique, scrutant les rues avec un regard triste, un visage soudain bouleversé, au bord des larmes, le menton tremblant. Louise s'inquiéta et sa sollicitude sincère et délicate provoqua ses confidences.

— Les démolisseurs du Troisième Reich s'activent avec fébrilité, conformément aux ordres du Führer. Bientôt, tous les monuments seront minés de fond en comble, bourrés d'explosifs, comme de la farce dans une dinde de Noël... Un petit ordre et boum... boum... boum... tout sautera : le Louvre, l'Assemblée nationale, le Palais du Luxembourg, la Préfecture et le Palais de Justice, l'Hôtel de Ville, la tour Eiffel, l'Arc de Triomphe, sans oublier les soixante-quatre ponts...

Louise et Émilie étaient sans voix. Elles en avaient la chair de poule. Alors, c'était donc vrai. On était au bord du précipice.

— Ils viennent de vous autoriser à sauver des vies, n'est-ce pas le plus important ?

— L'Histoire s'en foutra éperdument, elle ne retiendra que la destruction de la plus belle ville du monde... et les noms des incapables qui n'auront pas pu empêcher ce désastre.

— Qui pourrait ?

— Les Alliés en se dépêchant d'arriver. Hitler en changeant d'avis ! Le général Dietrich von Choltitz en voulant sauver son honneur et celui de son pays...

Sa voix se cassa.

— Moi... si j'arrive à toucher Eisenhower...

Il garda le silence un long moment, frissonna, comme sous l'effet d'un vent d'hiver et reprit d'une voix altérée par l'émotion.

— S'il tarde trop, il trouvera une cité de cendres à la place de la Ville lumière. S'il savait ce qui se trame, il marcherait déjà sur Paris. Il est évident que son urgence est d'atteindre Berlin, mais pas à ce prix-là !

— Pourquoi la Suède se donne-t-elle tellement de mal pour

nous ? N'est-ce pas un pays historiquement attaché à sa neutralité ?

— Ce n'est pas la Suède. C'est moi, je suis né à Paris. J'ai fait mes études au lycée Janson-de-Sailly. Je suis parisien et bouleversé de savoir que ma ville peut être détruite d'une heure à l'autre.

— Et de Gaulle et Rol-Tanguy ? Et la Résistance ?

— Ils savent… et ils y croient à moitié… De toute façon, ils ont besoin des Alliés pour arrêter la foudre des nazis… On joue avec le feu… Du feu qui brûle…

Louise et Émilie prirent congé du Consul à la Concorde, au coin de la rue Boissy-d'Anglas. Elles marchèrent, en silence, vers les Champs-Élysées. La main dans la main, désorientées, perdues avec des jambes de soldats de bois et une foulée mécanique, encore toutes à leur conversation avec le Consul. Le tour en voiture les avait secouées, comme sous l'effet d'un manège trop violent, mal réglé. L'arrêt et le retour sur la terre ferme n'empêchaient pas le cerveau de flotter encore. Elles scrutaient chaque détail de la ville, les yeux grands ouverts, regardant autour d'elles, comme on regarde un être aimé sur le point de mourir. Chaque détail des immeubles haussmanniens avec des cariatides sculptées, des maisons en pierre de Paris avec leur balcon en fer forgé et des alignements parfaits des avenues, semblait être un don du ciel et des siècles. Ou était-ce la conscience de la fragilité, de la disparition possible de l'ensemble qui le rendait si majestueux, beau à en mourir ?

Au fond de sa poche, Émilie serrait dans le creux de sa main cinq étoiles jaunes qu'elle avait ramassées, au milieu de toutes les autres. Comme souvenir de ce moment incroyable. Souvenir, quel étrange mot pour ses étoiles… On pouvait se faire tuer pour une étoile et elle en tenait cinq… C'était encore vrai hier, mais aujourd'hui ? C'était ridicule de les avoir ramassées. Maintenant, elle ne comprenait plus son geste. C'était un objet de malheur, à quoi bon le garder...

— Ça va ?

Louise avait senti le corps de sa fille se raidir.

— Regarde...

Elle montra ses étoiles, misérables mais encore menaçantes au creux de sa main.

— Tu comptes les encadrer...

Louise n'eut pas le temps d'achever ses reproches, des balles sifflaient autour d'elles. Elles s'engouffrèrent sous un porche. L'insurrection battait son plein. Partout les FFI attaquaient les soldats allemands pour leur prendre leurs armes et leurs véhicules. La formule « à chacun son boche » rendait très périlleuses les sorties dans Paris. Les ordres de mobilisation générale étaient placardés sur tous les murs. Au combat, les Parisiens !

— Montre-leur les étoiles, vite, vite ! Ils vont arrêter de nous tirer comme des lapins, suggéra Louise.

Émilie ouvrit la porte cochère, mit la main dehors pour agiter les étoiles jaunes. L'une d'elles s'envola. Des balles sifflèrent encore.

— Vous pouvez sortir, on vous couvre...

Elles hésitèrent.

— Dépêchez, on n'a pas que ça à faire...

— Allez, on y va. Nous non plus, on n'a pas que ça à faire... décida Louise.

— C'est bien la première fois qu'une étoile jaune sauve des vies ! dit Émilie en s'engageant sur le trottoir, pas rassurée pour autant.

Dès le lendemain et les jours suivants, Louise et ses deux filles, Monique et Sophie, se rendirent tous les jours à l'Hôtel de Ville tenu par les FFI, pour donner un coup de main. Les hommes se battaient et les femmes s'occupaient de l'intendance. À l'infirmerie, Louise soignait sans relâche des blessés de l'âge de Léonard. De sacrés petits gars qui fonçaient dans la bataille avec courage, aussi vaillants que leur jeunesse. Ils n'avaient peur de rien. Louise non plus d'ailleurs. Elle y mit toute son ardeur de mère… Sans arrière-pensée, elle s'était fait une raison sur l'absence de son fils. Elle n'avait pas d'autre choix.

49.

25 août 1944

Les premières troupes du général Leclerc atteignirent le cœur de la ville vers 8 heures du matin. Le soleil déjà haut derrière le Louvre projetait ses rayons blancs sur les fenêtres des immeubles de l'île Saint-Louis et ses reflets sur la pierre blanche des tours de Notre-Dame renvoyaient une lumière qui vous donnait envie de vivre. Louise se disait cela quand elle les vit arriver par le quai de la Mégisserie. Elle était en train de mettre de l'ordre dans son chignon, en se regardant dans le reflet d'une fenêtre ouverte contre un mur. Le grincement des chenilles des chars résonnait dans le quartier encore calme. On s'était battu toute la nuit et les infirmières avaient veillé tard pour essayer de soulager les nombreux blessés. Aucune d'elles n'avait eu la force de rentrer chez elle, à l'aube. Elles s'étaient toutes couchées dans deux pièces mansardées et équipées de matelas à même le sol.

Pour mieux voir, elle se coucha sur le chambranle de la fenêtre. Elle faisait coucou des deux mains en hurlant de joie. Ces cris réveillèrent les autres infirmières. Bientôt, elles furent toutes agglutinées à la fenêtre. Une vraie cacophonie.

Hélène, l'une d'elles, se posta à la fenêtre d'à côté. Histoire d'y voir quelque chose. C'était éblouissant cette colonne de chars avec la Croix de Lorraine qui remontait les quais déserts. Émue presque aux larmes, Hélène fit de grands signes en criant « Hello, Hello ». C'était le seul mot d'anglais qu'elle connaissait et qu'elle hurlait aux chars français. Tout se mélangeait, l'émotion était trop forte ! En face, un snipper allemand était en embuscade. Un bruit mat et la jeune femme fut tuée sur le coup en ce superbe jour de la libération de Paris. Toutes restèrent le souffle coupé, les jambes chancelantes. Louise, à découvert, se précipita vers Hélène. Elle entendit siffler une seconde balle à quelques centimètres d'elle. Accroupie, la tête baissée, elle attrapa le corps ensanglanté d'Hélène et la traîna vers le centre de la pièce.

— Hélène, Hélène, pardon, pardon… – Elle ferma les yeux de la jeune fille. – Je n'aurais pas dû crier comme ça. C'est de ma faute…

Louise pleurait. Doucement d'abord, puis avec de gros sanglots qui secouaient tout son corps. Elle pleura longtemps, de tristesse d'abord, puis de joie. Les chars des Alliés étaient arrivés. Charles et Léonard allaient rentrer à la maison…

Deux coups de sonnette, avant d'entendre un pas traînant derrière la porte, des chaussons ou des patins sur un parquet bien ciré.

— Qui est-ce ?

— Je viens pour Hélène… dit Louise.

— Elle n'est pas là, répondit la voix d'une vieille dame.

— Oui, je sais. Je viens vous parler d'elle… La voix de Louise se brisa. Elle sentit monter un sanglot.

La porte s'ouvrit brusquement.

— Il est arrivé malheur ?

Louise trop émue pour répondre fit oui de la tête. Elle s'en voulait de ne pas avoir plus de tenue devant cette dame, de ne pas pouvoir retenir ses larmes. Elle n'allait quand même pas se faire consoler par la famille d'Hélène.

Louise prit la vieille femme dans ses bras, comme si elle la connaissait depuis toujours. Mais celle-ci la repoussa violemment.

— Une balle perdue ce matin. Elle n'a pas souffert, elle a été tuée sur le coup. Vous pouvez venir la voir si vous voulez ?

— Vous êtes Louise. Hélène m'a parlé de vous et de vos filles… Entrez, entrez…

Le logement était petit, avec une belle vue sur l'Hôtel de Ville. On entrait dans la pièce à vivre, cuisine, poêle à bois, TSF, table ronde avec une jolie nappe à fleurs. L'odeur du bois, celle de l'encaustique et du lait bouilli se mélangeaient. Louise fut saisie par l'atmosphère, la ressemblance avec leur petit logement pendant l'autre guerre. Juliette et elle dans la même chambre, leur mère dormait sur une banquette lit dans la pièce à vivre, comme ici. Que c'était loin, tout ça ? Quel chemin parcouru. En fait, Hélène lui ressemblait. C'était cela qui l'avait touchée chez cette jeune fille. Cette soif de vie et d'émancipation, loin de la pièce à vivre collective. Cette envie souveraine d'être ailleurs, avec d'autres…

— Je suis la grand-mère d'Hélène. Ma fille, la mère des petits, est morte l'année dernière. Ils vivent chez moi depuis… C'est pas facile, tous les jours…

— Hélène n'avait plus que vous ?

— Et son frère. Un brave garçon qui fait ce qu'il peut pour nous faire manger à notre faim.

— Il est là ?

— Il travaille la nuit comme gardien dans un hôtel avec des putes pour les Allemands… C'est plus calme ces jours-ci, il devrait plus tarder. Je vais mettre des chaussures de ville pour venir avec vous.

Elle ne montrait aucune émotion. Louise pensa même qu'elle ne l'avait pas comprise ou pas entendue ou que trop de morts dans sa vie lui donnait une certaine lassitude du deuil. Une façon pour elle de le tenir à distance. Halte-là, mon gaillard ! Il devait d'abord rebondir dans la tête, avant de cogner dans le cœur…

Louise se tut. De toute façon, elle ne pouvait rien pour cette femme. Elle comprit intuitivement qu'Hélène n'avait pas dû l'aimer. C'est pour ça qu'elle s'était constituée volontaire, pas pour des convictions politiques, trop lointaines de son univers.

Le corps de la jeune fille n'était plus dans la mansarde quand elles arrivèrent. Les infirmiers l'avaient déjà déménagé à la morgue de l'Assistance publique, dans la rue en face. Avec cette chaleur, il fallait faire vite.

À la morgue, pour trouver Hélène, on dut sortir cinq corps de jeunes filles. À pleins poumons, on respirait la mort.

Puis Louise reprit du service à l'infirmerie de l'Hôtel de Ville. On se battait avec rage dans les rues alentour. La dernière bataille pour la libération de Paris était d'une rare violence. Dans les rues désertes, Louise patrouillait avec deux brancardiers au milieu des crépitements des mitraillettes. Elle portait le drapeau blanc, et évaluait ce qu'il convenait de faire des blessés. Jamais, elle ne vit pareille épouvante. Les corps se chevauchaient, Allemands et FFI mélangés. Des corps déchiquetés par les grenades, mutilés par les rafales pourrissaient sous le chaud soleil d'août, au milieu des appels au secours désespérés des blessés abandonnés. Des carcasses de véhicules flambaient, des chars explosaient projetant à terre des bouts de corps humains sanguinolents.

Au coin de la place du Châtelet, elle entendit un gémissement.

— Maman, Maman...

Sous des sacs de sable estampillés DP pour Défense Passive et éventrés, un jeune homme, qui essayait de contenir ses boyaux à l'intérieur de sa pauvre carcasse, lui jeta un regard de noyé. Elle fit signe aux brancardiers d'approcher et de le soulever délicatement. À ce moment-là, une grenade tomba à leurs pieds. Louise fut projetée sur une porte cochère, indemne. Mais le blessé et le brancardier penché sur lui, un pianiste de concert de dix-huit ans, furent tués sur le coup.

La capitulation allemande, de 15 h 30, signée gare Montparnasse, n'arrêta pas les batailles de la rive droite. Louise courait dans tous les sens, sans s'arrêter. Rien n'était assez dur pour elle. Tant qu'elle était en vie, elle devait sauver les autres. Alors qu'elle pénétrait dans la cour de l'Hôtel de Ville, elle croisa l'abbé Bernard qui annonçait l'arrivée imminente du général de Gaulle. C'était le moment ou jamais de faire une pause. Mais en plein soleil, elle tourna de l'œil et tomba d'un coup, sous l'œil blasé des FFI qui attendaient comme elle l'heure de gloire. On crut d'abord qu'elle était morte à cause de son tablier maculé de sang. Mais, grâce à Dieu, c'était le sang des autres ! Alors, deux costauds la transportèrent jusqu'à l'infirmerie. Là, en terrain familier, on s'occupa de la réveiller et de lui donner à manger. Elle n'avait rien avalé depuis le petit déjeuner de la veille.

Son repas fut interrompu par une agitation soudaine. Il était là ! Des cris, des hurlements de joie, des applaudissements accueillaient le général de Gaulle. Louise eut juste le temps de se précipiter dans le grand Salon d'apparat, par un petit escalier intérieur de bois.

À ce moment-là, dans un silence parfait, elle aperçut la silhouette frêle et hésitante de sa fille Émilie, avancer de l'autre bout du salon, vers le grand homme. Dans un moment d'intense exaltation, tous retenaient leur souffle, les regards accrochés à la progression lente et solitaire de la jeune fille au milieu de la foule qui s'était écartée. Le bruit de ses semelles de bois claquait sur le parquet. Elle avait été désignée par les FFI pour offrir le bouquet de la victoire au Général. C'était le héros de la bataille de Paris avec le plus charmant des sourires… Ce n'était pas évident : son visage était contracté pour essayer de maîtriser son intense émotion et ses lèvres tremblaient. Le Général se découvrit la tête, se pencha vers Émilie pour l'embrasser et saisir les fleurs. Avec ses gants blancs, au coin de ses yeux, elle essuya des larmes de joie. Les applaudissements furent assourdissants. Louise ne pouvait pas détacher les yeux du petit chapeau noir de sa fille qu'elle voyait remuer derrière la silhouette imposante du général de Gaulle. Elle ressentait une réelle fierté de voir sa fille récompensée, une intense douleur de ne pas partager ce moment avec Léonard et une affreuse appréhension des conséquences de la victoire alliée pour Juliette. La confusion de ses sentiments l'empêchait d'être transportée par ce moment historique ! Pourtant, elle fut surprise quand elle écouta la voix du Général, qui ne ressemblait pas à celle de Radio-Londres. Elle était comme voilée, quand elle s'éleva dans un silence à nouveau intense ! Un peu comme la joie de Louise.

« Il y a des minutes qui dépassent chacune de nos propres vies.

Paris ! Paris outragé ! Paris brisé ! Paris martyrisé ! mais Paris libéré ! libéré par lui-même, libéré par son peuple avec le concours des armées de la France, avec l'appui et le concours de la France tout entière, de la France qui se bat, de la seule France, de la vraie France, de la France éternelle.

Eh bien ! Puisque l'ennemi qui tenait Paris a capitulé dans nos mains, la France rentre à Paris, chez elle. Elle y rentre sanglante, mais bien résolue. Elle y rentre, éclairée par l'immense leçon, mais plus certaine que jamais, de ses devoirs et de ses droits. »

La clameur des applaudissements ne s'arrêtait plus.

Louise pleurait. Quelques larmes, d'abord douces, puis amères. Son intense émotion s'était transformée en tristesse irraisonnée. Elle lutta, serra ses poings de toutes ses forces, pour ne pas céder au raz de marée qu'elle sentait monter du plus profond d'elle-même. Ses trois filles s'approchèrent d'elle pour la soutenir et savourer, toutes les quatre réunies, la libération de Paris.

50.

1er septembre 1945

— C'est un télégramme, pour Mulhouse.
— Mulhouse… Il arrivera dans plusieurs jours.
— D'accord. Ce n'est pas grave…
— Mais au point de vue du prix, ça ne change rien…
— Comme vous voulez…
— Alors, je vous écoute. Dictez-moi le texte du télégramme.
— Je l'ai écrit sur ce papier. Vous arrivez à me lire… demanda Juliette en jetant un coup d'œil inquiet aux personnes qu'elle sentait dans son dos. Elle était, pourtant, venue à l'ouverture du Bureau des PTT mais la file d'attente était déjà fournie.
— Non, non ce n'est pas réglementaire. Il faut me dicter… Et ensuite relire pour me donner votre « Go », comme disent les Américains…

L'employée des postes redressa le menton et une lueur de fierté passa dans son regard. Elle en connaissait des choses.

Juliette rougit. Les mots restèrent coincés dans sa gorge. La main qui tenait le papier se mit à trembler. Lire à haute voix son message était insurmontable. Elle supplia du regard. Tout à ses ongles rouge vif, manucurés du matin, l'employée ne la regardait pas.

— J'écoute, piaffa-t-elle avec une certaine impatience.

Fuir vite, disparaître sous terre, là maintenant. Mais Juliette tenait à prendre date avec son fils. Ce télégramme était essentiel pour lui dire le fond de son cœur. Elle aurait dû écrire une lettre, mais c'était trop tard. Le procès commençait dans une heure. Avant, il devait avoir une trace de son testament moral. Au prix d'un effort surhumain, elle déchiffra son papier, la voix tremblante.

— Mon fils adoré. Stop. Aujourd'hui commence le procès de ton père. Stop.

— Plus fort, parlez dans l'hygiaphone et en plus vous dictez trop vite…

— Mon fils adoré. Stop… Je suis convaincue de l'innocence de ton père. Stop. Comme préfet il a été honnête. Stop.

— Et aujourd'hui, on le met où ?

— J'ai changé pour faire plus court.

— J'écoute, parlez dans l'hygiaphone.

— Je serai à ses côtés Stop. Quoi que le procès nous apprenne. Stop.

Un cri soudain la fit sursauter. Un cri rauque qui claqua dans le silence du bureau de poste.

— Et mon fils… Il est mort mon fils… Le tien est en vie.

Les gens étaient pétrifiés. Ce cri douloureux et clair comme une trompette aux morts leur avait glacé le sang.

Juliette n'osa pas se retourner. Elle était livide. Sans savoir pourquoi, elle avait l'impression que ce monsieur ne se trouvait pas là par hasard. Qu'elle était suivie et traquée pour obtenir vengeance plus vite. On pouvait bien régler cela entre hommes, on n'avait pas besoin des tribunaux. Alors, puisqu'il fallait en découdre, elle voulait bien le faire, mais à la loyale. Elle aurait pu se retourner, affronter le regard de l'homme, lui demander lequel était le sien ? Les prénoms des dix-huit fusillés cognaient dans sa tête. Albert, Antonin, Fernand,

Gérard, Georges, Henri, Pascal… Elle les connaissait tous, par ordre alphabétique, comme une liste d'appel. Bon sang, à quoi ça servait de retenir ces prénoms ? Robert était le dernier de liste. Cela voulait-il dire qu'il avait eu le droit de vivre quelques minutes de plus qu'Albert le premier ?

Elle était pétrifiée et s'agrippait des deux mains au guichet. Tenir, faire face, ne montrer aucun signe de faiblesse, de pitié ou d'apitoiement, soutenir les regards et assumer ses actes, voilà quelle était la position de Paul. « J'ai été un préfet français, ils ne peuvent rien contre moi », répétait-il à Juliette dès qu'elle abordait le sujet, le dimanche au parloir. La peine de mort, répondait l'avocat commis d'office.

Il allait falloir jouer serré.

— Vous relisez, j'envoie. Total : 12 francs. Mettez-vous sur le côté. Personne suivante.

La voix stridente de l'employée claqua dans le silence glacial mais sauva Juliette de l'évanouissement. Sans relire, elle donna son accord d'un petit signe de tête et tendit son porte-monnaie, comme une mendiante, pour que l'employée se serve. Elle n'avait pas la force de faire l'appoint.

Pour sortir, elle eut l'impression de marcher lentement, mais en fait elle courait.

L'air frais du matin lui fit du bien. Comme un cicatrisant sur une brûlure.

***

La salle d'audience lui parut petite.

Ou plutôt ce fut la foule qui lui parut énorme, étouffante, hostile. Une foule des grands jours, bruyante, avide et menaçante. Elle regardait la foule pour ne pas regarder les gens. On sentait une telle hostilité !

En juillet 1943, c'était la même salle d'assises dans laquelle les dix-huit jeunes FTP avaient été jugés de façon expéditive, par des tribunaux d'exception. Pour qui s'amusait à regarder par la fenêtre au fond, on pouvait voir le mur de la cour criblé des balles du peloton d'exécution. On avait eu la bonne idée de tirer les épais rideaux de velours vert.

Juliette se faufila jusqu'au premier rang pour prendre la place la plus proche du box des accusés. De là, elle pourrait presque tendre la main vers Paul.

— Mesdames, messieurs, la Cour.

Le silence fut instantané.

Les magistrats, têtes baissées, visages crispés, bougèrent bruyamment leurs grands fauteuils de cuir marron et s'installèrent en jetant devant eux d'énormes dossiers entourés par des élastiques, d'où débordaient des papiers.

— Gendarmes, introduisez les accusés, dit celui du milieu, le président Saulni.

Son visage anguleux, son nez pointu et ses décorations bien en évidence sur sa robe n'inspirèrent pas confiance à Juliette qui aurait préféré plus de rondeur pour l'honorable justice. La croix de guerre bien en évidence permettait de comprendre, sans doute possible, qu'il était patriote et fier de l'être.

Paul entra le premier. Il était très pâle mais n'avait rien perdu de son autorité de « roi de la Beauce ». Un murmure parcourut l'assistance.

Et Juliette frémit.

Elle ne vit pas arriver les cinq autres accusés. Pourtant, elle les connaissait tous pour les avoir rencontrés pendant la guerre. Paul ne lui fit aucun signe. Pas un regard. Il ne cherchait pas d'appui dans le public contrairement aux autres. Juliette fit un signe de la main, à peine perceptible, un petit signe de rien du tout. Elle économisait ses mouvements pour se faire oublier. Ravalé le coucou maladroit, déplacé et enfantin. Un peu de tenue, madame, on n'était pas sur un quai de gare !

À côté d'elle, le regard baissé, la posture courbée, était assis sur une demi-fesse un être douloureux. À vouloir se faire petit, il était presque invisible et respirait à peine. Un être asexué pour lequel il était impossible de dire avec certitude s'il s'agissait d'un homme ou d'une femme. Il fit un signe de main et esquissa un sourire timide à l'inspecteur Denozi. Lequel lui répondit en passant sa main dans ses cheveux, avec un mouvement qui manquait de naturel. Ce geste intrigua Juliette, ça ressemblait à un message codé !

Parfois, Juliette était frappée d'excès de lucidité.

En regardant le visage sadique de Denozi, elle sut que Paul serait condamné à mort. Il n'aurait pas fallu être le supérieur hiérarchique d'un salaud. Il n'aurait pas fallu. C'était aussi simple et définitif.

Juliette n'écoutait plus la voix monocorde du président qui présentait le programme des prochains jours. Pas moins de quatorze séances – il soupira longuement après le quatorze, les sourcils froncés – pour écouter l'exposé des faits, les interrogatoires des accusés, les dépositions des témoins, les réquisitoires, les plaidoiries et le verdict.

Le mot verdict la fit trembler de la tête aux pieds. Condamné à mort.

Elle chercha du regard Pierre Talentu, l'avocat commis d'office. Ce brave monsieur cherchait à comprendre Paul, ses silences, ses regards dans le vide. Il cherchait à comprendre, sans juger. Juger, c'était le métier des magistrats, pas le sien. Son métier, c'était la défense.

Au cours du premier entretien obligatoire de préparation du procès, au parloir, Paul en une phrase lui avait signifié son congé. Il n'avait besoin de personne pour le défendre. Il n'avait pas failli à l'honneur et s'en expliquerait, seul comme un grand. Il ne regarda même pas les pièces du dossier. Il les connaissait. Mais l'homme était consciencieux. Tout le procès, il écouta et intervint quand il considérait bafoué le droit de la défense, sans jamais regarder ou parler à son client. En public du moins. Certains jours, il demandait à voir son client seul à seul. Là, il lui demandait de ses nouvelles. Paul répondait en deux mots. Il lui expliquait aussi comment il voyait la suite des audiences. Paul écoutait, le visage fermé, puis prenait congé en murmurant un merci tout juste poli. Aucun commentaire, pas une question, pas une expression dans le regard qui aurait pu donner une indication à son défenseur.

En l'apercevant sur le banc des avocats, Juliette se dit qu'ils étaient au moins deux à ne pas souhaiter la mort de Paul. Au moins deux. Mais elle n'en était même pas sûre, l'avocat voulait juste faire impression, pour gagner en notoriété, le sort de son client comptait assez peu. Il n'allait pas se faire une spécialité de défendre les collabos…

L'audience fut consacrée au choix des dix-huit jurés, neuf titulaires et neuf suppléants. Le parquet et les avocats de la défense avaient le droit de récuser cinq de ceux que le président désignait en plongeant sa main dans une grande urne. Deux fois l'avocat de Paul récusa quelqu'un. Le patronyme était à consonance juive ou étrangère. Il n'avait pas besoin de justifier son choix, mais c'était évident. On sentit un petit frémissement du public.

— Silence, réclama le président, ou je fais évacuer la salle.

Juliette chercha sur le visage de son mari, un signe d'approbation. Mais pas un muscle du visage de Paul ne bougeait et son regard était figé dans le vide. Il était enfermé dans une rigidité de circonstance.

51.

2 septembre 1945

Le petit mouchoir en dentelle avec lequel Louise essuyait ses larmes avait appartenu à la mère d'Éva. C'est dire si les femmes étaient conservatrices dans cette famille. Mais c'était un mouchoir d'apparat, pour faire joli dans le sac. Il ne fallait pas en avoir besoin, car il n'absorbait rien, une vraie plaque de glace amidonnée. Louise n'avait pas prévu d'être émue et de verser autant de larmes. Il faut dire qu'on lui avait caché la place tenue par Léonard dans la cérémonie.

C'était une idée d'Émilie. Fêter le retour du fils prodigue des États-Unis en lui dédiant un bout de sa guerre. Lui offrir, sous les honneurs de la République, à lui le pilote de chasse américain qui n'avait rien chassé, un peu de la libération de Paris. Il faisait le discours à sa place pour s'exprimer sur la guerre, la résistance, l'engagement, l'honneur, le courage, l'amour de la France, les États-Unis, la bombe atomique, Hiroshima.

— Monsieur, vous ne pouvez pas entrer, tenue correcte exigée, expliqua le planton du poste de garde de la cour d'honneur de l'Hôtel des Invalides.

— Pourquoi ? Elle n'est pas correcte ma tenue ?

— Blouson interdit, et pour les uniformes étrangers, il faut une autorisation.

— Le drapeau là, c'est celui des États-Unis, nos alliés... Une autorisation, tu rigoles, mon vieux !

Léonard perdait patience. Il pointait avec son index le drapeau US brodé sur la manche de son blouson. Il était déjà en retard, il n'allait pas perdre plus de temps, à cause de ce blanc-bec.

— Indique-moi l'endroit. Pour le reste je me débrouille dit-il, avec un clin d'œil complice.

Le planton n'osa pas lui courir après. Et quitter sa cahute était formellement interdit, *strictly forbidden*.

Léonard arriva un peu essoufflé, mais il avait eu le temps de se recoiffer dans l'ascenseur. Il se racla la gorge, inconsciemment pour signaler sa présence au moment où le Chef d'État-major commençait son discours. Il s'approcha discrètement du rang familial et aperçut sa sœur rangée aux côtés des autres résistants. Si sage et si timide au milieu des hommes ! Que des hommes. Elle fut heureuse et rassurée de le voir. Avec un joli sourire complice, elle lui fit comprendre qu'elle aimait bien sa tenue, le blouson lui valut un discret V de la victoire. Louise fit les gros yeux à sa fille pour qu'elle se tienne en rang, sans se donner en spectacle. Cette habitude de ne rien faire comme les autres venait de Charles. Il avait toujours enseigné à ses enfants l'intelligence, le travail et surtout l'indiscipline. Il était servi !

Chez lui, c'était une manière de vivre. Hier encore, au Cinéma Normandie sur les Champs-Élysées, il avait doublé toute la queue pour entrer. Louise ne supportait pas ses attitudes sans-gêne pour des petites choses. Elle aimait sortir du lot, oui bien sûr, mais pour les grandes choses ! Pas une place au cinéma...

— Émilie, ma petite sœur au grand courage...

La voix de Léonard tremblait. Le micro grésillait. Il fallait tendre l'oreille pour entendre.

— Arrêtée, torturée, fouettée à mort, tu dois ta vie à un soldat allemand que ta jeunesse a ému. Il t'a laissée partir, quelques minutes avant l'aube, quelques minutes avant de conduire tes compagnons d'infortune à Drancy, d'où ils allaient partir pour Auschwitz. Les juifs n'étaient pas fusillés sur place. Leur circuit vers la mort était différent. Cet inconnu, tu aurais voulu qu'il soit là aujourd'hui. Tu as fait des recherches pour le retrouver, mais dans la pagaille de la débâcle de l'armée allemande, c'était mission impossible. En plus, on t'a dit que cela ne se faisait pas d'inviter un soldat de l'armée adverse à une cérémonie militaire. Alors tu as laissé tomber. Je raconte cette anecdote parce qu'elle témoigne de ta grandeur d'âme, ma petite sœur... Dès la Libération, tu as rejoint le général de Lattre de Tassigny et sa 1re armée et as participé aux engagements les plus dangereux, en donnant l'exemple du plus pur courage...

Après les discours, un peu longs comme toujours sauf pour les gens concernés, on passa aux ronds de jambe, biscuits secs, champagne, mondanité, félicitations. Louise était la reine de la cérémonie pour les réunions secrètes du CNR, pour son dévouement à l'infirmerie de l'Hôtel de Ville, pour sa façon de soulager ces grands messieurs de l'intendance. On décorait sa fille, mais c'était elle qu'on félicitait, qu'on complimentait, qu'on trouvait resplendissante. Elle portait une robe de soie noire, ceinturée au niveau de sa taille de guêpe. Un collier de grosses perles grises soulignait la naissance de son cou et reflétait la lumière. Elle était sans conteste la plus belle des résistantes présentes à la cérémonie. L'éditorial de Charles le matin avait fait grand bruit. Tout le monde s'accordait à penser qu'il avait raison sur la reconstruction économique. On était heureux, l'avenir était grand ouvert et la guerre loin. Il n'y avait rien à attendre pour être heureux, vraiment rien.

Louise prit la route pour Orléans, dès la fin de la cérémonie, soulagée de se retrouver seule. La route serait une bonne transition entre les deux univers : celui des vainqueurs à Paris et celui des vaincus à Orléans.

Elle arriva de méchante humeur. L'idée de s'enfermer dans cette salle d'audience, pour plusieurs jours, contre l'avis de Charles la tracassait. Louise avait décidé sur un coup de tête que sa place était auprès de sa sœur. J'y vais, c'est le sens de l'honneur... L'honneur maintenant, il fallait le vivre jusqu'au bout et là ça se compliquait un peu. Doux Jésus, que c'était compliqué d'aimer sa sœur !

Quand on l'installa dans la chambre n° 3, elle vit un rai de lumière sous la porte de Juliette. Louise frappa à la porte, tout doucement, pour signaler sa présence. Juliette l'attendait. Elle l'imaginait recroquevillée sur son lit, plongée dans un livre qu'elle ne lisait pas, à trier ses pensées noires, à s'inquiéter de tous les dangers possibles, rongée par l'anxiété qu'il soit arrivé encore quelque chose de grave.

— C'est toi, Lisette ?

Juliette se méfiait, elle avait reçu des menaces. On l'insultait dans la rue, on refusait de lui servir à manger dans les cafés, on s'étonnait qu'elle n'ait pas les cheveux plus courts et plusieurs fois on avait frappé à sa porte en pleine nuit, pour rien. Peut-être des blagues d'enfants, mais peut-être pas.

Louise venait pour s'occuper de Juliette, mais elle voulait aussi tirer au clair certaines choses. Elle voulait contraindre Juliette à s'expliquer. Au procès public, elle ajouterait leur déballage privé, mais ça c'était la surprise du chef. Une question l'obsédait : que savait Juliette au-delà des dix-huit fusillés ? Et ceux-là, en les arrêtant, Paul savait-il qu'ils seraient tués, après un simulacre de jugement scandaleux ?

Louise refusait de s'enfermer dans le silence de Paul et Juliette. C'était trop facile. Elle venait à Orléans pour comprendre ce qui s'était passé. Avec amour et bienveillance, elle demanderait des explications. Avec amour et bienveillance, Juliette les lui devait ! Tout bien réfléchi, c'était le bon moment. Après on n'en parlerait plus. Avec le temps, tout pouvait s'oublier. Ce n'était pas l'avis de Charles, mais ça, on verrait plus tard. Il acceptait de tout payer et même plus, mais revoir Paul, pardonner, ça jamais. C'était sans appel.

— C'est moi. Je t'embrasse et on dort. Je suis épuisée.

Mais Juliette proposa de faire lit commun, comme quand elles étaient jeunes et que leur mère sortait le soir. C'était l'époque où Thérèse espérait refaire sa vie avec un médecin de campagne... Que c'était loin tout ça ! Pour l'heure, elle ne voulait pas quitter Louise, à peine retrouvée ! Depuis combien de temps n'avaient-elles pas dormi ensemble. 1916… 1917… avant le mariage de Juliette ? Quelle tendre idée. Louise accepta. Elle s'en voulut d'avoir eu de mauvaises pensées.

52.

3 septembre 1945

— Paul sera condamné à mort, c'est le sens de l'Histoire… Tu en as conscience !

L'attaque était rude. Le cœur de Juliette s'emballa.

Elle dévisagea sa sœur, un peu interloquée. Pourquoi ce réveil en fanfare ? Louise avait toujours été du matin, mais ce n'était pas une raison pour carillonner avec le coq.

— Successivement, nous avons dû batailler pour sauver la vie de nos enfants, de nos maris. On a, chacune, fait comme on a pu !

Louise secoua la tête, désolée de ce qu'elle allait dire.

— On peut toujours quand on veut vraiment ! Tu pouvais accueillir mes enfants quand la zone libre a été envahie ; tu pouvais demander à Paul d'intervenir quand la Milice montait au chalet pour m'arrêter…

Louise était à bout de souffle. Elle manquait d'air. Surtout ne pas continuer la liste des reproches. Ses pensées s'affolaient. Son ressentiment enfoui depuis plusieurs années se transformait en colère. Comment retrouver son calme ? Elle respira profondément et ferma les yeux pour se calmer. Mais rien n'y faisait, elle fulminait, elle, toujours si maîtresse d'elle-même !

Juliette baissa la tête et cacha son visage dans ses mains écartées, comme un enfant qui évite une gifle. On entendait la présence traînante d'un aiguiseur de couteaux qui passait sur le trottoir, il agitait fort sa cloche pour signaler sa présence. Une dame l'appela, la roue en pierre se mit à grincer. Puis, le silence revint. L'affrontement pouvait continuer.

— Nous regardions la ligne de démarcation chacune d'un côté... reprit Louise avec une détermination vengeresse. Comme une épave, pièce par pièce, les souvenirs remontaient dans sa mémoire.

— Je sais. Maintenant, nous savons. Mais à l'époque, Paul ne savait pas...

Elle redoutait les mots maladroits, détournés de leur sens. À quoi servait cette conversation ? Vers quels aveux honteux Louise voulait-elle l'emmener ? Juliette lâcha un long soupir de lassitude qui ne la soulagea pas. La boule d'angoisse bloquée dans sa gorge, depuis de longs mois, était bien accrochée, tenace.

Décidément, la seconde journée du procès s'annonçait difficile.

— Nous reprendrons cette conversation plus tard. Si nous n'arrivons pas à l'ouverture des portes de la salle d'audience, nous n'aurons plus de place.

— J'ai chargé le nouvel avocat de Paul, celui qui est venu de Paris, de nous réserver des places.

— Quel nouvel avocat ? Paul ne veut...

— Juliette, il ne décide plus... Il va falloir t'y faire.

— Il a le droit de décider de sa défense...

— C'est toi que je cherche à protéger. Les vents contraires sont des ouragans qui emportent tout sur leur passage.

— Alors ?

Louise se retourna et attrapa la main glacée de sa sœur qu'elle serra très fort. Leurs regards s'accrochèrent l'un à l'autre, avec une intensité fiévreuse.

— Alors... Je ne te laisserai pas aller à la tombe avec lui...

Juliette se retint à la rampe pour ne pas tomber. Ce n'était pas le moment de flancher. Pas le moment.

— Ma petite dame, vous devez payer la chambre d'avance... Vous m'aviez promis. Vous me devez quatre nuits.

Dans l'escalier, le patron de l'hôtel en apercevant Juliette s'était mis à crier.

Au secours ! supplia Juliette intérieurement. Que c'était amer la débâcle de son mari, le blocage de son compte, l'humiliation et la honte. Que c'était dur de ne plus avoir un franc en poche. Ses derniers sous avaient payé le télégramme. Elle n'avait pas mangé depuis l'avant-veille. Une infinie tristesse apparut dans son regard. Elle baissa les paupières, par pudeur.

— Vous pourriez être plus discret. Vous nous prenez pour des voleuses ? s'indigna Louise, en sortant son porte-monnaie.

— Je ne veux pas d'ennuis. Il ne fait pas bon abriter des « collabos » de nos jours...

Avec épate, bruyamment, Louise posa les billets sur le comptoir. Beaucoup plus que la somme due. Le patron loucha en essayant d'évaluer le tout. La liasse paraissait conséquente, en tout cas assez pour le détendre.

Louise crut même apercevoir un sourire ou plutôt une grimace de contentement. Elle tapa du poing sur l'argent, le bon argent, en mettant une ardeur particulière dans ses gestes et dans son regard noir.

— Dettes plus avance. À combien estimez-vous votre grande sollicitude ? demanda-t-elle narquoise, hautaine, superbe.

— Heu...

— Combien ? L'odeur de l'argent ne vous donne pas plus de courage ?

Elle tapa à nouveau du poing sur les billets. Elle était hors d'elle.

Le directeur s'était recroquevillé derrière son comptoir. La grande brune, il ne l'avait pas vue venir… D'où sortait-elle, celle-là ?

— Dix nuits à… Plus les petits déjeuners… disons 200, 250 francs…

— Voleur avec ça et monsieur donne des leçons ! Prenez 300 francs, pourboire compris.

Louise attrapa le bras de Juliette et l'entraîna vers la sortie.

— Merci de faire nos chambres, lança-t-elle sans se retourner.

Juliette se laissa faire, soulagée, portée, entraînée par la présence du superbe bouledogue à ses côtés…

Louise fanfaronnait mais n'en menait pas large, embarquée dans une bataille qui n'était pas la sienne. Trop de coups à prendre, des bleus à l'âme garantis, des bosses douloureuses, et un sac d'embrouilles bien trop lourd pour ses épaules. Il allait falloir mordre des pauvres gens dont elle comprenait parfaitement la réaction, faire bonne figure, pardonner des crimes, défendre des assassins et considérer que tout cela n'était pas bien grave. On était en famille ! Lisette allait assurer, par amour, par fidélité… C'était toujours la même histoire.

Louise marqua un temps d'arrêt, avant de s'engager dans l'allée centrale de la salle d'audience. Tout l'impressionnait, le plafond peint, les boiseries, les grands fauteuils de cuir fauve, la statue de bronze représentant la justice, les bancs du public, la pile de dossiers, la grosse horloge qui sonnait les heures. Elle avait mal au ventre, au creux du ventre comme disent les enfants, c'est-à-dire partout. La peur lui rongeait le corps. Une bonne peur, solide et sournoise. L'appréhension de voir Paul, de subir les injures, les calomnies, les accusations… Oui, bien sûr elle prendrait son air de duchesse, avec les épaules en arrière, le cou tendu, le regard planeur, le menton en avant… et les mains glacées… Se retrouver en famille, dans une cour d'assises, c'était une étrange circonstance ! Et puis cette foule, toute cette foule présente pour en découdre.

— Au premier rang… on ne voit pas leur visage…Viens, souffla Juliette. Elle avait un don pour deviner les sentiments des autres. Là, c'était facile, Louise était livide et avait même oublié, après s'être mordu les lèvres, de se remettre du rouge à lèvres, signe chez elle de grand désarroi.

— Comme tu veux…

Juliette passa devant sa sœur et lui attrapa le poignet. C'était elle maintenant qui lui montrait le chemin.

— Tout ira bien…

À ce moment-là, une femme cracha sur Juliette, en hurlant.

— Ordure… Ils sont tous morts…

Juliette tituba et se réfugia dans le silence, dignement, sans se voûter, ni se courber sous l'insulte. Elle était déchirée, meurtrie, mais de l'intérieur. Louise sentit ses tempes bourdonner. Survoler la douleur, jouer l'indifférence lui était cette fois impossible. Il fallait plonger, cogner, se battre, défendre le camp des « K » …

— C'était la guerre… Ce procès n'est pas celui de tous les nazis de la terre…

Elle essayait de faire face, de ne pas perdre pied, pas tout de suite !

— Silence… Chut… Silence, intervint une autre dame. Nous sommes dans un tribunal, pas dans la rue…

On ne toucha pas au crachat, pas avant d'être au premier rang, à l'abri de leurs regards. C'était encore plus humiliant de le nettoyer que de le recevoir…

— Mesdames, messieurs, la Cour…

Et voilà, c'était reparti pour le « petit Nuremberg », pour reprendre le surnom donné par la *République du Centre Ouest*. Et Louise se trouvait dans la ronde des accusés, irrémédiablement liée à eux. La force de l'accusation les cimentait les uns aux autres. C'était un cercle nauséabond mais c'était son cercle puisque Juliette s'y trouvait embourbée.

Paul était méconnaissable. Depuis son arrestation, un an plus tôt, il avait perdu trente kilos et son visage s'était creusé du poids des accusations ! Il était gris, comme son costume trop grand, et comme sa chemise pourtant blanche. Louise le regardait du coin de l'œil, pour ne pas croiser son regard. À quoi bon ! Elle ne voulait pas lui sourire et savait qu'elle pouvait être attendrie. Elle avait le pardon à fleur de peau… Elle était là pour Juliette, pas pour lui. Elle ressassait cette nuance, sachant au fond que c'était pareil.

Louise se résigna. Le défilé des témoins ne lui permettait pas autre chose. À Chartres et dans sa région, la Gestapo et les complices de la police française ne manquaient pas d'imagination pour obtenir des renseignements et arrêter les résistants. Tous racontèrent la même histoire. Des tortures atroces, des mâchoires massacrées, des corps couverts de coups avec une badine entaillée pour mieux déchirer les chairs, l'ingurgitation forcée de liquide corrosif, des mains broyées, des ongles arrachés et des visages tuméfiés pour impressionner les compagnons de cellules.

— Accusé Paul Lafeuil, levez-vous !

Paul se leva et se tourna vers le président. Ils s'étaient croisés, avant la guerre, quand ils travaillaient tous les deux au ministère de l'Intérieur. Chacun d'eux avait passé sous silence cette vague et lointaine relation anodine. Les deux hommes se défièrent en silence pendant une longue minute qui parut une éternité à Juliette. Puis, le président poursuivit.

— On vous reproche d'avoir été le chef d'orchestre de la répression ? Vous avez désigné l'inspecteur Verney, en toute connaissance de ses méthodes. Vous teniez à l'écart les fonctionnaires de police que vous ne jugiez pas assez ardents à la tâche. Vous étiez connu pour être en parfait accord avec la Sicherheitspolizei. Vous êtes accusé d'abus de pouvoir, puisque vous avez violé la séparation des pouvoirs et fait des actes qui n'appartenaient qu'aux magistrats ou à la police. Les témoins que nous venons d'entendre parlent de perquisitions illégales, d'arrestations non justifiées, de détentions prolongées, de sévices et contrainte morale…

Paul, avec des gestes lents et tremblants, sortit de la poche intérieure de sa veste un paquet de feuilles qu'il déplia et posa devant lui sur le pupitre en bois. On aurait dit qu'il s'installait à sa table de travail dans l'intimité de son bureau. C'était son moment, celui de sa défense, la première fois depuis la fin de la guerre qu'on allait l'entendre s'exprimer sur ses agissements. La première fois pour Juliette aussi. Jamais, ils n'avaient parlé de tout cela. Il la renvoyait toujours à son innocence, une innocence protectrice qu'il présentait comme une preuve d'amour. « Il vaut mieux pour toi que tu en saches le moins possible. » C'était son immanquable réponse à toutes les questions de sa femme. Circulez, belle dame, il n'y a rien à voir ! Pensait-il à cela quand, avant de commencer sa longue déclaration, il se tourna vers Juliette et, pour la première fois depuis le début du procès, planta son regard dans le sien, comme un couteau à la lame d'acier. Il ne l'avait pas regardée avec cette intensité depuis longtemps. Elle soutint son regard, en crispant ses mâchoires et sans pouvoir contrôler ce tressautement ridicule de sa paupière droite qui revenait la titiller chaque fois qu'elle pénétrait dans la salle d'audience.

— On vous écoute ! s'impatienta le président.

Juliette frissonna. Ses mains croisées posées sur ses cuisses étaient rouges à cause des contractions puissantes. Louise remarqua deux alliances à l'annulaire gauche de sa sœur… Celle de Paul probablement qu'on lui avait retirée au moment de son incarcération.

— On vous écoute, dit à nouveau le président.

L'avocat voulut intervenir mais Paul l'arrêta d'un signe de la main, presque hitlérien, pour celui qui voulait faire du mauvais esprit.

— Ma déclaration, monsieur le Président, va répondre à certaines des questions que vous venez de me poser mais peut-être pas à toutes.

La voix de Paul était grave et sourde, l'émotion ne l'altérait pas.

— En préambule, je tiens à rappeler que les services de police étaient sous mes ordres. Donc je vais détailler chaque élément que je considère comme important dans l'histoire de l'arrestation de ces dix-huit jeunes saboteurs terroristes...

Une clameur hostile arrêta brusquement Paul. Les gens s'étaient levés. Le mot de terroriste avait claqué comme un aveu monstrueux de culpabilité.

— Silence ou je fais évacuer la salle, cria le président pour couvrir les hurlements, comme si tous, jusqu'à cet instant, avaient retenu leur douleur. Le mot de Paul pour qualifier les victimes était mal choisi. Vraiment maladroit, on avait changé d'époque, il fallait le lui dire... Son avocat plein de bons sentiments, croyant bien faire, lui glissa un mot qu'il froissa nerveusement en boulette de papier et balança par terre, avec une rage trop voyante.

Le silence revint. Il poursuivit.

— J'étais traqué par le ministre du Ravitaillement parce que, dans ce département de Beauce, les incendies de récolte se multipliaient. Je ne me suis jamais occupé de la Résistance, ni des attentats sur les lignes stratégiques. Les sabotages d'Illiers étaient commis sur une ligne utilisée seulement par le trafic français. Je suis intervenu comme préfet français sur une affaire concernant des Français. J'ai fait appel à la SPAC car j'avais la charge de la sécurité...

— Pouvez-vous nous rappeler le rôle de la SPAC ? demanda l'avocat général.

— Section de Police Anti-Communiste...

— Nous connaissons la définition des initiales. Ce n'est pas ma question... Dans le cas qui nous intéresse, vous avez demandé à la SPAC une enquête complémentaire, sachant qu'enquête voulait dire sanction et que sanction voulait dire condamnation à mort ?

— Enquête voulait dire enquête. Recherche de culpabilité mais aussi recherche d'innocence. Je ne pouvais pas me fier aux seuls Allemands pour décider de la culpabilité de dix-huit de mes compatriotes.

— La SPAC a fait subir d'épouvantables sévices aux prisonniers avant de les livrer à la police allemande. Ils ont facilité la condamnation de ces dix-huit jeunes gens ?

— Je ne pouvais pas savoir que les choses se passeraient ainsi. J'ai fait appel à eux en toute bonne foi…

— Le simulacre grotesque de procès, dans la salle même où nous nous trouvons aujourd'hui, ne vous a pas choqué ?

— Aucun Français n'était admis dans la salle d'audience et nous avons appris les exécutions que le lendemain… se défendit Paul.

— Vous aviez fait votre travail… ironisa le président.

— Oui, parfaitement, s'emporta Paul. J'ai agi dans l'honneur de ma fonction pour faire respecter l'ordre dans mon département. Ma responsabilité commence et s'arrête là… J'ai conscience d'avoir fait honnêtement mon métier de préfet français…

C'était un dialogue de sourds. On avait déjà entendu une dizaine de témoins, tous accablants pour Paul. Le « roi de la Beauce » avait une réputation de brute au service de l'occupant. Les témoins qui auraient pu nuancer ce sinistre tableau ne se présentèrent pas à l'audience. L'un d'eux, un chef de bureau qui avait fait un témoignage moral sur l'honnêteté et la droiture de Paul, travaillait encore à la préfecture de Chartres et ne voulait pas subir l'opprobre de ses collègues, de sa famille, de toute la ville. Il se rétracta, malgré les suppliques de l'avocat. La lettre dans laquelle il présentait ses excuses à Juliette n'était pas signée, empêchant qu'elle soit produite à l'audience.

53.

14 septembre 1945

Louise venait de vivre une nuit blanche. Juliette avait eu une fièvre de cheval, et aucun médecin ne s'était déplacé en pleine nuit, surtout dans un hôtel. Louise l'avait veillée, la soulageant comme elle pouvait avec des serviettes trempées dans l'eau froide. Heureusement, elle avait dans son sac un tube de cachet d'aspirine qui contribua largement à chasser la fièvre. Après avoir déliré de longues heures, Juliette s'endormit au petit matin. Louise ouvrit la fenêtre, pour chasser l'odeur âcre de la chambre et regarder la couleur du ciel.

Sur la place du marché, devant l'hôtel, elle remarqua une agitation inhabituelle. C'était un bruit diffus de gens qui se retrouvaient. On entendait des voix, des rires, des accolades, des piétinements sur le gravier sableux. De plus en plus nombreuses, les personnes sortaient leur matériel, des porte-voix par-ci, des banderoles par-là... Louise sentit la nausée lui tirailler le ventre. Une douleur intense l'obligea à s'allonger de travers sur le lit de Juliette. Elle attribua ce malaise à la fatigue et ferma les yeux pour se reposer quelques minutes.

— Les salauds sur l'échafaud, les salauds sur l'échafaud...

Elle se réveilla en sursaut. On était le jour du verdict. Elle se précipita pour fermer la fenêtre. Ouf, Juliette dormait profondément.

Puis, toutes les chambres du palier furent réveillées par le bruit de ses vomissements qui lui arrachaient les boyaux. Elle était tombée à genoux dans les toilettes de l'étage, sans avoir le temps de fermer la porte.

Le directeur de l'hôtel se précipita dans l'escalier pour vérifier qui se permettait de faire un tel vacarme. Sûrement, cette Parisienne hautaine ! Dans le dos de Louise, il cria :

— Endroit à laisser propre, quand vous aurez fini !

C'était la première fois qu'il lui adressait la parole, depuis qu'elle avait déballé ses billets.

— Vous avez attrapé la mort... rigola-t-il en claquant la porte.

Il avait raison. Louise crut mourir dans un dernier tressaillement de tout son corps, puis le calme revint.

Dans la chambre, Juliette n'avait pas bougé.

Louise scruta sa mauvaise mine dans la glace, lissa son visage verdâtre des deux mains, se lava les dents, chercha son rouge à lèvres, renonça à s'en mettre et vint s'installer près de sa sœur. La regarder dormir, ainsi abandonnée et insouciante, lui faisait du bien. Elle lui caressait les cheveux d'une main légère, pour ne surtout pas la réveiller. À quoi bon la faire revenir dans ce cauchemar ?

L'heure tournait et il fallait bientôt partir pour le palais de justice, alors Louise fit les valises. La sienne à la va-vite, et celle de Juliette avec plus de difficulté. Elle voulait lui choisir sa tenue du jour, mais hésitait. Ses mains se mirent à trembler, son regard se troubla. Tous ces habits lui semblaient si pitoyables... Elle se ressaisit, prit sa taille entre ses mains pour se donner du courage.

Ce soir on déguerpissait de ce taudis. Juliette aussi. Elle

l'emmenait à Paris. Paul serait transféré à la prison de la Santé. Les condamnés à mort y avaient un quartier réservé.

Louise avait préparé minutieusement le retour de sa sœur dans la capitale. C'était sa façon de la réconforter. Elle avait loué pour six mois, payés d'avance, un petit meublé de deux pièces. Charles avait fait le chèque sans un commentaire. Tant que c'était de l'argent, cela ne le dérangeait pas. Mais Louise avait demandé beaucoup plus. Avant même la fin du procès, elle le suppliait d'intervenir auprès de ses amis du gouvernement pour obtenir un traitement de faveur.

— Il a été idiot, ce n'est pas un crime... avait-elle plaidé.

— Dans son cas si. Sa bêtise a tué !

— Charles...

— J'ai honte d'intervenir pour un collabo, mais je vais le faire...

— Merci...

— Ne me demande plus jamais de le rencontrer. Plus jamais...

— Et...

— N'insiste pas, Louise. Plus jamais, je ne le verrai ! Tu m'as bien compris ?

Ce n'était pas la peine de répondre. Elle avait compris. Si bien compris, qu'elle n'osa pas demander si Juliette était incluse dans le « plus jamais » ... Charles obtint de ses amis le transfert de Paul à Paris, mais rien de plus, à part des sarcasmes idiots et des ricanements faciles !

On eut droit au réquisitoire, suivi de la plaidoirie des avocats de Paul qui demandaient timidement de l'indulgence. Une petite plaidoirie, toute petite, sans effets de manche, sans envolée lyrique, sans jeu de mots, sans emphase, sans défense. Les mots ordre, obéissance, responsabilité étaient vidés de leur sens. On les avait tellement entendus. Louise était assise, seule, au premier rang. Elle somnola une bonne partie de l'après-midi, soulagée de n'avoir pas croisé de nouveaux manifestants pendant l'interruption du déjeuner. Que tout cela était long !

Puis la voix du président résonna, comme un cri dans la nuit.

Tous retinrent leur souffle. Il était temps de revenir à l'essentiel, de recomposer la vérité, d'imposer la justice souveraine.

— L'heure est venue, Messieurs les jurés... Vous devez vous retirer et vous demander, dans le silence et le recueillement, quelle est votre intime conviction sur la culpabilité de chacun des hommes ici présents ?

Intime conviction, les mots claquèrent dans l'oreille de Louise. Elle se mordit les lèvres pour réprimer un soupir de découragement. Si on évoquait l'intime conviction, alors Paul n'avait aucune chance. Aucune, puisque même la sienne d'intime conviction le condamnait.

Vers 22 heures, quand la condamnation à mort de Paul fut prononcée, sous les applaudissements interminables des braves gens debout qui espéraient cette justice-là depuis quatre ans, Louise s'évanouit !

Juliette délirait dans sa chambre d'hôtel, à nouveau terrassée par une forte fièvre. Sourde aux cris des manifestants qui se réjouissaient du verdict, avant d'entonner dans une ferveur superbe le *Chant des partisans*... Pauvre amie, elle n'entendait plus rien... Le vol noir des corbeaux ne lui laissait aucune issue possible.

10 novembre 1954

Juliette ne s'était pas sentie aussi sereine depuis bien longtemps, des mois, des années, mille ans peut-être... C'était une journée rien que pour elle, son premier jour de travail. Elle était engagée comme rédactrice cuisine des nouvelles pages féminines du quotidien de Charles, ça la changerait du tricot ! C'était un jour de novembre qui portait bien son nom. Le thermomètre lui indiquait qu'il était préférable de raccrocher le col de fourrure sur le manteau de laine anthracite. Elle s'employa à recoudre une pression qui fichait le camp. La fourrure était un peu mitée, mais Juliette souffla dessus pour que cela soit moins visible.

Malgré cela, l'arrivée de l'hiver la réjouissait, car c'était une époque de l'année où les commandes de La Châtelaine étaient régulières. Depuis fin août, elle avait tricoté jour et nuit pour fournir les brassières dans toutes les tailles et dans toutes les couleurs, surtout rose, bleu et blanc. Elle en avait les mains cabossées ! Son travail au journal allait être reposant...

La veille au soir, pour ne pas être bousculée au réveil, elle avait plié soigneusement ses vêtements sur la petite chaise d'église de sa chambre. Du gris comme toujours, comme pour les grands événements de sa vie. On ne lui avait pas précisé l'heure du début de journée. Elle décida donc d'être plus en avance qu'en retard. Elle était tétanisée à l'idée de se faire remarquer, de ne pas savoir faire, d'être la belle-sœur du patron, de taper à la machine avec deux doigts, d'être la plus vieille, la plus pistonnée... Pourtant, elle arrivait armée, ses recettes de cuisine étaient prêtes. Quatre d'avance, pour donner le choix à la rédactrice. Depuis deux jours, pour ajuster les recettes, elle avait réalisé les plats. Plusieurs fois, pour mesurer, compléter, goûter, changer et ajuster les quantités. Du coup, elle avait à revendre du veau aux carottes, du gâteau aux pommes à la crème de noix, de la roulade de bœuf à la tomate et du flan de Veulettes.

Au moins n'aurait-elle pas à se remettre en cuisine samedi... Cette semaine, sans effort particulier, le « panier du condamné à mort », comme l'appelait Paul, allait être bien garni. Trop bien garni, Paul ne mangerait jamais tout ça ! Alors pour ne pas gâcher, elle imagina distribuer du gâteau aux pommes à ses pauvres compagnons du parloir du Fort de Montrouge. À force, elle y était presque chez elle... Le gardien l'avait à la bonne, depuis le temps. Neuf ans de dimanche, neuf ans sans une absence, pas un dimanche de récréation sous prétexte de grand soleil, de mal aux pieds, de grève des cheminots, d'invitation à se distraire ailleurs ! Alors, admiratif de cette constance, le gardien, lui aussi fidèle au poste, accordait à Juliette, lors de ses visites à la prison de Paul, des petites faveurs de rien : du temps plus long, des caresses furtives desquelles il détournait le regard, des paniers trop débordants de douceurs qu'il ne vidait pas avant qu'ils changent de mains.

Juliette se perdait dans ses pensées. Ce n'était pourtant pas le moment, elle devait se mettre en route, le cœur joyeux. Elle attrapa la crème Jolie pour finir de se préparer. Réconfortante crème Jolie. Une fois encore, à son contact, la vie lui sembla plus douce... N'avait-elle pas décidé que c'était sa première journée rien qu'à elle, en essayant de ne pas penser à son douloureux amour, à sa cruelle dépendance. Mais le yoyo de sa vie la ramenait toujours derrière les barreaux de Paul. Ne t'éloigne pas trop, lui disait la petite musique de sa conscience. Ce n'est pas fini...

Louise avait bon espoir que la seconde demande de grâce présidentielle aboutisse. Le temps jouait en faveur de Paul, répétait-elle quand elle voyait tourner l'humeur de sa sœur. Certes, l'argumentation développée pour obtenir la grâce n'avait pas évolué, mais cette fois le président du Conseil était vraiment un ami de la famille. Un ami de Charles et de Léonard. Du courage politique face aux associations de déportés, il en avait aussi. Il avait été un grand résistant et avait fait une guerre exemplaire, alors personne ne pourrait le soupçonner de complaisance...

Mais Dieu, que l'attente était longue. Juliette souffrait de ces années perdues, de ces années de grande solitude et de petites humiliations quotidiennes. Rien de bien méchant ni même de conscient, des maladresses, des gaffes corrigées le mot d'après, des fausses pudeurs, des sourires en coin, des sous-entendus. Elle était devenue une éponge à sous-entendus. Partout sur son passage elle se sentait montrée du doigt, désignée. Parfois c'était vrai, mais le plus souvent ça sortait de son imagination malheureuse. Son monde à elle, était coupable, coupable avec une majuscule et, à la différence de l'étoile jaune, ça ne s'enlevait pas dans l'intimité. Ça vous collait à la peau, à la conscience plus sûrement que n'importe quelle religion... Plus on essayait d'oublier, plus c'était voyant !

De plus en plus souvent, le matin juste avant l'aube, Juliette se réveillait trempée de sueur comme si c'était le jour de l'exécution de Paul. Il lui fallait un certain temps pour calmer ses palpitations, dans la solitude et l'obscurité de son petit appartement. La peur était un drôle d'animal. Au bout de dix ans, elle l'avait apprivoisée, croyait s'être habituée à sa présence insidieuse. Mais sans crier gare, elle resurgissait dans sa forme primitive, déchaînée, souveraine pour lui ronger les tripes… Ces jours-là, Juliette se cachait, incapable de tenir debout, terrassée par la culpabilité d'aimer un collabo, un des monstres ayant de près ou de loin participer à une abomination... Elle avait envie qu'il vive, et elle avait envie qu'il meure. Tout se mélangeait et elle ne savait plus au fond ce qu'elle souhaitait vraiment… En finir, d'une façon ou d'une autre. Oui, en finir.

L'heure tournait et Juliette dut accélérer le rythme, au prix d'un grand effort pour surmonter son appréhension à aller gagner sa vie. Il était temps de redresser la tête au lieu de s'enfermer chez elle avec ses aiguilles et sa laine, d'avoir un emploi régulier depuis le temps que Paul avait été déchu de tous ses droits. Sa dernière paye remontait à septembre 1944.

— En quoi le flan de Veulettes est différent des autres flans ? demanda la rédactrice, découvrant les recettes présentées par Juliette.

— La quantité de vanille, le fond de tarte, la dégustation tiède et la crème anglaise à la fleur d'oranger… balbutia Juliette.

— Nos recettes doivent être originales et modernes. Nous ne devons pas reprendre les recettes de Ginette Mathiot dans *Je sais cuisinier*.

— D'accord…

— Alors ?

Juliette s'embrouilla. Elle aurait aimé des instructions précises mais n'osait pas les demander. Que voulaient dire originales et modernes ? C'étaient des notions subjectives, surtout en cuisine…

— Et les autres recettes ?

— Trop classiques... Trouvez-nous une nouvelle idée pour ce soir, nous bouclons la page... De la cuisine jeune, dépoussiérée des trucs de grand-mère.

Le travail c'était des ordres, il fallait s'y résigner même à cinquante ans !

À l'heure du déjeuner, Louise vint la chercher. On l'attendait dans la salle à manger de direction. Elle raconta sa première matinée à Charles qui l'écouta malgré son air préoccupé. Il fut décidé que le flan de Veulettes serait la première recette publiée. Après tout, ce n'était qu'une vaste histoire de famille... Et tant pis pour la modernité des ménagères.

— Monsieur Charles, on vous passe le président du Conseil sur la ligne une, annonça une secrétaire à travers un haut-parleur posé sur la table.

Charles se précipita vers le téléphone. La conversation fut brève. Charles prononça trois mots, merci, d'accord, merci et émit un ricanement crispé, avant de raccrocher le combiné avec lenteur. Juliette et Louise échangèrent un regard. Il soupira bruyamment, puis se retourna victorieux vers sa femme. Son visage souriait alors que de dos, voûté et la tête penchée, il semblait abattu par le poids d'une mauvaise nouvelle.

— Paul sera libre dimanche matin...

— Dimanche matin, répéta Juliette. Dimanche matin...

Elle était assommée par la nouvelle. Le regard brillant, les bras ballants, elle n'arrivait pas à faire surface...

— Le dimanche c'est plus discret... commenta Charles.

— Plus discret... Plus discret... répéta Juliette.

Puis ils se turent tous les trois, chacun plongé dans ses pensées. Charles attrapa les feuillets manuscrits qui étaient posés à côté de son assiette et commença à raturer le texte...

— En échange, je dois changer mon édito sur sa politique étrangère. Il le trouve trop sévère... À grand service, petites corrections, hein Juliette. Ce n'est pas cher payé !

Juliette n'exprimait rien, ni peine, ni joie, ni soulagement, ni anxiété. On aurait dit qu'elle s'était même arrêtée de respirer. Louise se leva et vint par-derrière poser ses mains sur les épaules de sa sœur. Elles restèrent ainsi en silence un long moment, ne s'apercevant même pas du départ de Charles qui ne comprenait pas cet abattement ridicule. Comment une bonne nouvelle pouvait-elle provoquer une pareille léthargie ?

C'est Louise, la première, qui pleura de soulagement. Ses grosses larmes, qu'elle ne prit pas soin d'essuyer, glissèrent dans le cou de Juliette. Alors Juliette explosa. Un long sanglot puissant et bruyant, comme un vomissement qui met la carcasse sens dessus dessous. Un sanglot qui traduisait l'emballement douloureux de son pauvre cœur fatigué.

— Pauvre chérie, murmura Louise. Pleure, pleure toutes ces larmes accumulées. Avec elles, s'arrêtera le torrent du cauchemar. Dimanche, après la messe, nous irons sortir Paul de prison…

Juliette voulut approuver, mais ses paroles restèrent bloquées derrière ses hoquets. Alors pour s'exprimer, elle secoua la tête de toutes ses dernières forces, mais se trompa de sens et dit non, non, au lieu de oui !

Remerciements

À mes complices d'écriture : Anne Méaux, Nazanine Ravaï, Isabelle Laffont, Anne-Sophie Stefanini, Sophie Reinauld.

À mon grand-père, Émile Servan-Schreiber, pour tous ses livres dont principalement *Alors raconte ! Raconte encore*. Et à mes oncles et tantes, cousins et cousines pour nos bavardages éternels sur Mamie et Dédée !

Aux auteurs qui ont écrit sur la saga Servan-Schreiber : Alain Rustenholz et Sandrine Treiner. Et à Jean Bothorel pour *Celui qui voulait tout changer : Les années JJSS*.

Aux auteurs et historiens qui ont écrit sur la Seconde Guerre mondiale dont Dominique Lapierre et Larry Collins pour *Paris brûle-t-il ?*, *Les Français au quotidien* (1939-1949) d'Éric Alary, *La montagne-refuge : les juifs au pays du Mont-Blanc* de Gabriel Grandjacques.

« Pour l'éditeur, le principe est d'utiliser des papiers composés de fibres naturelles, renouvelables, recyclables et fabriquées à partir de bois issus de forêts qui adoptent un système d'aménagement durable.

En outre, l'éditeur attend de ses fournisseurs de papier qu'ils s'inscrivent dans une démarche de certification environnementale reconnue. »

Composition MCP - 45770 Saran

Impression réalisée par
CPI BRODARD ET TAUPIN
La Flèche
en janvier 2009

N° d'édition : 01 – N° d'impression : 50516
Dépôt légal : janvier 2009
Imprimé en France